LES CHASSEURS D'ÂMES

tome 1 : destinés

Les Chasseurs d'âmes

tome 1 : destinés

alyson noël

Traduit de l'anglais (États-Unis)
par Maud Desurvire

Michel Lafon

Du même auteur, chez le même éditeur

Éternels
Tome 1 : *Evermore*
Tome 2 : *Lune bleue*
Tome 3 : *Le Pays des ombres*
Tome 4 : *La Flamme des ténèbres*
Tome 5 : *Une étoile dans la nuit*
Tome 6 : *Pour toujours*

Radiance
Tome 1 : *Ici et maintenant*
Tome 2 : *Éclat*
Tome 3 : *Au cœur des rêves*
Tome 4 : *Murmure*

L'Été où ma vie a changé

À Paraître

Les chasseurs d'âmes, tome 2

Titre original : *Fated*, par Alyson Noël

Première publication en langue originale par St Martin's Press en mai 2012.

Design intérieur © Anna Gorovoy

7-13, boulevard Paul-Émile-Victor – Île de la Jatte
92521 Neuilly-sur-Seine Cedex
www.lire-en-serie.com

À la mémoire de mi abuela

« On ne reçoit pas la sagesse, il faut la découvrir soi-même, après un trajet que personne ne peut faire pour nous, ne peut nous épargner. »

MARCEL PROUST,
À la recherche du temps perdu

SEIZE ANS PLUS TÔT

Tout a commencé par l'arrivée des corbeaux.

Une véritable nuée.

Leurs yeux sombres à l'affût, implacables, leurs corps noirs et lustrés, ballotés par le vent. Ils tournoyaient en rangs serrés au-dessus du cimetière. La chaleur sèche, étouffante, et l'air brûlant, conséquence des violents feux de forêt qui roussissaient le ciel et déversaient une pluie de cendres chaudes sur le cortège funèbre en contrebas, n'avaient aucune prise sur eux.

Pour ceux qui sont sensibles à de telles manifestations, c'était un signe immanquable. Et Paloma Santos, persuadée que la mort subite de son fils n'était pas un accident, savait parfaitement ce que signifiait la présence de ces oiseaux : non pas un simple présage, mais une sorte de message signalant l'arrivée d'un successeur, lequel était en réalité présent ici même, dans ce cimetière.

Son pressentiment se confirma dès l'instant où, d'un bras réconfortant, elle serra contre elle la petite amie éplorée de son fils et sentit le petit être qui poussait en elle.

Le dernier de la lignée des Santos.

Une petite fille au destin tracé depuis bien longtemps.

Mais si les corbeaux le savaient, alors il se pouvait qu'ils ne soient pas les seuls. D'autres se feraient un plaisir d'anéantir cette enfant à venir pour s'assurer qu'elle n'ait jamais l'occasion de revendiquer ses droits.

Inquiète pour la sécurité de sa petite-fille, Paloma quitta l'enterrement bien avant que la première poignée de terre ne soit répandue sur le cercueil. Elle se jura de garder le silence et ses distances jusqu'à ce que l'enfant atteigne l'âge de seize ans et ait alors besoin de conseils qu'elle seule serait en mesure de lui prodiguer.

Paloma avait seize années devant elle pour se préparer.

Seize années pour recouvrir ses propres pouvoirs émoussés, et entretenir la flamme de leur héritage jusqu'à ce que le moment soit venu de le transmettre.

Elle espérait survivre d'ici là, car le prix à payer pour la mort de son fils allait bien au-delà du chagrin.

Si elle échouait, si elle mourait sans avoir pu contacter sa petite-fille à temps, la vie de cette dernière s'achèverait tragiquement et prématurément, exactement comme celle de son père. C'était un risque qu'elle ne pouvait pas se permettre de prendre.

La lignée s'arrêterait là.

L'enjeu était trop important.

L'enfant à venir tenait le sort du monde entre ses mains.

De nos jours

Un

Il arrive dans la vie que tout s'interrompe.

La terre s'immobilise, le ciel se fige et le temps se dérobe en se repliant sur lui-même, las, avant de s'effondrer comme une masse.

Au moment où je pousse la petite porte en bois du riad où Jennika et moi campons depuis des semaines, quittant le silence du patio aux parfums de rose et de chèvrefeuille pour le chaos du dédale sinueux de la médina, c'est une fois de plus ce qui se produit.

Sauf que contrairement à mon habitude, au lieu de retenir moi aussi mon souffle, je décide d'en profiter pour tenter une petite expérience amusante. Me faufilant le long des murs mitoyens couleur saumon, je passe devant un petit homme chétif interrompu en pleine enjambée, pose les doigts sur la douce toile de coton blanc de sa gandoura et le fait pivoter en douceur jusqu'à ce qu'il se retrouve face à la direction opposée. Puis, après avoir baissé la tête pour esquiver un chat noir galeux qui, figé en plein bond, a tout l'air de voler, je m'arrête au coin de la rue et prends le temps de réarranger l'étal de lanternes de cuivre d'un vieillard, avant de passer à l'étal voisin, où j'essaie une paire de babouches bleu vif et, les jugeant à mon goût, laisse mes vieilles sandales en cuir ainsi qu'une poignée de dirhams tout chiffonnés en guise de paiement.

J'ai les yeux qui brûlent à force de les maintenir ouverts, mais je sais que dès l'instant où je clignerai, l'homme à la gandoura se sera éloigné d'un pas de sa destination, le chat sera retombé sur ses pattes, deux marchands ambulants contempleront leurs marchandises totalement ahuris... et cet endroit redeviendra le théâtre d'une pagaille perpétuelle.

Cependant, lorsque j'aperçois les êtres lumineux qui rôdent aux alentours et m'observent avec cette attention bien à eux, je m'empresse de plisser les yeux de toutes mes forces pour ne plus les voir. J'espère que cette fois encore, comme toutes les précédentes, ils disparaîtront. Qu'ils retourneront là où ils vont quand ils ne sont pas en train de m'épier.

Avant, je croyais que tout le monde vivait ce genre d'expérience, jusqu'au jour où je me suis confiée à Jennika et qu'elle m'a décoché un regard sceptique en mettant ça sur le dos du décalage horaire.

Pour elle, tout est la faute du décalage horaire. Elle affirme que le temps ne s'arrête pour personne, que c'est à nous de suivre sa marche effrénée. Mais déjà à l'époque je savais qu'il n'en était rien : j'ai passé ma vie à changer de fuseaux horaires et ce que je vivais n'était absolument pas lié à une question d'horloge biologique détraquée.

Néanmoins, j'ai pris soin de ne plus en reparler. Je me suis contentée d'attendre sagement, patiemment, que le phénomène se reproduise.

Et ça n'a pas traîné.

Ces dernières années, les occurrences se sont peu à peu multipliées, jusqu'à récemment où, depuis notre arrivée au Maroc, j'ai atteint une moyenne de trois par semaine.

Je bifurque dans une rue, désireuse d'arriver en avance sur Vane pour pouvoir admirer Djema'a el-Fna au crépuscule. Déboulant sur l'immense place, je me retrouve confrontée à une longue succession de grils à ciel ouvert proposant chèvres, pigeons et autres viandes non identifiables, leurs carcasses graissées tournant sur des broches et projetant dans l'air d'appétissants nuages de fumée chargée d'épices... Puis je me laisse bercer par la mélodie envoûtante des charmeurs de serpents, des vieillards en tailleur sur d'épaisses nattes et jouant de leurs pungis, tandis que des cobras aux yeux vitreux se dressent devant eux... Le tout se déroulant au rythme vibrant des darboukas qui résonnent continuellement en fond, bande-son typique de cette place fascinante qui renaît chaque soir.

J'inspire un bon coup et savoure le mélange capiteux d'huiles exotiques et de jasmin qui flotte dans l'air, tout en lançant un ultime regard autour de moi, car je sais que je ne reverrai pas de sitôt cet endroit sous cette lumière. Le film sera bientôt dans la boîte, et Jennika et moi partirons pour je ne sais quel autre tournage, je ne sais où, dans un endroit requérant ses services en tant que maquilleuse renommée. Qui sait si nous reviendrons ici un jour ?

Tandis que j'avance avec précaution vers la première carriole, celle postée à côté du charmeur de serpents, où Vane m'attend, je m'accorde une poignée de secondes indispensables pour réprimer cet agaçant vertige qui m'assaille chaque fois que je le vois, lui et ses cheveux blond vénitien ébouriffés, ses grands yeux bleus et la douce courbe de ses lèvres.

Quelle cruche ! je me dis en secouant la tête. *Idiote !*

Comme si je n'avais pas mieux à faire. Comme si je ne connaissais pas les règles !

Le secret est de ne pas s'impliquer, ne jamais s'attacher ; juste s'amuser un peu sans jamais regarder en arrière quand vient le moment de repartir.

Le joli minois de Vane, comme tous les autres avant lui, appartient à ses innombrables admiratrices. Pas un seul de ces visages n'a un jour été à moi, et jamais ils ne le seront.

Ayant grandi sur des plateaux de cinéma, trimballée en porte-bébé par Jennika, j'ai joué mon rôle de rejeton de l'équipe un nombre incalculable de fois : *sois sage, ne traîne pas dans nos pattes, donne un coup de main quand on te le demande et ne confonds jamais relations de travail et réalité.*

Vu que j'ai fréquenté des stars toute ma vie, je ne me laisse pas facilement impressionner, et c'est sans doute la principale raison pour laquelle elles se prennent toujours si vite d'affection pour moi. Je veux dire d'accord, je ne suis pas moche – plutôt grande et fine, avec de longs cheveux bruns, un teint assez clair et des yeux vert vif qui me valent souvent des compliments – mais sinon, je suis plutôt ordinaire, comme fille. Cela dit, je ne me démonte jamais quand je croise quelqu'un de célèbre. Piquer un fard, devenir exubérante et perdre mes moyens, ce n'est pas mon genre. Et le truc, c'est qu'ils ne sont tellement pas habitués à ça que ce sont eux, en général, qui finissent par me courir après.

Mon premier baiser, je l'ai échangé sur une plage de Rio de Janeiro avec un garçon qui venait de gagner le prix MTV du meilleur baiser. (Il est clair qu'aucun des votants ne l'avait réellement embrassé.) Le deuxième a eu lieu sur le pont Neuf à Paris, avec un garçon qui venait de faire la couverture de *Vanity Fair*. Mais si ce n'est qu'ils sont plus riches, plus connus et traqués par les paparazzis, au fond nos vies ne sont pas si différentes.

La plupart d'entre eux sont des voyageurs ; ils traversent leur propre existence sans s'arrêter, tout comme moi la mienne. Ils passent d'un endroit, d'une amitié, d'une relation à l'autre, et moi, c'est la seule vie que je connaisse.

Difficile de nouer des liens durables quand votre adresse permanente est une boîte postale au comptoir UPS.

Cependant, alors que je me rapproche peu à peu de Vane, je sens malgré moi ma respiration s'accélérer et mon estomac faire des montagnes russes. Et lorsqu'il se retourne, me lance ce sourire langoureux qui fera bientôt de lui une star internationale et plante son regard dans le mien en disant : « Hé Daire, seize ans, joyeux anniversaire ! », je ne peux m'empêcher de penser aux millions de filles qui seraient prêtes à tout pour être à ma place.

Je lui rends son sourire, agite brièvement la main, puis enfouis cette dernière dans la poche latérale de la veste militaire kaki qui ne me quitte jamais. Je fais semblant de ne pas remarquer la façon dont son regard se balade sur moi, et vagabonde de la crinière brune qui me tombe jusqu'à la taille au débardeur bariolé qui me moule sous ma veste, en passant par mon jean slim bleu brut et les babouches flambant neuves que je porte aux pieds.

– Sympaaa ! plaisante-t-il en collant son pied au mien pour me montrer la version masculine de mes chaussures. On pourrait lancer la mode à notre retour aux States, qu'est-ce que t'en dis ?

On.

Il n'y a pas de « on ».

Je le sais, lui aussi, et ça m'énerve qu'il essaie de prétendre le contraire.

Les caméras ont cessé de tourner depuis des heures, et pourtant il est encore là à jouer la comédie. À faire comme si notre brève liaison sur place était plus qu'une histoire sans lendemain.

Comme si en réalité *on* n'allait pas rompre bien avant que le mot RETOUR ne soit tamponné sur nos passeports.

Il n'en faut pas plus pour que ma sensiblerie de midinette, ô combien exaspérante, s'étouffe aussi vite qu'une flamme sous la pluie. Alors la Daire que je connais, celle que je me suis fixé d'être, prend la relève.

– Ça, j'en doute, je rétorque en repoussant sa chaussure.

Le coup est un peu brusque, plus que nécessaire, mais en même temps il ne l'a pas volé, ne serait-ce que pour avoir pu m'imaginer assez bête pour entrer dans son jeu.

– Bon… on va manger un bout, ça te dit ? Je meurs d'envie de goûter une de ces brochettes de bœuf, et peut-être même une autre aux saucisses. Oh, et des frites aussi, ça me tenterait bien !

Je pars vers les stands, mais Vane a une autre idée en tête. Il m'attrape la main et me retient en enlaçant fermement ses doigts dans les miens.

– Pas si vite, dit-il en m'attirant contre lui si près que mes hanches se cognent aux siennes. Je me disais qu'on pourrait faire un truc spécial… en l'honneur de ton anniversaire et tout. Qu'est-ce que tu dirais de tatouages assortis ?

J'en reste sans voix. Il plaisante, j'espère ?

– Mais si, tu sais, un *mehndi*, ces tatouages au henné. Rien de permanent. N'empêche, je me disais que ça pourrait être cool.

Il hausse son sourcil gauche avec la malice qui le caractérise et je dois lutter pour ne pas froncer les miens en retour.

Rien de permanent. C'est le générique de ma vie, ma mission quotidienne, si vous préférez. Cela dit, un *mehndi* n'est pas non plus comme une décalcomanie. Il a sa propre longévité. Qui subsistera bien après que le jet privé de Vane, financé par le studio, l'emporte loin dans les airs et hors de ma vie.

Mais je me garde bien de le lui faire remarquer et m'en tiens à cette réponse :

– Tu sais que le réalisateur va t'étriper si tu te pointes demain sur le plateau couvert de henné.

Vane hausse les épaules. Une marque de désinvolture que j'ai vue trop souvent chez bien des jeunes premiers avant lui. Il joue à fond la carte de la star aux pleins pouvoirs. Il se croit indispensable. Pense être le seul mec de dix-sept ans doté d'un brin de talent, d'une peau dorée, de boucles blondes et d'yeux bleus perçants capables d'illuminer un écran et de faire défaillir les adolescentes (et leur mère avec, la plupart du temps). C'est risqué d'avoir une telle vision de soi-même, surtout quand on gagne sa vie à Hollywood. C'est le genre de raisonnement qui mène directement en cures de désintox à répétition, à des émissions de télé-réalité lamentables, à des Mémoires larmoyants qu'on n'écrit même pas soi-même et à des navets à petit budget qui sortent directement en DVD.

Pour autant, lorsqu'il me tire par le bras, on ne peut pas dire que je rechigne. Je le suis vers une vieille femme tout en noir juchée sur une natte beige avec une pile de sachets de henné sur les genoux.

Vane négocie le prix pendant que je m'installe face à elle et lui tends les mains. Je la regarde faire une petite entaille dans un des sachets et appuyer dessus, puis dessiner une série de gribouillis sur ma peau, sans même daigner me consulter sur le type de motif que je pourrais souhaiter. En même temps, j'avoue n'avoir aucune idée à lui soumettre. Alors, je me contente de m'appuyer contre Vane qui est agenouillé à côté de moi et de la laisser faire.

– Vous devoir laisser sécher lé pli longtemps possible. Plus ci foncé, plus il aime vous, dit-elle avec un fort accent, bien que le message soit clair.

Clair, et accentué par le regard éloquent qu'elle nous lance.

– Ah non… non, non, on n'est pas… je bafouille.

On n'est pas amoureux !

Mais Vane s'empresse de me couper.

Glissant un bras autour de mes épaules, il me dépose un baiser sur la joue et gratifie la vieille femme d'un sourire irrésistible, qu'elle lui rend sans hésiter dans un surprenant étalage de dents grises ou manquantes. Je suis sciée par son attitude, si bien que j'en reste bête, les bras ballants… tout ça les joues en feu, les mains couvertes de henné et une jeune star montante langoureusement collée à moi.

N'ayant jamais été amoureuse, je reconnais ne pas être experte en la matière. Je ne sais absolument pas quel effet cela fait.

Toutefois, je doute que ce soit celui-là.

Je suis quasi sûre et certaine que pour Vane ce n'est qu'un rôle de plus qu'il se donne, celui de mon jeune et fringant prétendant, juste histoire de contenter cette étrange Marocaine qu'on ne reverra jamais.

Eh oui, Vane est un acteur, que voulez-vous, et un public reste un public, aussi clairsemé fût-il.

Une fois mes mains recouvertes d'arabesques et de spirales, la vieille femme me redit de laisser la couleur s'imprégner pendant qu'elle s'attèle aux pieds de Vane. Mais dès qu'elle détourne son attention, je me mets à gratter du bout de l'ongle des petits bouts de résidu. C'est plus fort que moi, je souris en voyant la pâte se décoller et une croûte poudreuse tomber au sol et se mêler à la terre.

C'est idiot, je sais, mais je ne peux pas risquer qu'il y ait une once de vérité dans ses paroles. Le film sera bientôt bouclé, Vane et moi partirons chacun de son côté, et tomber amoureuse est un luxe que je ne peux pas me permettre.

Mains et pieds pleinement ornés, on se promène ensuite le long des grils en plein air en dévorant à nous deux cinq brochettes de bœuf et de saucisses et une portion de frites arrosées de deux Fanta, avant de flâner dans le cirque nocturne de la place qui met en scène charmeurs de serpents, acrobates, jongleurs, diseuses de bonne aventure, guérisseurs, dresseurs de singe et musiciens. Il y a même une femme qui s'est installée comme arracheuse de dents et opère sur des vieillards aux molaires noires pourries, spectacle que nous regardons tous deux aussi horrifiés que fascinés.

Nous avons mollement posé nos bras sur la taille l'un de l'autre, et nos hanches se frottent un pas sur deux ; je sens le souffle de Vane me chatouiller le creux de l'oreille, tandis qu'il sort discrètement une mignonette de vodka de sa poche et me propose la première gorgée.

Je fais non de la tête. La repousse d'un geste. Dans n'importe quel autre endroit, je serais peut-être partante, mais Marrakech est une ville à part, mystérieuse et même un tout petit peu angoissante. Sans parler du fait que je ne connais pas du tout les lois en vigueur dans ce pays, même si je me doute qu'elles sont strictes, et que la dernière chose dont j'ai besoin, c'est de me retrouver dans une prison marocaine pour consommation d'alcool en tant que mineure.

Vane n'a vraiment pas besoin de ça non plus, mais inutile de dire qu'il s'en fiche. Il se contente de sourire, puis dévisse le bouchon et avale quelques gorgées avant de ranger la petite bouteille dans sa poche et de m'entraîner dans une ruelle sombre et déserte.

Je trébuche. Cligne des yeux. Tente d'agripper le mur en m'efforçant de voir où je mets les pieds. Puis je retrouve mon calme, grâce à la chaleur de ses mains sur mes hanches et à la phrase rassurante qui me traverse l'esprit, celle que Jennika utilisait pour m'apprendre à me passer de veilleuse quand j'étais petite :

Il faut t'adapter à l'obscurité pour que la lumière puisse te trouver.

Il repousse le foulard qui me couvre la tête et le laisse tomber sur mes épaules, approchant si près son visage du mien que je ne distingue plus que de grands yeux bleu intense et des lèvres entrouvertes qui ne tardent pas à s'emparer des miennes.

Je me fonds dans ce baiser, goûtant aux traces subsistantes de vodka qui imprègnent encore sa langue pendant que mes mains explorent l'étendue musclée de son torse, la courbe ferme de ses épaules, le contour net de sa mâchoire. Mes doigts s'entortillent dans sa crinière soyeuse tandis que les siens, curieux, intrépides, se faufilent sous ma veste, puis sous mon débardeur, retroussant le tissu de plus en plus haut à mesure qu'ils se fraient un passage.

Nos corps se mêlent, s'unissent dans un enchevêtrement de hanches et de lèvres écrasées l'une contre l'autre. Le baiser devient si passionné et pressant que ma respiration s'emballe et mon corps s'enflamme comme une allumette fraîchement craquée.

Enivrée par son contact, sa chaleur et la promesse qu'il incarne, je succombe à ses doigts insistants qui se glissent, tournoient et se pressent sous mon soutien-gorge pendant que les miens se déplacent plus au sud. Je les promène au hasard sur son abdomen finement sculpté, puis plus bas encore jusqu'à sa ceinture, prête à m'aventurer dans un territoire encore inconnu, quand soudain Vane s'écarte et chuchote :

– Viens, je connais un endroit.

La voix pâteuse, les yeux troubles, chacun lutte pour reprendre son souffle et résister à l'envie de se coller une nouvelle fois à l'autre pour réclamer encore un baiser.

– Viens, je t'assure ! J'aurais même dû y penser plus tôt… Ça va être dingue… Suis-moi !

Il reprend ma main à tâtons et m'entraîne hors de l'obscurité, dans la lumière de la place animée.

Au début je me laisse faire, prête à le suivre n'importe où.

Mais très vite, le rythme incessant des percussions, le charme hypnotisant des darboukas détournent mon attention.

– Daire… Viens, je te dis, c'est par là ! Mais qu'est-ce que t'as ?

Il plisse le front, les sourcils arqués avec perplexité lorsque je lâche sa main et continue d'avancer sans me donner la peine de vérifier s'il suit, car à cet instant, plus rien ne compte que de localiser la source de ce tempo.

Je joue des coudes dans la foule compacte jusqu'à ce que je la trouve et me fige, étourdie par le rythme envoûtant du tambour de cuir rouge, hypnotisée par les oscillations de soie rouge vermeil, les piécettes d'or et ce visage soigneusement voilé ne révélant que deux yeux soulignés de khôl, sombres et intenses.

– C'est un mec… un travelo !

Vane s'incruste à côté de moi, fasciné par la vue de cet homme en caftan qui agite les mains et se déhanche énergiquement au rythme des cymbales dorées.

Mais Vane ne voit rien de plus.

Il ne voit pas ce que *moi* je vois.

Ni comme tout se fige.

L'atmosphère change, devient chatoyante, floue, comme lorsqu'on regarde à travers un prisme de verre irisé.

Les êtres lumineux apparaissent un à un, rôdant aux alentours.

Ils me font signe, me supplient de les rejoindre.

Moi seule peux les voir.

Je cligne plusieurs fois des yeux dans l'espoir que les choses reviennent à la normale, en vain. Non seulement ils sont toujours là, mais maintenant ils sont accompagnés.

De corbeaux.

Des corbeaux par milliers envahissent la place.

Ils se posent sur le joueur de tambour, sur la danseuse du ventre travestie, montent en flèche, redescendent et atterrissent où bon leur semble, transformant la place alors pleine de vie en un océan de prunelles sinistres qui me guettent implacablement.

Les bras tendus vers moi, les silhouettes rayonnantes s'approchent sans bruit, réduisant sous leurs pas les corbeaux en une bouillie noire sanglante.

Et il n'y a rien que je puisse faire pour les repousser ou pour convaincre le temps de reprendre sa course.

Alors, j'opte pour la seule solution à ma portée, je m'enfuis.

Je détale à travers la foule, je pousse tout le monde, je hurle, je les bouscule et je crie pour qu'ils dégagent tous de mon chemin. J'ai vaguement conscience des appels de Vane derrière moi qui court pour me rattraper, m'agrippe et m'attire contre lui en me suppliant de m'arrêter, de revenir et de ne pas avoir peur.

Mon corps s'affaisse avec soulagement quand je relève la tête et croise son regard. Mais alors que je me demande comment je vais pouvoir lui expliquer ma soudaine crise de folie, maintenant que tout semble rentré dans l'ordre, je jette un coup d'œil derrière lui et m'aperçois que quelque chose de bien pire a remplacé les corbeaux : des centaines de têtes coupées sanguinolentes plantées sur des piques emplissent toute la place.

Leurs ignobles bouches béantes forment un épouvantable chœur qui scande mon nom, me somme de les écouter, de tenir compte de leur mise en garde avant qu'il ne soit trop tard.

Une voix en particulier s'élève au-dessus des autres, une voix dont le visage macabrement défiguré ressemble étrangement à celui d'une vieille photo froissée que je ne connais que trop.

DEUX

La lumière me tombe dessus, aveuglante et brusque, si bien que je suis obligée de plisser les yeux en me couvrant le visage des mains – du moins je le voudrais, mais en réalité, impossible de lever les bras ; et quand je m'efforce de me redresser, je retombe aussi sec sur le dos.

Mais qu'est-ce que… ?

Je suis allongée, les membres inertes, les bras le long du corps, et ce n'est que lorsque je soulève la tête pour essayer de comprendre ce qui m'arrive que je m'aperçois qu'on m'a ligotée.

– Elle se réveille ! s'écrie une voix de femme à l'accent si fort que je ne peux dire à son ton si elle est paniquée ou soulagée. Madame Jennika… vite, vite, venir : c'est votre fille, Daire. Elle est réveillée !

Jennika ! Alors comme ça, ma mère est au courant ?

Je tourne péniblement la tête et discerne des murs bleus peints à la chaux, un carrelage en terre cuite et la table octogonale richement peinte qui sert de point de chute bien pratique à ma super boîte de baume Rosebud Salve, à mon iPod argenté, à mes écouteurs et au livre de poche tout abîmé que je trimballe partout. Une vieille femme vêtue d'une longue djellaba noire traditionnelle se précipite hors de la pièce qui me sert de maison depuis plus d'un mois, et revient accompagnée d'une Jennika dans tous ses états, qui se laisse tomber à mon chevet en posant sa paume fraîche sur mon front. Ses yeux verts si familiers, presque la copie conforme des miens, semblent perdus, ailleurs, au milieu de sa tignasse décolorée blond platine et de son visage pâle d'inquiétude.

– Daire, ma chérie, ça va ? Je me suis fait tellement de souci ! Est-ce que tu as mal ? Soif ? Je peux t'apporter quelque chose ? Faire quoi que ce soit ? Demande-moi ce que tu veux !

Elle se rapproche, me scrute d'un regard anxieux tandis que ses mains replacent les oreillers sous ma tête.

J'ai les lèvres complètement gercées, la gorge irritée, la langue desséchée, si bien que lorsque j'ouvre la bouche en tournant la tête vers elle, mes paroles ressemblent à un charabia sans queue ni tête, même pour moi.

– Prends ton temps, susurre Jennika en me tapotant l'épaule et en me gratifiant d'un regard encourageant. Tu en as bavé. Rien ne presse. Je ne bouge pas d'ici. On restera autant qu'il faudra pour que tu te sentes mieux.

La gorge serrée, je déglutis avec peine. M'efforce de rassembler un peu de salive, mais mes réserves sont si réduites que ma seconde tentative n'est pas tellement meilleure.

– Dé… détache-moi, je ronchonne d'une voix enrouée en tirant sèchement sur mes liens dans l'espoir que ce geste soit plus parlant que mes mots.

Mais si Jennika comprend – et je suis presque certaine que c'est le cas –, elle choisit de ne rien montrer et attrape plutôt une bouteille d'eau.

– Tiens, bois.

Elle plonge une longue paille rouge dans la bouteille puis l'insère entre mes lèvres.

– Ça fait un moment que tu dors… tu dois être complètement déshydratée.

J'ai beau être terriblement frustrée et avoir envie de lui tourner le dos et me priver de boire jusqu'à ce qu'elle me détache, je ne peux m'empêcher de siffler goulûment la bouteille. La paille serrée entre les lèvres, mes joues aspirent tout ce qu'elles peuvent, ivres de soulagement quand le liquide frais et salvateur se déverse sur ma langue et apaise ma gorge en feu.

Aussitôt la bouteille vidée, je la repousse et plante mon regard dans le sien.

– Mais sérieux, pourquoi tu me fais ça, Jennika ?

Je gesticule comme une folle pour essayer de me libérer, en vain.

Dépitée, je la regarde tourner les talons et s'éloigner à l'autre bout de la pièce où elle prend tout son temps pour consulter la vieille Marocaine, murmurant quelque chose que je n'arrive pas trop à saisir, puis écouter avec attention la femme quand elle lui répond à voix basse en faisant non de la tête.

Finalement, elle revient près de moi et prend bien soin d'éviter mon regard en me disant :

– Je suis désolée, Daire. Sincèrement. Mais je n'ai pas le droit.

D'un geste nerveux, elle passe la main sur son débardeur noir – rectification, sur *mon* débardeur noir, or je n'ai pas souvenir de l'avoir autorisée à le porter.

– On m'a donné pour consigne formelle de ne pas te détacher, quand bien même tu me supplierais.

– Quoi ? je bredouille, ahurie, certaine d'avoir mal compris. Mais *qui* ? Qui t'a ordonné de me ligoter comme ça ? Elle ? je dis en montrant la vieille femme d'un signe de tête.

Avec sa tunique noire unie et le foulard assorti qui lui couvre toute la tête et une bonne partie du visage, elle ressemble exactement à toutes les femmes que j'ai pu croiser dans le souk. Question autorité, elle n'a pas vraiment le costume de l'emploi.

– Sérieusement, Jennika, depuis quand tu obéis aux ordres en dehors du boulot ? C'est une blague, ou quoi ? Parce que si c'est le cas, je te dis tout de suite que c'est pas drôle du tout !

Jennika fronce les sourcils, tripote la bague en argent gravée qu'elle porte au pouce, celle que je lui ai offerte pour la dernière fête des Mères lors de notre séjour au Pérou.

– Est-ce qu'au moins tu sais comment tu es arrivée là ? demande-t-elle en faisant bouger le matelas tandis qu'elle se juche au bord du lit. As-tu le moindre souvenir ?

Sa longue jupe en soie bruisse comme elle croise les jambes et m'implore du regard.

Je ferme les yeux et soupire, faisant mine de ne plus avoir le cœur à me battre, tandis que je me cale, dépitée, dans la pile d'oreillers qu'elle a agencés tout autour de moi. Je ne comprends rien à ce qu'elle raconte, rien à ce qui se passe, ni comment je me suis retrouvée détenue dans ma propre chambre par ma propre mère. Tout ce que je sais, c'est que je veux que ça cesse. Je veux qu'elle me détache. Qu'on me rende ma liberté. Et tout de suite.

– Il faut que j'aille aux toilettes.

Je lève brusquement une paupière en lui lançant un coup d'œil à la dérobée, persuadée qu'elle n'osera pas me refuser une faveur aussi simple.

– Tu penses que tu peux me détacher deux secondes, ou bien tu préfères que je me soulage directement dans ce lit ?

Je lève l'autre paupière et la toise d'un air de défi, mais elle se contente de se mordre la lèvre, de jeter un coup d'œil à la femme qui monte la garde dans l'angle, puis elle secoue fermement la tête en signe de refus.

– Je regrette, je peux pas. Soit tu te retiens, soit tu utilises le pot, répond-elle à ma stupéfaction. J'ai interdiction de te détacher avant le retour du docteur. Mais t'en fais pas, il ne devrait plus tarder à présent.

D'un signe de tête, elle désigne la sentinelle aux yeux cruels postée dans le coin.

– Fatima l'a appelé juste après ton réveil. Il est en route.

– Le docteur ? Mais… ?

Je tente de me redresser, par pur réflexe, mais exactement comme tout à l'heure, je retombe violemment en arrière.

Complètement à cran et dépassée par la situation démentielle dans laquelle je me trouve, j'en viens à envisager une action radicale – hurler, pleurer, exiger qu'elle me détache, sinon… quand soudain ma mémoire se remet en route, et des bribes de souvenirs ressurgissent dans mon esprit.

Des images de Vane… la place… le danseur du ventre travesti… le rythme lancinant des darboukas… tout me revient en un éclair de façon saccadée, une valse étourdissante d'instantanés qui vont et viennent dans ma tête.

– Détache-moi, je lâche d'un ton hargneux. Détache-moi tout de suite, Jennika, sinon je te jure que je vais…

Elle se penche vers moi, la mèche rose dans ses cheveux tombant sur ma joue alors qu'elle pose un doigt sur mes lèvres.

– Ne dis pas des choses pareilles, me coupe-t-elle en me faisant les gros yeux, d'une voix qui trahit l'ampleur de son angoisse.

Elle jette un regard nerveux à Fatima et baisse subitement la voix.

– C'est exactement avec ce genre de réactions que tu en es arrivée là. Ils sont convaincus que tu es un danger pour toi-même et les autres. Ils ont essayé de te faire hospitaliser, mais je les en ai empêchés. Maintenant, si tu persistes à parler comme ça, je n'aurai plus le choix. Je t'en prie, Daire, si tu veux sortir d'ici, il va falloir que tu apprennes à te maîtriser.

Moi, un danger ? Une menace pour la société ? Je ricane, lève les yeux au ciel, certaine d'être en plein cauchemar – mais un cauchemar qui paraît anormalement réel.

– Boooon...

Je fais traîner le mot tandis que nos regards se croisent.

– Et on peut savoir ce que j'ai fait, au juste, pour mériter une telle sentence ?

Mais avant qu'elle n'ait le temps de répondre, le reste de mes souvenirs rejaillit. D'autres images vacillantes d'êtres lumineux, de corbeaux par milliers et d'une place envahie de têtes coupées plantées sur des piques, qui remuent les lèvres...

Dont une en particulier...

Et ensuite, Vane.

Il s'est passé quelque chose avec lui.

Il m'a attrapée. Il a essayé de me persuader que tout allait bien. Mais lui ne voyait pas ce que je voyais. Il était loin de pouvoir saisir ce qui se passait en réalité. À force d'insister pour que je me calme et me ressaisisse, il ne m'a pas laissé le choix et j'ai dû faire ce qu'il fallait pour me libérer, et courir aussi loin que je pouvais de cette scène d'horreur...

– Tu as fichu une vraie pagaille, explique Jennika en étouffant un sanglot. Tu as méchamment griffé Vane au visage et aux bras. Ils ont dû repousser la fin du tournage en attendant qu'il ait complètement cicatrisé – même avec du maquillage, il n'y a pas moyen de camoufler ses plaies, et crois-moi, j'ai essayé. Sans parler du mal que tu t'es fait.

Elle laisse traîner doucement un doigt le long de mon bras, jusqu'à atteindre un point où je ne le sens plus sur ma peau. Et c'est là que je me rends compte que j'ai un bandage. À partir des coudes, mes deux avant-bras sont enveloppés de gaze, le bout de mes doigts dénudés ne révélant qu'une trace à peine visible de mon tatouage au henné.

Je le savais, il ne m'aime pas.

Je laisse retomber ma tête sur l'oreiller parce que bon, ça va, j'en ai assez vu.

– Tu as complètement disjoncté, Daire, poursuit-elle dans le pur style Jennika : son expression est triste, mais elle ne mâche pas ses mots. Tu as pété les plombs – « décroché de la réalité », pour reprendre les termes du docteur. Il a fallu que plusieurs passants interviennent pour vous séparer, mais ensuite tu t'en es pris à eux. Heureusement, personne n'a porté plainte et l'agente de Vane se démène pour essayer d'enterrer l'incident et éviter que ça ne filtre dans la presse. Mais tu sais à quelle vitesse vont ces choses-là à l'ère d'Internet.

Elle hausse les épaules, les yeux baissés de côté.

– J'ai bien peur qu'à ce stade notre seul espoir soit de limiter les dégâts.

Elle baisse encore la voix à un point presque inaudible, enchaînant sur un ton de conspiratrice :

– Vane soutient que ce n'est pas une histoire de drogues ou d'alcool, mais tu sais, Daire, tu peux tout me dire. Tu connais notre accord. Avoue ce que tu as fait, quoi que ce soit, et je te promets que tu n'auras pas d'ennuis.

Elle se rapproche. Si près que je peux à présent discerner des petits vaisseaux rouges en forme d'araignée dans le blanc de ses yeux, vestiges d'une récente crise de larmes.

– Vous faisiez la fête, c'est ça ? Je veux dire, c'était ton anniversaire et tout. Tu as peut-être eu envie de... *de marquer le coup* ?

Sa voix monte dans les aigus sur la fin, animée par une soudaine lueur d'espoir. Elle a besoin d'une explication simple et rapide, de pouvoir mettre ça sur le compte d'un motif logique. Un épisode de débauche d'adolescents qui aurait dégénéré serait préférable à cette terrible vérité si dure à avaler : après m'en être pris à Vane, à une foule de passants innocents et à moi-même, je me suis mise à débiter comme une cinglée des histoires de corbeaux, de têtes coupées qui parlent et d'une tribu d'êtres lumineux flippants résolus à me capturer dans un but inconnu. J'ai continué à me débattre, à balancer des coups de pied et à hurler jusqu'à ce que quelqu'un finisse par me maîtriser, me ramener et me ligoter à ce lit, et par m'injecter un truc brûlant dans les veines qui m'a plongée dans un profond sommeil sans rêves.

Les souvenirs ont maintenant tous refait surface.

Je tourne lentement mes yeux vers Jennika, et lis la frayeur sur son visage et dans son regard qui me supplie de lui donner ce qu'elle veut, de confesser quelque chose que je n'ai pas fait, ni aujourd'hui ni jamais.

Mais je ne céderai pas. Je ne peux pas. On a un accord, elle et moi. Jusqu'à preuve du contraire, elle me fait confiance, et pour l'instant j'ai toujours respecté cet engagement. Vane, oui, il a bu de l'alcool, mais moi je n'ai pas voulu y toucher. Quant à la drogue, on m'en a proposé des tas de fois ces dernières années, mais j'ai toujours refusé.

Ce que j'ai vu, je ne l'ai pas rêvé. J'étais parfaitement sobre. Je n'ai pas halluciné. J'ai besoin qu'au moins une personne me croie, mais si je n'arrive pas à convaincre ma propre mère, alors qui ?

– Je ne faisais pas la fête, je réponds d'une voix lasse.

Je lui lance un regard éloquent, voulant à tout prix la convaincre de ma bonne foi.

– Je n'ai pas trahi notre accord.

Elle acquiesce, se pince les lèvres jusqu'à ce que leurs contours pâlissent. Et bien qu'elle tapote mon bras d'un geste qui se veut rassurant, je vois bien qu'elle est déçue. Elle préférerait que j'aie rompu notre pacte plutôt que d'affronter une réalité qui la dépasse.

Le silence qui plane entre nous est si pesant et stressant que je suis sur le point de le briser, prête à tout pour la convaincre que les choses délirantes que j'ai vues étaient bel et bien réelles, et non le fruit d'un esprit grisé ; quand soudain on frappe à la porte, des voix étouffées se font entendre, et un homme à la silhouette épaisse surgit sous les arcades qui mènent à ma chambre, escorté par l'omniprésente Fatima tapie derrière lui.

Je l'avise de toute sa hauteur, en commençant par ses chaussures bien cirées, son costume fraîchement repassé, sa chemise blanche amidonnée et sa cravate bleue sans originalité. Je constate que son regard est éteint, ses lèvres, pour ainsi dire inexistantes, et ses boucles bien domptées semblent repousser la lumière vive qui brille juste au-dessus de nous.

– Content de voir que tu es réveillée, Daire.

Il se tourne vers Fatima en lui faisant signe d'attraper la chaise près du bureau et de la tirer jusqu'à mon chevet, puis laisse tomber une grosse sacoche en cuir noir à ses pieds avant de s'installer. Écartant Jennika d'un petit coup de coude, il passe un stéthoscope autour de son cou, l'ajuste, puis entreprend de baisser mon drap afin de pouvoir passer aux choses sérieuses et écouter ce qui se passe dans ma poitrine.

Mais avant qu'il n'ait le temps d'aller bien loin, je me tortille en faisant tout mon possible pour le repousser.

– Vous pourriez au moins vous présenter, non ? je m'insurge en lui lançant un regard noir. C'est un minimum de politesse, vous ne trouvez pas ?

Il recule en me fixant de ses yeux sombres, tandis qu'un grand sourire hypocrite vient lui étirer les lèvres et lui gonfler les joues.

– Toutes mes excuses, répond-il. Tu as tout à fait raison. J'en oublie les bonnes manières. Je suis le docteur Ziati. Je me suis occupé de toi depuis la nuit de… l'incident.

– *L'incident ?* Vous appelez ça comme ça, vous ?

Mon ton a quelque chose de sarcastique, à l'image du rictus que j'affiche.

– Quel terme préférerais-tu qu'on emploie ?

Il croise les jambes, passe une main manucurée sur le pli bien net de son pantalon, se calant sur sa chaise comme s'il était on ne peut plus disposé à rester assis là à débattre du sujet.

Jennika m'avertit d'un signe de tête, me conseillant clairement de ne pas exagérer ni insister. Soit, je veux bien ; néanmoins, j'ai une dernière question pour lui à laquelle elle ne peut rien trouver à redire :

– Comment se fait-il que vous parliez si bien l'anglais ?

Je le scrute d'un air méfiant et constate que son brusque éclat de rire fait apparaître des pattes-d'oie autour de ses yeux, ainsi que des dents bien droites et bien blanches, ce que l'on ne voit pas souvent par ici. Cet indice fait que je ne suis pas le moins du monde surprise en entendant sa réponse :

– J'ai fait mes études de médecine aux États-Unis, à l'université de Pennsylvanie, pour être précis. Mais en vérité, je suis né ici, à Marrakech. Alors, après plusieurs années d'internat à l'étranger, je suis rentré au pays. J'espère que cela te satisfait ?

Il hoche la tête dans l'attente de ma réponse, mais je me contente de hausser les épaules en regardant ailleurs.

– Y a-t-il autre chose que tu souhaiterais savoir avant que je ne contrôle tes fonctions vitales ? ajoute-t-il en agitant son stéthoscope sous mon nez.

Interprétant mon soupir comme un accord, il baisse le drap, provoquant chez moi un mouvement de recul au contact du métal froid qui se déplace sous mon débardeur pendant qu'il me demande de prendre plusieurs grandes inspirations. Et après m'avoir ausculté les yeux avec un instrument aveuglant, puis le fond de la gorge en ayant abaissé ma langue avec un bâtonnet en bois tout en me disant de faire « haaa », il pose deux doigts sur mon cou juste en dessous de mon menton et prend mon pouls en suivant des yeux la petite aiguille de sa montre en or hors de prix.

– Parfait, conclut-il en hochant la tête. J'espère que tu as bien dormi ?

Il range le stéthoscope dans sa sacoche et s'applique à inspecter mes pansements, tournant mes bras dans un sens puis dans l'autre sans se donner la peine de les défaire, ce qui me rend vraiment dingue.

– Vous voulez savoir si j'ai bien dormi ?

Je relève la tête, les sourcils froncés.

– Détachez-moi. Détachez-moi sur-le-champ, et je vous dirai tout ce que vous voulez savoir.

Le sourire fourbe qui lui collait aux lèvres un instant plus tôt s'évanouit d'un coup, alors que Jennika se précipite à mon côté et me caresse nerveusement l'épaule dans une tentative ratée de me calmer.

– Vous ne pouvez pas me garder comme ça ! J'ai des droits et vous le savez très bien !

Mais tout le monde fait la sourde oreille.

Le Dr Ziati me lance simplement un regard.

– Jeune fille, sais-tu au moins pour quelle raison tu t'es retrouvée ici ?

Parfaitement. À cause d'êtres lumineux, de têtes coupées et de corbeaux, des milliers et des milliers de corbeaux – à cause de qui j'ai été obligée de lacérer le visage d'une grande star de cinéma pleine d'avenir pour pouvoir me libérer. Oui, bon, et alors ?

Mais évidemment, ce n'est pas ce que je réponds ; ça, personne n'a envie de le croire et encore moins de l'entendre.

– Est-ce que tu te souviens de ce que tu as fait ? Et dit ?

Je hausse les épaules. À quoi bon continuer ? Un coup d'œil à son air suffisant, et je comprends qu'il ne prendra jamais parti pour moi, ce n'est même pas envisageable.

– Tu as montré tous les signes d'une personne sous l'emprise de la drogue – un hallucinogène, sans doute. J'ai déjà vu ce type de comportements par le passé, chez des touristes chaque fois.

Son ton sent le dédain à plein nez, le même que celui qui luit dans ses yeux.

– Sauf que tes analyses de sang n'ont rien révélé. Ce qui m'amène à la question suivante : as-tu déjà eu ce genre de crise de délire ?

Mon regard oscille entre lui et Jennika ; son visage à elle est pétri d'angoisse, le sien, plissé de curiosité morbide. Alors je me tourne de l'autre côté, car j'aime mieux regarder la salle de bains au joli carrelage bleu que de voir leurs têtes. Ça ne sert à rien de se justifier auprès de personnes qui refusent de vous écouter.

– Tu as parlé d'êtres lumineux à ta poursuite, de gros corbeaux noirs qui te harcelaient, ainsi que de milliers de têtes coupées ensanglantées qui envahissaient la place et te parlaient.

En les entendant retenir leur souffle, je me retourne vers eux, juste à temps pour voir Fatima agripper sa *khamsa*, la main de fatma dorée qui pend à son cou, inclinant la tête dans une fervente prière à voix basse. D'un mot cinglant, le docteur la fait taire.

– Je crains qu'on puisse aisément qualifier cette crise de délire de nature, disons, paranoïaque.

Le Dr Ziati se tourne vers moi.

– J'ignore ce qui a pu provoquer cet épisode, puisque ni l'alcool ni la drogue ne sont en cause, mais je dirais qu'il n'est pas rare qu'un déséquilibre chimique génétique commence à se manifester vers la fin de l'adolescence. Si j'ai bien compris, Daire vient de fêter ses seize ans ? ajoute-t-il en s'adressant cette fois à Jennika.

Cette dernière acquiesce nerveusement, puis porte la main à sa bouche et se met à ronger son ongle au vernis violet.

– Eh bien, pardonnez-moi la question, mais… y a-t-il des antécédents de maladie mentale dans votre famille ?

Glissant un regard à Jennika, je vois son visage se crisper.

– Quoi ? Mais non ! Pas du tout ! s'écrie-t-elle, les yeux noyés de larmes à peine contenues. Du moins… pas que je sache… ça ne me dit rien… en tout cas pas comme ça…

Son regard devient distant et elle secoue la tête – deux signes indubitables qu'elle ment et songe à une information capitale dont elle n'a pas l'intention de nous faire part. Un soupçon terrible qu'elle refuse d'admettre, qui plus est devant le docteur, ce qui ne fait qu'attiser ma curiosité. Je me demande bien qui elle pourrait suspecter.

Jennika est fille unique et vit toute seule depuis très longtemps. Ce n'est qu'après le décès de mon père qu'elle s'est rendu compte qu'elle était enceinte de moi. Ses parents ont mis du temps à accepter l'idée que leur fille de dix-sept ans allait accoucher au moment même où elle aurait dû passer le bac, mais ils ont fini par s'y faire. Ils l'ont aidée à obtenir son diplôme en me gardant chez eux pendant qu'elle se rendait à des cours du soir pour obtenir sa licence de cosmétologie ; elle venait de décrocher son premier poste de maquilleuse plateau, quand ils ont péri dans un accident d'avion de tourisme, alors qu'ils étaient en route pour un week-end très attendu dans la Napa Valley.

Après avoir vendu la maison et à peu près tout ce qui ne rentrait pas dans un sac polochon, Jennika et moi avons mis les voiles et sommes passées d'un plateau à l'autre en logeant soit dans des locations à court terme, soit chez des amis choisis au hasard entre deux jobs. Elle m'a inscrite dans une cyberécole dès que j'en ai eu l'âge – une façon à elle de s'assurer qu'on garde le rythme et qu'on ne s'attache jamais à rien qu'on pourrait regretter en cas de perte.

« La vie est éphémère », se plaît-elle à dire. Elle affirme que la majorité des gens passe le plus clair de son existence à essayer d'échapper au moindre signe de changement, tout ça pour finalement se rendre compte que c'est impossible. En ce qui la concerne, autant accepter cette réalité et aller au-devant des changements plutôt que d'attendre qu'ils nous tombent dessus.

La seule personne à laquelle elle s'autorise à s'attacher durablement, c'est moi. Aussi loin que je m'en souvienne, notre famille n'a toujours été composée que d'elle, moi et un tas de personnes sans importance qui entrent et sortent de nos vies.

Je sais que quelque part vit une grand-mère que je n'ai jamais vue – la mère de mon père. Mais Jennika refuse d'en parler. Du peu que j'aie réussi à glaner, elle s'est volatilisée juste après la mort de son fils unique. Elle a pour ainsi dire disparu de la surface de la Terre, comme dit souvent Jennika, et comme elle n'a aucun moyen de la contacter, ma grand-mère ne sait même pas que j'existe.

Tout ça pour dire que… rien. Je ne vois absolument pas qui dans la famille aurait pu perdre la boule. Qui aurait pu, par l'intermédiaire d'un lien génétique défectueux, me rendre cinglée moi aussi. Jennika est la seule famille que je connaisse. Question folie, elle se pose là aussi, c'est sûr, mais ça reste de la folie ordinaire, elle n'est pas dingue au sens médical du terme.

Comme n'importe quelle mère, me protéger a toujours été son seul objectif, mais à en juger par sa mine affolée, je crois qu'elle commence à douter de ses compétences.

Le Dr Ziati nous observe tour à tour, son ton est posé, son visage, serein, comme s'il avait précisément passé sa vie à délivrer ce type de nouvelles bouleversantes.

– J'ai bien peur que votre fille ait sérieusement besoin d'aide. Sans traitement, ce genre de crise ne fera qu'empirer. On a réussi à la stabiliser pour l'instant, mais ça ne va pas durer. Vous devez impérativement rentrer dès que possible aux États-Unis. Et une fois là-bas, vous devez l'emmener consulter un spécialiste sans tarder, de préférence un psychiatre. La médecine a fait beaucoup de progrès ces dernières années, concernant les psychotropes. Bon nombre de personnes souffrant de déséquilibres comme celui de Daire continuent à vivre normalement et en bonne santé. Avec un traitement adapté, des séances régulières chez le psychiatre et à condition qu'elle respecte bien ses ordonnances, je ne vois pas ce qui l'empêcherait de poursuivre une existence riche et épanouissante.

Jennika acquiesce en silence, les yeux si humides et l'air si las que je la sens à *ça* de s'effondrer.

Puis, avant que l'une de nous ne formule une quelconque réponse, le docteur plonge la main dans sa sacoche pour y récupérer une seringue, et, d'une pichenette, fait gicler quelques gouttelettes de son contenu dans l'air, avant de me l'enfoncer au creux du bras. Presque instantanément, mon corps se détend, ma langue devient pâteuse et molle et mes paupières s'affaissent jusqu'à ce que je sois incapable de rouvrir les yeux.

Les dernières paroles que j'entends sont les consignes que le Dr Ziati laisse à Jennika :

– Ça devrait vous laisser le temps de plier bagage et de prendre vos dispositions pour partir. À son réveil, donnez-lui un de ces comprimés toutes les quatre heures pour l'aider à tenir le coup pendant le vol. Après quoi, il faudra absolument lui trouver l'aide dont elle a besoin. Sinon, je crains que ces crises de délire ne fassent que s'aggraver.

TROIS

Ça a recommencé pendant le vol.

À environ un quart du parcours au-dessus de l'Atlantique, la pauvre Jennika s'est effondrée comme une masse, épuisée, et réveillée bien après l'alarme qu'elle avait programmée sur sa montre.

Bien après les quatre heures accordées entre chaque dose prescrite par le Dr Ziati.

C'est à une hôtesse de l'air furieuse qu'elle doit son réveil, laquelle s'est empressée de l'informer de ma crise de nerfs. D'après son récit, il a fallu cinq membres de l'équipage et trois passagers pour me maîtriser – à savoir contenir mes hurlements et mon agressivité et m'empêcher de me sauver par l'issue de secours centrale – avant qu'ils ne réussissent à me rasseoir de force sur un siège et à m'attacher les bras et les jambes avec le même genre de liens que ceux utilisés d'ordinaire pour fermer les sacs-poubelle.

Je ne me souviens de rien – on m'a raconté tout ça suite à l'incident que j'ai provoqué – mais les pilotes ont été consultés, des appels, passés, et le vol a failli être dérouté vers le Groenland.

En revanche, je me rappelle avoir été accueillie par un bataillon d'agents aux mines sévères et apparemment très remontés, qui nous ont immédiatement emmenées dans une pièce sans fenêtre où je me suis écroulée à une table, abrutie par les médicaments, tandis que Jennika, en larmes, s'expliquait à grand-peine. Conclusion de l'histoire : interdiction pour moi de reprendre l'avion pendant plusieurs années et une amende salée dont, aux dires des agents, nous devions nous estimer heureuses. D'après eux, notre sort aurait pu être bien pire.

Rupture psychotique, qu'ils appellent ça. Voilà à quoi m'ont réduite une batterie d'examens et plusieurs entretiens poussés.

Une histoire navrante parmi tant d'autres, une adolescente de plus prisonnière de ses délires paranoïaques.

Ce sont des choses qui arrivent.

Ce n'est la faute de personne.

Mais il suffit de regarder Jennika pour comprendre qu'elle culpabilise.

Assise en silence dans la voiture qu'elle a empruntée, elle met le contact, tournant la clé à deux reprises avant que la Karmann Ghia bleu ciel fraîchement remise en état veuille bien démarrer.

À travers la fenêtre, je vois les affreux parpaings gris de l'hôpital rapetisser, à mesure que l'on quitte le bitume noir du parking pour celui, tout aussi noir, des rues qui nous mènent chez Harlan. C'est le petit ami photographe de Jennika, avec lequel elle vit des hauts et des bas – mais surtout des bas –, et qui a eu la gentillesse de nous prêter sa voiture et son appartement pendant qu'il est occupé à prendre des photos quelque part en Thaïlande.

– Qu'est-ce que tu leur as dit ?

Jennika jette des coups d'œil inquiets entre la route et moi, tout en appuyant fébrilement sur tous les boutons de la vieille radio FM. Elle s'arrête finalement sur la voix de Janis Joplin, qui chante *Me and Bobby McGee*, morceau que je connais bien, car elle me le chantait souvent quand j'étais petite, bien qu'il ne date pas du tout de son époque.

Haussant les épaules, je m'oblige à fixer l'horizon dans l'espoir que d'une manière ou d'une autre ça m'aide à me calmer et à garder les pieds sur terre. Cette dernière dose de médicaments rend mes pensées si légères et dissipées que j'ai peur de m'envoler par la fenêtre, de dériver au gré des nuages et de ne jamais retrouver mon chemin.

Jennika freine à un feu et se retourne entièrement face à moi.

– Je suis sérieuse, Daire.

Elle utilise son ton *déterminé* – autant dire qu'elle ne me lâchera pas tant que je ne lui aurai pas répondu.

– Qu'est-ce que tu as été leur raconter, bon sang ?

Je m'enfonce dans mon siège pour me protéger de son regard.

– Rien, je soupire, le menton rentré, laissant mes cheveux tomber en un long rideau épais de part et d'autre de mon visage. Je t'assure, j'ai à peine ouvert la bouche. Après tout, à quoi bon me justifier, puisque tout le monde a déjà son avis et est convaincu du pire ?

Je lui glisse un coup d'œil entre deux mèches et la vois se mordiller les lèvres et serrer si fort le volant que le sang ne circule plus dans ses doigts, faisant ressortir ses phalanges toutes blanches. Deux signes flagrants qu'elle hésite franchement à me croire, alors il ne m'en faut pas plus pour retourner à mes contemplations à travers la vitre et aviser un mini centre commercial taillé dans le stuc, abritant un teinturier, un salon de manucure, un autre de tatouage et une boutique de vins et spiritueux proposant une promotion sur les bières pour le week-end.

– Mais tu leur as forcément dit quelque chose, râle-t-elle d'une voix qui rivalise avec celle de Janis avant que la fin du morceau ne soit coupée par le début de *White Rabbit* et qu'elle baisse le volume. Parce que figure-toi que maintenant, ils veulent te faire *interner* !

Elle me lance un regard furieux en prononçant ce mot comme si c'était un scoop ; elle oublie que j'étais assise juste à côté d'elle quand le médecin l'a prononcé.

Ma gorge se serre. Je me mords l'intérieur de la joue. Je l'entends respirer, le souffle court, devine qu'elle s'essuie les yeux d'un revers de main pour essayer de se calmer.

– Tu comprends ce que ça signifie ? reprend-elle d'une voix qui frise l'hystérie. Aucun des médicaments ne fonctionne ! Et je ne sais plus quoi faire ! Je ne sais pas comment t'aider, ni comment te raisonner, et d'ailleurs je ne sais même plus si c'est possible. Mais si tu continues à soutenir que...

Elle marque une pause en poussant un soupir.

– Si tu continues à soutenir que ces hallucinations sont réelles, je n'aurai plus le choix...

– Mais ce ne sont pas des hallucinations !

Je fais volte-face sur mon siège et plante mon regard dans ses yeux verts qui ressemblent tant aux miens. Excepté que les siens sont soulignés d'eye-liner violet irisé, alors que les miens sont cernés par des demi-lunes bleu foncé qui s'étalent jusque sur mes joues, provoquées par les médicaments.

– Ces êtres lumineux sont bien réels. Et les corbeaux aussi. C'est pas ma faute si je suis la seule à les voir !

Le visage de Jennika se décompose. À sa grimace, je comprends que je viens encore de m'enfoncer.

– Voilà, c'est ça le problème : d'après les médecins, c'est ce que tous les patients dans ton état prétendent.

– *Dans mon état* ? je répète, abasourdie.

Secouant la tête, je lui tourne le dos pour coller de nouveau mon nez à la vitre ; entre autres suggestions locales, je repère un magasin de mobilier d'importation, un café végétalien et un cabinet de voyance où un œil en néon ne cesse de cligner.

– Tu vois très bien ce que je veux dire, rétorque-t-elle.

Et là, quelque chose dans son ton – un ton qui imite à la perfection celui de tous les toubibs prétentieux qui ont eu un jour le plaisir d'examiner mon cas – me fait péter un plomb. Je lui balance toutes les pensées refoulées que j'ai tues jusqu'ici.

– Non, Jennika, je ne vois pas ce que tu veux dire ! Sincèrement, *je ne vois pas.* J'ai conscience que ça doit être très dur pour toi d'avaler ça, mais crois-moi, c'est pas une partie de plaisir pour moi non plus ! Pendant que tes copains les docteurs m'abrutissent de médicaments, je suis terrorisée par des images qui sont on ne peut plus réelles, en dépit du fait que je sois la seule à les voir. Et bien que tu refuses de me croire, je peux te garantir que si, *le temps s'arrête* ! Il arrive parfois que tout se fige d'un seul coup. Et pour info, je ne suis pas victime de soudaines crises de délire typiques de l'adolescence, non, ça fait un moment que ça dure. Depuis le jour où je t'en ai parlé lorsqu'on était en tournage en Nouvelle-Zélande et où déjà tu refusais de me croire, exactement comme aujourd'hui. Mais ce n'est pas parce que je ne t'en ai plus reparlé que ça n'a pas recommencé. Au fond, est-ce que tu as seulement pris le temps de réfléchir et d'envisager que peut-être, *si ça se trouve*, tu avais tort ? Il existe peut-être autre chose que cette réalité à laquelle toi et ta bande de blouses blanches si futées vous raccrochez tant ? Vous êtes tous si pressés de tirer des conclusions logiques et scientifiquement fondées et de me coller sur le dos un diagnostic bien commode… *Mais c'est impossible.* Ce n'est pas aussi simple. Si seulement…

Je m'interromps, les poings vainement serrés sur mes genoux, et m'efforce de reprendre mon souffle.

– J'aimerais juste que pour une fois tu m'écoutes, moi et pas eux ! Pour une fois, crois-moi sur parole !

Je termine ma phrase d'une voix aiguë désespérée qui semble en total décalage avec ce quartier tranquille de Venice Beach. Sitôt que Jennika s'est avancée lentement dans l'allée et garée, j'ouvre la portière et me rue vers la maison.

– Je suis crevée, je dis en me servant du double qu'Harlan m'a confié pour ouvrir. Les médocs commencent à faire effet et...

J'ai à peine franchi le seuil que mes jambes flageolent et se dérobent sous moi ; Jennika se précipite pour me rattraper, puis m'emmène, me traînant et me portant à moitié jusqu'au canapé-lit, où elle m'allonge doucement sur les draps jaunes soyeux, me cale un oreiller sous la tête et m'enveloppe avec soin dans la couverture pendant que je sombre peu à peu dans les profondeurs du néant.

C'est en entendant le téléphone de Jennika que je me réveille ; sa sonnerie Lady Gaga retentit jusqu'au deuxième couplet avant qu'elle sorte précipitamment de la cuisine et le ramasse d'un geste vif sur la table en verre recyclé.

Elle prend soin de répondre d'une voix étouffée, mais s'aperçoit d'un coup d'œil vers moi que je suis réveillée, alors elle répète son « allô » d'un ton normal avant d'enchaîner d'un « oui, elle-même à l'appareil ». Lequel s'ensuit aussitôt d'un « qui ça ? » incrédule.

Confuse, elle cligne des yeux et se laisse tomber sur la chaise la plus proche. De sa main libre, elle attrape le Coca light qu'elle a laissé sur la desserte, le porte à ses lèvres, puis le repose finalement sur la table sans en avoir bu. J'ai beau tendre l'oreille pour identifier la voix à l'autre bout du fil, tout ce que j'arrive à établir, c'est qu'il s'agit d'une femme.

Peut-être.

Je n'en suis pas certaine.

– Navrée, mais...

Elle secoue la tête, la voix de plus en plus crispée, ses doigts tirant nerveusement sur le long collier en argent qu'elle porte depuis le début de la semaine.

– Je ne comprends pas. Si vous êtes vraiment celle que vous prétendez, pourquoi appeler seulement maintenant ? Où étiez-vous durant toutes ces années ? Vous savez le nombre de fois où j'ai essayé de vous contacter ? Mais vous étiez introuvable. À croire que vous aviez disparu de la surface de la Terre !

Lorsqu'elle me surprend en train de la dévisager, Jennika s'empresse de s'éloigner et part dans la cuisine en me lançant un regard appuyé pour me déconseiller de seulement envisager de la suivre.

Je reste allongée sans bouger et fais mine d'obéir. Mais en réalité, j'attends juste d'entendre le bruit familier du crissement de chaise tirée de la table du petit déjeuner – signe que Jennika s'est installée – pour m'approcher à pas de loup de la porte et me plaquer dos au mur, essayant d'écouter sa conversation sans qu'elle me voie.

Je tente de me remémorer à quelle occasion elle a déjà utilisé cette formule. Des gens qui sont entrés et sortis de nos vies (Jennika y a veillé), ce n'est pas ce qui manque, mais quelqu'un qu'elle décrit de cette manière, comme ayant disparu de la surface de la Terre, il n'en existe pas deux.

Une seule personne a prouvé qu'elle était encore plus insaisissable que Jennika et moi : la mère de mon père. Cette grand-mère perdue de vue depuis longtemps, qui, à en croire Jennika, est même partie avant la fin des obsèques de son fils !

Elle s'appelle Paloma Santos, et dix secondes plus tard, Jennika le confirme.

– Soit. Supposons que vous soyez bien Paloma. Vous n'avez toujours pas répondu à ma question, à savoir *pourquoi maintenant ?* Pourquoi avoir attendu presque dix-sept ans ?

À quoi ça rime, au juste ? Vous imaginez tout ce à côté de quoi vous êtes passée ?

J'ignore quelle explication Paloma peut bien lui fournir, puisque vu d'ici, leur conversation est plutôt un monologue. Mais apparemment sa réponse suffit à faire taire Jennika. À l'exception d'un petit cri de surprise étouffé, il s'écoule quelques instants avant que j'entende de nouveau le son de sa voix.

– Comment… comment le saviez-vous ? demande-t-elle d'une petite voix subitement aiguë. C'est que… *non*, ajoute-t-elle, malheureusement je ne peux pas vous la passer. Le moment est… mal choisi.

Rasant le mur, je me rapproche un peu plus et ose jeter un coup œil furtif dans l'encadrement de la porte. J'entrevois Jennika à présent avachie sur la table, une main calée sous le menton, tandis que de l'autre elle serre le téléphone contre son oreille. Elle parle vite, à un rythme difficile à suivre :

– C'est une belle jeune fille, intelligente. Elle tient beaucoup de son père. Elle a les yeux verts et le teint clair comme moi, mais pour le reste, c'est son portrait craché. Je suis désolée que vous ayez manqué ça, Paloma. Sincèrement. Mais là, vous tombez vraiment mal. On traverse un peu une mauvaise passe. Il y a eu un… un incident. Et je ne… *pardon ?*

Elle se redresse d'un coup en serrant de plus belle le combiné.

– Comment pouvez-vous être au courant ?

Elle se tourne vers la porte, plus par prudence que parce qu'elle a repéré ma présence ; je m'empresse de me planquer et attends d'entendre de nouveau le son de sa voix pour risquer un autre coup d'œil.

Elle se balance en arrière sur les deux pieds de sa chaise, tout en roulottant distraitement l'ourlet de son tee-shirt vintage de concert de Blondie entre le pouce et l'index. La mâchoire serrée, elle acquiesce, écoute, acquiesce encore. Et elle continue comme ça un moment, si bien que je finis par trépigner d'impatience, mourant d'envie de savoir ce que cette grand-mère que je n'ai jamais vue peut bien lui raconter.

– Oui, je me souviens, répond finalement Jennika en reposant sa chaise avant de fixer d'un air absent les zébrures complexes de la table en bois. Il vous aimait profondément. Et vous respectait beaucoup. Mais il voulait vivre sa vie comme il l'entendait. Il voulait quitter le Nouveau-Mexique. Vous l'avez délaissé, et aujourd'hui vous pensez pouvoir obtenir une seconde chance avec Daire ? Vous plaisantez, j'espère...

Si ces mots résonnent durement, Jennika, elle, semble déstabilisée. Or de toute notre vie commune, je ne me rappelle pas une seule fois l'avoir vue aussi paumée et abattue.

– On l'a soignée. Mise sous sédatifs. Le premier docteur au Maroc lui a administré de fortes doses, mais leur effet n'a pas duré. Rien n'y fait. Ils se contentent d'alterner les remèdes en attendant que quelque chose marche. Ils la traitent comme un cobaye et maintenant ils me disent qu'ils sont à court d'options. Soi-disant ils vont être obligés de...

Sa voix se brise tandis qu'elle se couvre le visage des mains. Elle prend le temps de se calmer avant de se redresser :

– Ils veulent la faire interner. La garder sous surveillance intensive. Et pour être franche, moi-même je ne sais plus quoi faire. Plus du tout. J'ai pris quelques jours de congé, mais je vais bientôt devoir retourner bosser. Il faut que je gagne ma vie et je ne peux plus la trimballer partout avec moi comme avant. Elle est interdite de vol, et quand bien même elle pourrait voyager, je ne peux pas la surveiller et la maintenir sous sédatifs en permanence. Et maintenant, vous qui appelez. *Vous*, la dernière personne dont je m'attendais à avoir des nouvelles. Quelle coïncidence !

Elle rit, mais ce rire n'est pas spontané – nostalgique, plutôt.

Son dos se voûte de nouveau tandis qu'elle se remet attentivement à l'écoute, brisant de temps en temps le silence par des commentaires du genre :

– Des plantes ? Vous êtes sérieuse ? Et vous pensez que ça marchera ?

Suivi de :

– Paloma, avec tout le respect que je vous dois, vous n'avez pas vu ce que j'ai vu… vous n'avez pas idée de ce dont elle est capable !

Puis :

– Alors, je n'ai pas le choix ? Vraiment ? Seize ans que je l'élève, tout ça pour ça ? Et pardon de vous le demander, mais comment pouvez-vous en être aussi sûre ? Ça me fait mal de le dire, mais Django n'avait que dix-sept ans quand vous l'avez perdu !

Lorsqu'elle retrouve son calme, je me prépare à faire irruption, à lui faire comprendre que j'ai tout entendu – ou du moins ce qu'*elle* a dit – et que je ne suis pas ravie du tout. Elles sont en train de décider de mon avenir sans me demander mon avis. Sans se dire une seconde que mon opinion a la moindre importance.

Le bras tendu, je m'apprête à la saisir par l'épaule et à lui régler son compte, lorsqu'elle tourne vers moi ses yeux rougis et marqués, pas le moins du monde surprise de me trouver tapie dans son dos.

– Daire… souffle-t-elle, le combiné suspendu entre ses longs doigts maigres aux ongles rongés, un faible sourire aux lèvres et la voix enrouée de larmes contenues. C'est ta grand-mère. Elle insiste pour te parler.

QUATRE

– Ferme ta fenêtre, que je puisse monter le chauffage, il fait froid dehors.

Lentement, je tourne la tête vers Jennika et lui coule un regard plein de mépris, mais comme c'est loin d'être le premier depuis quelques jours, ça lui passe complètement au-dessus de la tête. Elle est devenue insensible à mes airs renfrognés, autant qu'à mes protestations.

Je ramène les genoux contre ma poitrine, les talons en suspens au bord du siège, et pousse doucement de l'index le petit bouton électrique près de mon accoudoir.

Je pousse et je relâche.

Je pousse jusqu'à ce que ça y soit presque... et puis je relâche et la vitre se fige.

Elle remonte et s'arrête par à-coups d'une brièveté horripilante, mais là encore Jennika n'y prête pas attention. Elle préfère se concentrer sur des choses plus agréables comme rouler bien au centre de la voie et tripoter la radio de la voiture de location, présumant à juste raison qu'en refusant d'entrer dans mon jeu je finirai par me lasser.

Je laisse la vitre remonter jusqu'en haut, puis me tourne vers la portière pour ne plus voir Jennika. Les épaules rentrées, les bras enroulés autour des genoux, j'essaie de me faire toute petite, plus distante, comme si je n'étais pas vraiment là.

J'aimerais tellement ne pas être là.

Le front appuyé contre la fenêtre, je souffle une petite nappe de ronds brumeux sur le carreau.

– J'en reviens pas que tu me fasses ça.

Ça doit être la centième fois que je le dis. La centième fois que je lui lance un regard désobligeant dans la foulée.

Mais, et c'est tout à son honneur, elle se contente de me répondre en me regardant du coin de l'œil :

– Crois-moi, je n'en reviens pas non plus. Mais vu qu'aucune de nous n'a été fichue de trouver une meilleure solution, on s'en tient à celle-là.

– Tu as conscience que tu vas m'abandonner ? je dis en grinçant des dents et en luttant pour garder mon calme – une certitude dont je n'arrive pas à me défaire, même si on a ressassé le sujet tant de fois. Tu t'en rends compte, n'est-ce pas ?

Je me tortille sur mon siège et fixe durement son profil, mais elle se borne à garder les mains à 10 h 10 sur le volant, et les yeux sur la route devant nous qui serpente sur plusieurs kilomètres.

– Tu vas me confier à un vieux fou qui va m'emmener vivre chez une vieille folle que tu n'as croisée qu'une fois dans ta vie. *Une fois !* Et encore, ça a duré à peine dix secondes à l'enterrement de mon père. Franchement, quel genre de femme elle peut bien être pour se tirer avant la fin de l'enterrement de son propre fils ?

D'un regard noir, je la défie de s'expliquer, mais repars finalement de plus belle au bout de quelques secondes :

– Et malgré tout, ça ne t'empêche pas de traverser plusieurs États à toute allure pour pouvoir me larguer et te débarrasser de moi au plus vite et une bonne fois pour toutes. Bien joué, Jennika. Vraiment. Géniale, la mère.

Je serre si fort les poings que mes ongles se plantent dans mes paumes et laissent de vives marques rouges en forme de croissants qui mettent quelques instants à disparaître.

Ça suffit, je me dis. *Ne dis plus rien. Tu perds ton temps, sa décision est prise.*

Mais en vain, je ne peux m'y résoudre. Je suis bien trop à cran et ça ne va pas s'arranger de sitôt.

À ce stade, peu importe ce que je dis ou ce que je fais, de toute façon ça ne change absolument rien. Que je sois gentille, méchante, calme ou furax, le résultat ne varie pas. Depuis le coup de fil de Paloma, j'ai tout essayé, mais le verdict reste le même.

– Je n'avais pas ce qu'on appelle l'embarras du choix, je te signale.

Jennika me dévisage, les yeux plissés d'un air que je connais par cœur.

– C'était soit je t'envoyais vivre chez ta grand-mère, soit je les laissais t'enfermer pour une durée indéterminée dans un asile psychiatrique, où ces toubibs que tu détestes tant promettent de te bourrer de médicaments en permanence tant qu'ils n'ont pas trouvé de meilleure solution. Alors oui, c'est vrai, je connais à peine Paloma. Mais comme je te l'ai déjà dit, ton père était très attaché à sa mère, il n'a jamais dit le moindre mal d'elle, alors, au moins pour l'instant en tout cas, j'ai peur qu'on soit obligées de se fier à lui. S'il se révèle qu'elle ne nous est d'aucune d'aide, on passera au plan B. Mais en attendant, on est convenues que c'était ce qu'il y avait de mieux à faire. En plus, Paloma a promis qu'elle me dirait tout de suite si elle peut t'aider ou non.

– Et tu la crois ? je rétorque sèchement, les lèvres pincées d'un air sarcastique. Tu fais confiance à une femme que tu connais à peine ? Tu crois vraiment qu'elle va te dire la vérité et pas me droguer ou... pire ? Et ce type qu'elle envoie au rendez-vous à sa place : tu vas me confier à un vieux que tu ne connais ni d'Ève ni d'Adam ? Qui te dit que ce n'est pas un pervers, un tueur en série... *ou même les deux* ?

Le poids de cette accusation plane entre nous comme un obstacle infranchissable... du moins c'est ce que je crois avant d'entendre sa réponse :

– J'ai confiance en *toi*.

Face au regard intense qu'elle me lance, je sens ma gorge se nouer au point de me laisser sans voix.

– Je te crois quand tu dis que ce que tu vois et endures est on ne peut plus réel, même si moi je ne vois rien et n'arrive pas à comprendre ça. Mais, Daire, on nous donne une chance, une occasion de t'aider par une méthode naturelle, sans traitements médicaux, et je pense que ça vaut le coup d'essayer. Ça me tue de rester à te regarder souffrir sans pouvoir rien faire. Je suis ta mère, et en tant que telle, je devrais être capable de t'aider, de t'éviter cette souffrance, et pourtant j'ai l'impression que tout ce que j'ai tenté jusqu'ici, toutes les décisions que j'ai prises n'ont fait qu'aggraver ton état. Donc oui, j'estime qu'on doit au moins laisser une chance à Paloma et voir ce qu'elle peut faire. Tu ne la connais peut-être pas, mais ça reste ta grand-mère. Et sache que contrairement à ce que tu prétends, jamais je ne te laisserais aux mains d'un vieux pervers psychopathe. Il se trouve que c'est un ami de Paloma en qui elle a entièrement confiance. Et c'est aussi un vétérinaire très sollicité et respecté. Je l'ai cherché sur Google, tu sais.

– Ah bon, tu es allée sur Google ? Mais ça change tout, alors ! Je n'ai plus à m'inquiéter, maintenant que je sais que tu as mené ton enquête sur Internet, pas vrai ? j'ironise en levant les yeux au ciel avant de me retourner vers la fenêtre et d'ajouter : Quant à mon père, si mamie était si formidable que ça, pourquoi est-ce qu'il est parti de chez elle à seize ans, hein ? Tu l'expliques comment, ça ?

Fronçant les sourcils, je glisse le doigt sous mon bandage pour gratter l'épaisse croûte qui s'est formée sur mon bras en attendant de voir comment elle va se dépêtrer de cette question-là.

– Pour ta gouverne, ce n'était pas elle que Django fuyait, mais ce qu'il considérait comme une vie étouffante dans un petit patelin.

– *Une vie étouffante dans un petit patelin ?* je répète d'un ton franchement sarcastique. Charmant, Jennika, vraiment, je râle à voix basse en rejetant mes cheveux en arrière. Non mais écoute un peu ce que tu dis ! À t'entendre, on dirait que tu es ravie de m'exiler dans ce trou paumé dont mon père rêvait de se tirer !

– Alors quoi, tu préférerais l'asile, c'est ça ?

Elle me dévisage en plantant ses yeux verts dans les miens, mais je refuse de répondre.

– Et puis... reprend-elle en repoussant la mèche rose qui lui tombe sur le front derrière son oreille plusieurs fois percée. À t'en croire, Paloma a déjà été d'une grande aide. Tu te sens beaucoup mieux depuis que tu as arrêté tes médicaments et que tu prends des plantes, et c'est vrai, de ce que j'en vois tu as l'air d'aller mieux.

– C'est ça... je ronchonne, refusant d'admettre que oui, *a priori*, ces plantes sont efficaces.

Je n'ai aucune envie d'aller vivre chez Paloma, mais encore moins de me retrouver à l'asile.

– Mais tu ne t'es jamais dit qu'il y avait peut-être une troisième solution à laquelle tu n'as même pas réfléchi ? Maintenant que je vais mieux, je ne vois pas ce qui m'empêche de continuer à prendre ces plantes et de t'accompagner au Chili ?

– Sûrement pas, objecte Jennika, bien que son ton ne soit pas aussi cinglant que sa réponse. Ce n'est même pas envisageable. Le fait que tu ailles mieux m'incite uniquement à croire que Paloma est peut-être en mesure de t'aider à t'en sortir pour de bon. Et puis, crois-moi, je ne resterai pas sans nouvelles. Je t'appellerai tous les jours. Et en un rien de temps, je serai de retour. Dès que le film sera dans la boîte, j'attraperai le premier avion, promis juré.

Elle écarte la main du volant et tends vers moi son petit doigt, sa bague en argent accrochant la lumière tandis qu'elle me lance un clin d'œil et attend que j'enroule mon petit doigt autour du sien. Mais je ne le fais pas.

– Alors c'est réglé, je conclus à la place. Fin du débat. Je pars vivre chez une vieille sorcière qui compte un vétérinaire grabataire, pervers et psychopathe parmi ses amis. Youpi !

Je hoche la tête en l'honorant d'un sourire qui est tout sauf sincère.

– Si je survis, je ne manquerai pas de le mentionner dans mes Mémoires. Sinon, t'auras qu'à l'ajouter aux tiens.

Jennika secoue la tête d'un air exaspéré et je comprends que cette fois, j'ai dépassé les bornes.

– Ce n'est pas une sorcière et tu le sais très bien !

Ses efforts pour empêcher sa voix de trembler lui provoquent des tics nerveux au nez, grimace qui fait chatoyer et vaciller le minuscule diamant qui orne sa narine droite.

– C'est une guérisseuse très réputée et franchement, Daire, ça va, j'ai bien compris que tu étais fâchée. Tu as l'impression que je t'abandonne, et tu exprimes tes craintes en me faisant des scènes. Et je suis vraiment désolée de tout ce que tu endures et de tout ce par quoi on est passées pour en arriver là, mais est-ce que tu as une seule fois réfléchi à ce que *moi* je pouvais ressentir dans toute cette histoire ?

Elle s'interrompt pour me donner l'opportunité de réagir, mais comme on sait toutes les deux qu'effectivement je n'ai jamais réfléchi à cette question, elle s'empresse d'enchaîner :

– Si tu crois que c'est facile pour moi, que la situation me convient et que je ne redoute pas cette décision à chaque instant… eh bien, tu te trompes. Tu es tout ce que j'ai. La seule personne à laquelle je tiens réellement. S'il t'arrivait quelque chose…

Elle retient son souffle, et je devine au trouble dans ses yeux qu'elle est en train d'imaginer sa vie sans moi et que cette vision ne lui plaît pas du tout.

– Disons juste que je ne me le pardonnerais jamais. Mais il est clair que tout ça me dépasse – et toi aussi, d'ailleurs. Donc je n'ai que deux solutions, et aucune ne m'enchante plus que l'autre. Mais reconnais que rester chez ta grand-mère est de loin un moindre mal, non ?

Je hausse les épaules pour toute réponse. Et roule des yeux aussi ; je n'ai plus vraiment la force de me battre, et c'est la seule réaction dont je sois encore capable.

La discussion s'étiole aussi vite que le ruban d'asphalte qui se déploie à perte de vue sous nos roues. Je scrute fixement par la fenêtre, refusant de regarder dans le rétro d'où je viens, mais trop angoissée pour regarder droit devant vers ce vaste inconnu.

Je me contente de fermer fort les yeux et m'efforce de me raccrocher au peu de lucidité qu'il me reste. Je ne veux pas que Jennika sache que Paloma avait raison : les plantes font effet un moment, après quoi le temps interrompt sa marche et les êtres lumineux réapparaissent.

Je n'ai aucune envie d'y aller, et je redoute le moment où Jennika va me confier à l'ami de ma grand-mère, qui me conduira au Nouveau-Mexique pendant qu'elle repartira en direction de l'aéroport de Phoenix pour rendre la voiture de location et sauter dans un avion à destination du Chili. Mais je refuse d'avouer qu'au fond, je garde l'infime espoir que Paloma ne soit pas une apprentie sorcière complètement cinglée. Qu'elle saura me guérir et m'éviter un avenir peuplé d'hommes en blouses blanches aux visages ingrats, armés de longues aiguilles pointues et prompts à dégainer leurs carnets d'ordonnances. Pour l'heure, elle est la seule à ne pas m'avoir accusée d'être folle à lier.

– Réveille-moi quand on arrive, je marmonne en faisant mine de m'installer pour dormir, alors qu'en réalité je fais juste mon possible pour ignorer les êtres lumineux qui surgissent déjà le long de la route.

De leurs yeux perçants, ils me suivent, me guettent et me font comprendre qu'ils ne s'en iront pas tant que je ne leur aurai pas cédé, de gré ou de force.

Cinq

On se retrouve dans la clairière.

C'est toujours là que ça commence.

J'ignore comment j'atterris dans cet endroit, mais pour rien au monde je ne voudrais être ailleurs.

Je lève les yeux vers les arbres et regarde leurs feuilles scintiller et virevolter dans le sillage d'une brise légère, tandis qu'un gros corbeau aux yeux pourpres m'épie depuis le ciel ; nos regards se croisent, se toisent, puis le garçon apparaît juste derrière moi.

Le simple fait de sentir sa présence me coupe le souffle et m'enflamme les joues, et lorsque je me retourne et pose les yeux sur la beauté saisissante et ténébreuse qui est la sienne, il n'en faut pas plus pour que mon cœur s'emballe et que mes jambes, devenues molles comme du coton, se dérobent sous moi.

« Daire », dit-il.

À moins qu'il ne l'ait simplement pensé ? Je n'ai pas vu ses lèvres remuer, donc il n'y a aucun moyen de l'affirmer. Seule certitude, le son de sa voix est à l'origine du sourire qui s'étend sur mes joues tandis que je le dévore des yeux. J'avise tour à tour ses iris bleu glacier parsemés d'éclats d'or dans lesquels mon image se reflète à l'infini, sa cascade luisante de cheveux noirs qui flotte dans son dos, sa peau soyeuse, ses longs bras minces, ses mains relâchées le long du corps, paumes ouvertes, ne révélant rien du plaisir que je les sais capables de procurer.

Enlaçant ma main dans la sienne, il m'entraîne hors de la clairière, vers la source chaude qui bouillonne en contrebas, et m'invite d'un geste à la traverser. La robe trempée devenue transparente et moulante comme une seconde peau, je rejoins l'autre rive et l'y attends avec impatience.

D'avance je savoure le contact de sa bouche, la chaleur de ses doigts brûlants parcourant ma peau. Il me mordille l'oreille, le cou et plus bas encore, tandis qu'il déboutonne ma robe, la fait glisser sur mes épaules et me contemple, émerveillé...

– Houhou...

Jennika me gratte doucement l'épaule de ses ongles vernis de bleu jusqu'à ce qu'elle soit certaine de m'avoir réveillée.

– Daire... on est bientôt arrivées.

Je déplie les jambes et m'étire le dos, utilisant mon dossier comme un levier pour me redresser. Je mets quelques instants à retrouver mes repères, à chasser le brouillard dans mes yeux et à me resituer – à faire la transition du rêve à la réalité, en dépit des images qui persistent dans mon esprit.

Ce rêve, je l'ai déjà fait. À vrai dire je l'attendais même avec impatience, et je suis soulagée de voir que les médicaments ne m'en ont pas privée pour de bon. J'étire les bras au-dessus de ma tête, les paumes à plat contre le plafond de la voiture, et me cramponne de toutes mes forces au souvenir de ce garçon à la peau douce et bronzée, aux cheveux de jais brillants et aux yeux d'un bleu glacier ensorcelant.

J'ignore son prénom, bien que lui connaisse le mien. Pour autant, je le considère comme une sorte d'amant onirique. Cela fait six mois qu'il me rend visite à l'improviste, ce qui à ce jour fait de lui ma plus longue relation, si je puis dire.

Jennika se gare devant le restaurant, jette un coup d'œil à sa montre et se tourne vers moi.

– On y est. Apparemment, on est en avance.

Je secoue la tête, chassant à regret l'image du garçon de mes rêves qui s'efface progressivement, un peu comme les dessins sur l'ardoise magique que je trimballais partout quand j'étais gamine. Je m'efforce de paraître stoïque, courageuse, bien que j'aie l'estomac noué, le cœur serré et les mains toutes moites et tremblantes.

– Mais visiblement, il est encore plus en avance que nous.

D'un signe de tête, elle m'indique un mystérieux inconnu de grande taille et solidement bâti, en train de descendre d'un vieux pick-up dont la peinture bleue décolorée luit faiblement au soleil.

– Comment sais-tu que c'est lui ? je dis en plissant les yeux pour mieux le voir alors qu'il traverse le parking et franchit la porte vitrée du restaurant ternie par la crasse.

J'essaie de glaner une ou deux infos sur sa personnalité, à savoir son degré de fiabilité et si, oui ou non, c'est effectivement un dangereux psychopathe comme je le crains – en détaillant d'un rapide coup d'œil son jean foncé, ses bottes de cow-boy noires, sa chemise blanche en coton amidonnée et sa queue-de-cheval brune qui lui arrive presque aux épaules.

– Il correspond à la description, répond Jennika (et vu la tête qu'elle fait en le regardant, je comprends qu'elle appréhende autant que moi). Bon, si on allait vérifier que c'est bien lui ?

Elle me prend la main, la serre fort, limite brutalement, puis ouvre sa portière, se glisse du siège et me fait signe d'en faire autant.

J'enfouis les mains au fond de mes poches et la suis à l'intérieur du resto. Traînant des pieds, je traverse une salle au carrelage beige complètement usé, la tête inclinée de sorte que mes cheveux me tombent dans les yeux et masquent mon visage. Mon intention est d'être plus à même de l'observer que lui, et de prendre bonne note de tous les petits détails qui m'ont échappé à première vue : sa cravate de cow-boy à bouts turquoise qui arrivent au milieu de sa chemise amidonnée bien repassée, ses pommettes saillantes, son nez épaté et ses yeux foncés, saisissants, qui dégagent une telle bonté que je relâche subitement les épaules, soulagée.

Tu es entre de bonnes mains.

L'idée me traverse brusquement l'esprit, mais je m'empresse de la rejeter. Je ne peux me fier à ma petite voix, pas plus qu'à mes visions. Et puis, ça ne peut pas être aussi simple, il doit d'abord gagner ma confiance.

On se dirige vers le dernier box, tout au fond, où il s'est installé. Il se lève en nous apercevant et se déplace avec une agilité surprenante pour un homme de son âge. Mais bien que je sois prête à le détester, et résolue à lui trouver le gros défaut qui crève les yeux et fera changer d'avis Jennika, le sourire avec lequel il nous accueille est un des plus sincères que j'aie vus depuis très longtemps.

Il tend le bras pour nous serrer la main et se présente sous le nom de Chay – diminutif de Chayton –, et je suis ravie de constater que sa poigne est à la fois ferme et franche. Il ne me serre pas la main comme à une mauviette, sous prétexte que je suis une fille.

Je me glisse sur la banquette face à lui et m'avance vers le mur, tandis que Jennika s'assoit à côté de moi. Chay joint les mains sur la table en se penchant vers nous pour entamer la conversation, et là, je suis forcée de l'apprécier encore plus. Car au lieu de disserter sur l'actualité sportive, le temps qu'il fait ou tout autre sujet débile qui passerait sous silence la raison gênante de notre présence ici, il va droit au but :

– Je n'aurai pas la prétention d'imaginer ce que tu ressens en ce moment même, commence-t-il en me regardant droit dans les yeux. Toi seule le sais. Et quels que soient les sentiments qui t'animent ou les préoccupations que tu peux avoir, je ne doute pas que ce soit justifié. En revanche, je peux te dire qu'il y a environ sept heures de route pour Albuquerque.

Et de là, il faut encore trois heures pour rejoindre Enchantment, où vit ta grand-mère. Toi et moi, on a du chemin à faire, mais à toi de choisir comment ça se passera. On pourra bavarder si tu en as envie, sinon ça me convient aussi. Si tu as faim ou si tu as besoin de faire une pause pour te dégourdir un peu les jambes, on s'arrêtera. Et si tu préfères simplement qu'on file tout du long sans s'arrêter, hormis pour faire le plein si nécessaire, c'est possible aussi. Je n'ai aucune attente particulière. Je ne te demande rien. S'il y a quoi que ce soit qui puisse te rendre le voyage agréable, dis-le-moi, et je ferai mon possible pour te satisfaire. Des questions ? Y a-t-il quelque chose que tu aimerais que je sache à ton sujet ?

J'hésite, pas certaine de savoir comment réagir. J'avais un discours tout prêt, dans lequel je lui faisais bien comprendre que j'étais le genre de filles qu'il ne fallait pas chercher, mais il n'est plus vraiment approprié. Alors, je lui fais signe que non de la tête et fixe plutôt le menu sous mes yeux. J'examine soigneusement les photos plastifiées de hamburgers, de sandwichs, de salades et de tartes comme si une interro surprise allait suivre. Pour autant, lorsque la serveuse vient prendre notre commande, je demande à passer en dernier, le temps pour moi de choisir ce plat auquel je ne toucherai probablement pas.

Jennika commande un simple café crème, en précisant qu'elle a l'estomac trop noué pour déjeuner et qu'elle mangera plutôt un bout à l'aéroport ou dans l'avion, tandis que Chay renonce à toute considération nutritive et demande une part de tarte aux noix de pécan accompagnée d'une boule de glace vanille – un choix qui lui permet de marquer un point de plus à mes yeux. Je suis tentée d'en faire autant, mais opte finalement pour un cheeseburger, des frites et un Coca. Je me dis qu'au moins ça m'occupera et me fera quelque chose à grignoter si la conversation devient aussi pénible que je l'imagine.

– Alors, comment va Paloma ? s'enquiert Jennika dès que la serveuse s'est éloignée.

– Très bien.

Chay hoche la tête en écartant les doigts sur le set de table en papier devant lui, laissant apparaître visiblement sa bague en argent très élaborée qui, d'après ce que j'en vois, représente une tête d'aigle ornée de deux pierres dorées à la place des yeux.

– Qu'est-ce qu'elle devient ? Elle cultive des plantes aromatiques, ça je sais, mais à part ça, est-ce qu'elle habite toujours au même endroit ? Comment gagne-t-elle sa vie ? Est-ce qu'elle vit uniquement de ses talents de guérisseuse ? Ça fait des années que je ne l'ai pas vue, vous savez. Depuis l'enterrement de Django, et encore, elle n'est pas restée jusqu'au bout… bizarre, d'ailleurs, vous ne trouvez pas ?

Je jette un coup d'œil nerveux à Chay, curieuse de voir comment il va réagir au mitraillage de Jennika. C'est typiquement elle : bombarder son interlocuteur de toute une série de questions, puis attendre sagement de voir auxquelles il va répondre, si tant est qu'il réponde tout court.

Mais Chay est serein, voire méthodique, et aborde chacune du mieux qu'il peut :

– Elle a toujours la même petite maison en briques d'adobe. Et en effet, les cultures de son jardin sont si abondantes qu'elle peut subvenir à ses besoins avec l'argent qu'elle touche des guérisons et de la vente d'herbes médicinales. Dix-sept ans sans se parler, c'est long, mais je suppose qu'il existe autant de façons de faire son deuil que de personnes sur Terre.

Jennika se tortille, mal à l'aise. Elle se mordille la lèvre inférieure. Rien qu'à sa tête, je devine qu'elle est en train de réfléchir à une toute nouvelle série de questions, mais elle s'arrête net lorsque Chay reprend, en s'adressant à moi :

– Et toi, comment vas-tu ? On m'a dit que les plantes t'avaient soulagée ?

Lorsque nos regards se croisent, je comprends avec certitude que si je mens, il le saura. Du coup, je suis bien obligée d'admettre la vérité.

– Elles me soulagent un temps, mais l'effet finit par s'estomper et les visions reviennent.

Jennika lâche un petit cri de surprise. Visiblement consternée, blessée et clairement furieuse d'avoir été trahie (qu'elle dit), elle se retient d'exploser, le temps que la serveuse pose nos plats sur la table, puis se lance dans une grande tirade dès qu'elle est partie :

– Je croyais que tu te sentais mieux ? Tu as dit que tu n'avais plus ces visions ! Alors, tu m'as menti ? Je n'en reviens pas, Daire ! Vraiment, je n'en reviens pas.

J'inspire un bon coup et pioche dans mon assiette une frite que je laisse pendre un instant en la regardant osciller d'avant en arrière avant de la fourrer dans ma bouche et d'en attraper une deuxième.

– Je ne t'ai pas menti, je marmonne. C'est vrai que je me sens mieux.

Rentrant la tête, j'avale une gorgée de Coca et en profite pour jeter un rapide coup d'œil à Chay, curieuse de voir sa réaction ; mais ce dernier s'applique à manger sa tarte, évitant judicieusement de se mêler de cette délicate dispute mère-fille.

– Ça fonctionne un temps, et ça ne me rend pas aussi amorphe, comateuse et toute bizarre que les médicaments. Puis l'effet s'estompe et je recommence à avoir des visions. Seulement, je ne voyais pas l'intérêt de te le dire, vu que ça n'aurait rien changé. Au final, tu te serais juste inquiétée encore plus.

Je hausse les épaules, attrape mon cheeseburger pour en goûter une bouchée, mais en fait ça ne me dit rien, alors je le repose dans l'assiette tandis que Jennika fixe son café, la mine sombre. L'ambiance peut paraître tendue et épouvantable, mais à vrai dire, j'apprécie leur silence.

Et ainsi se poursuit le repas : Jennika alterne les froncements de sourcils et les petites gorgées de café, pendant que moi je picore mes frites et que Chay racle son assiette avec sa cuillère, veillant à ne pas en laisser une miette.

Après s'être tamponné la bouche avec sa serviette en papier, il se laisse aller en arrière dans la banquette rouge vif.

– La nourriture est imprégnée de l'énergie avec laquelle elle est préparée, mais aussi de l'énergie de celui qui la consomme. Si cette dernière est négative, le repas est mauvais, commente-t-il en indiquant mon assiette pratiquement intacte d'un signe de tête entendu, bien que ses yeux brillent de gentillesse.

Sur ce, il extirpe une petite liasse de billets de son portefeuille, règle l'addition en laissant un pourboire à vue de nez assez généreux, et nous emmène dehors, où ma vie tout entière bascule en l'espace d'un instant, le temps de transférer un simple sac polochon noir d'une banale voiture de location à un antique pick-up immatriculé au Nouveau-Mexique.

Il suffit de cet échange, et voilà, on y est. Alors Jennika s'approche, les traits déformés par le chagrin, et m'enveloppe de ses bras tout tremblants. Effondrées, en larmes, on reste cramponnées l'une à l'autre en se chuchotant un tas de promesses et d'excuses absurdes, jusqu'à ce que je me force à m'écarter la première.

À me montrer courageuse.

À sourire comme si c'était naturel et à ne pas revenir sur le passé, même si j'en meurs d'envie.

Je grimpe dans la camionnette de Chay dont le moteur tourne déjà, et m'installe à côté de lui tandis qu'il quitte rapidement le parking et s'engage sur la chaussée, vers une destination qui incarne mon seul véritable espoir.

Six

Chay m'ayant donné la permission de me taire, je passe la majeure partie du voyage à somnoler, lire et regarder de temps à autre par la fenêtre. Ce n'est que lorsque l'on franchit la frontière du Nouveau-Mexique que j'ouvre le journal en cuir rouge que Jennika m'a offert, supposant que je ferais aussi bien de griffonner mes impressions tout de suite tant que je n'ai pas trop d'attentes.

On ne peut porter un regard objectif sur un lieu qu'une seule fois. Et encore, même là, tous les autres endroits qu'on a un jour visités trouvent le moyen d'entrer en jeu. Une fois qu'on y a pris ses marques, qu'on y a passé un peu de temps et qu'on a appris à connaître quelques personnes, c'est fichu. À partir de là, votre point de vue va être pollué par toutes sortes de préjugés strictement basés sur la charge négative ou positive de votre vécu.

C'est seulement à première vue, quand l'esprit est encore une page vierge, qu'on en a la vision la plus pure.

Alors, je rabats la couverture et j'écris :

Des amarantes.

J'observe une famille entière de rongeurs qui déambule en travers de la route, et que Chay contourne habilement sans perdre sa vitesse de croisière.

Très vite, d'autres lignes viennent s'ajouter à la première.

Un ciel bleu.

Un grand ciel d'un bleu profond.

Même le soleil semble plus gros que d'habitude ; comme une énorme boule de feu incandescente qui surgit du ciel et dégringole vers la terre !

La transition du jour à la nuit donne l'impression d'un horizon infini… sans limite.

Et juste en dessous, j'ajoute :

Je ne me souviens pas avoir déjà vu un ciel aussi immense.

Je souligne « immense », comme ça, le jour où je relirai ces lignes, je saurai que je le pensais vraiment.

Mon crayon bat la cadence sur la page au rythme des pensées qui me traversent l'esprit, tandis que je continue mon observation par la fenêtre : le paysage sec et aride du début, constitué de buissons gris, marron et vert délavé, laisse subitement place à une riche palette de terres rouges, d'herbes jaunes oscillantes, et à d'imposants plateaux rocailleux aux sommets plats surgissant de canyons creusés de profondes ornières.

– La vache… je murmure, mais en mon for intérieur je pense : *Toute petite. Minuscule. Terriblement insignifiante* – et c'est de moi que je parle.

Cet endroit est trop grand. Trop vaste. Trop immense. Il a presque une dimension cosmique, avec tous ses méandres apparemment sans fin. Même si j'ai décidé de lui laisser sa chance, je suis certaine qu'il va m'oppresser.

Cette soudaine prise de conscience provoque en moi un vif accès de nostalgie à l'égard de mon ancienne vie ; une douleur physique à laquelle seuls l'agitation d'un plateau de cinéma au cadre bien défini et un décor provincial où chacun a un nom, un rôle et un but peuvent remédier.

– Bienvenue en terre d'Enchantement, annonce Chay en souriant.

– On est arrivés ? C'est ici qu'elle vit ?

Les yeux plissés, je regarde au loin sans réussir à distinguer la moindre habitation, uniquement des kilomètres de campagne qui semble s'étaler à perte de vue. En voyant ça, je n'ai qu'une envie, qu'il arrête la voiture, fasse demi-tour et me ramène illico là d'où je viens.

Chay part d'un grand rire grave et charmant.

– Terre d'Enchantement, c'est le surnom du Nouveau-Mexique. Mais la ville d'Enchantment où vit ta grand-mère est encore à un bon bout de chemin. Il y a une station d'essence de l'autre côté de ce col. Je pense qu'on va faire le plein et prendre quelques minutes pour se dégourdir les jambes avant de se remettre en route, ça te va ?

Je fais oui de la tête. Puis glisse mon crayon à l'intérieur du carnet. Je suis trop agitée pour écrire ou même faire quoi que ce soit, hormis regarder par la fenêtre en anticipant le moment où le paysage s'éclipsera totalement, en même temps que le soleil.

Chay entre dans la station-service et se gare devant la première pompe disponible, et dès l'instant où je sors du pick-up, je suis stupéfaite de constater combien c'est agréable de se tenir enfin debout et de faire quelques pas, après avoir passé tant d'heures enfermée.

Je renverse la tête en arrière, m'étire les joues en bâillant et hume à pleins poumons l'air du Nouveau-Mexique. À mon grand étonnement, il est encore plus sec ici qu'à Los Angeles ou même Phoenix ; sans doute une question d'altitude. Je m'étire d'un côté, puis de l'autre, avant de me baisser vers le sol, effleurant du bout des doigts des grains d'asphalte caillouteux, et me forçant à surmonter cette douleur dans mes muscles raides et fatigués qui protestent à présent vigoureusement.

– Si tu allais nous chercher des Coca à l'intérieur ?

Chay va pour attraper son portefeuille, mais je décline d'un geste et traverse aussitôt le parking en direction du magasin attenant pour aller voir ce qu'ils proposent.

J'ai à peine poussé la porte de la superette que mon estomac émet un bruyant gargouillis très gênant. Et forcément, en apercevant leur maigre rayonnage d'aliments traités et préconditionnés, je regrette d'avoir laissé mon cheeseburger et mes frites intactes à Phoenix.

Je remonte l'allée d'un pas nonchalant, empilant au fur et à mesure des sachets maxi-format de bonbons, de beignets et de chips dans mes bras, ainsi que deux petites bouteilles de Coca, une pour moi, une pour Chay. Après avoir ajouté un petit paquet de pastilles à la menthe à la pile, je dépose le tout sur le comptoir, échange un sourire aimable, sinon un bonjour d'usage, avec la caissière, et m'applique, pendant qu'elle se charge d'encaisser mes achats, à passer en revue les tabloïds.

Jennika a horreur que je fasse ça ; elle s'empresse toujours de me rappeler que la plupart des histoires qu'ils publient sont soit inventées de toutes pièces, soit savamment orchestrées par les protagonistes eux-mêmes. N'empêche, c'est un plaisir coupable auquel je ne peux résister. Le but du jeu consiste justement à déterminer lequel raconte n'importe quoi et lequel dit vrai.

En plus, c'est le seul moyen que j'ai de garder contact avec de vieilles connaissances. Certains ont des trombinoscopes et des comptes Facebook, moi j'ai les canards à potins.

Comme toujours, je commence par le plus minable et le plus scandaleux de tous. Celui qui se glorifie d'une fascination tenace pour des prétendus enlèvements d'extraterrestres et autres apparitions du fantôme d'Elvis. Pour la première fois depuis des heures, je souris en constatant que la couverture de cette semaine ne faillit pas à sa réputation en soutenant qu'une actrice très célèbre primée aux Oscar est hantée par le spectre d'un réalisateur décédé depuis belle lurette, bien décidé à lui faire payer le remake épouvantable dans lequel elle est en train de tourner.

En évitant celui qui accuse chaque starlette vêtue d'une tunique de dissimuler une grossesse, j'attrape celui qui est encore le plus respectable du lot, dont la couverture de papier glacé est secrètement convoitée – mais ce n'est un secret pour personne – par la plupart, pour ne pas dire *toutes* les stars montantes.

Et en couverture, cette semaine, une photo apparemment prise sur le vif de…

– Ça fera vingt et un dollars et seize cents, annonce la caissière d'une voix qui n'a qu'un vague écho dans ma tête.

C'est à peine si je l'écoute ou comprends ce qu'elle dit. Le comptoir, ma pile de cochonneries, la vendeuse, tout se fond dans le décor, jusqu'à ce que je me retrouve seule face à la couverture de ce magazine.

Il me faut mes deux mains pour le tenir, c'est dire si je tremble. Les joues en feu, le souffle coupé, je suis incapable de m'arracher à ces yeux bleus perçants, cette peau dorée, cette crinière blonde ébouriffée, ce petit sourire indolent et ce bras bandé qu'il lève pour saluer ses fans.

Car c'est bel et bien un signe de la main. Ça, j'en suis sûre et certaine.

Il a beau essayer de faire comme si c'était un geste de protestation, une tentative ratée de repousser le téléobjectif indiscret du photographe, je ne suis pas dupe, moi.

Vane n'a jamais croisé un paparazzi dont il n'était pas secrètement fan.

Ce petit jeu est nouveau pour lui, il est encore terriblement avide d'attention. Des années qu'il fait tout pour obtenir ce genre de couv', et aujourd'hui, grâce à moi, c'est fait.

– Ohé ! Y a quelqu'un ? Ça fera vingt et un seize ! braille la caissière en ajoutant : plus trois dollars cinquante pour le magazine.

Je ne réagis pas. Je reste là à serrer la revue entre mes mains tremblantes, l'encre s'imprégnant sur ma peau à cause de mes doigts moites. Je n'arrive pas à détacher mes yeux du gros titre en gras qui annonce en toutes lettres :

Collision sur l'Autoroute Vane Wick !

C'est comme ça qu'ils l'appellent, « l'Autoroute Vane Wick ». Un surnom qu'il doit à la voie rapide on ne peut plus calamiteuse et embouteillée qui mène à ce lieu de pagaille monstre qu'est l'aéroport international John-F.-Kennedy.

Vu qu'il débarque du fin fond de nulle part, Vane raffole de ce surnom si ingénieux. Il adore ça, comme absolument tout ce qui fait sa célébrité.

Sur la photo, il a le portrait amoché, couvert de griffures irrégulières encore à vif et d'ecchymoses bleutées, et son sourcil gauche, celui qu'il aime tant arquer, semble être entaillé pile au milieu. Mais le pire, c'est que ça le rend encore plus sexy. Ça lui donne un air à la fois vulnérable et coriace, genre le mec qui a vécu.

Grâce à moi, il est passé de *craquant* à *carrément irrésistible*, néanmoins je doute qu'il m'envoie ne serait-ce qu'un petit mot de remerciement.

D'ailleurs, en parlant de moi, je figure aussi en une.

Sous la forme d'un petit cliché flou inséré en médaillon, en bas à droite.

Une photo que je reconnais, puisqu'elle sort tout droit du portable de Vane. Il avait insisté pour la prendre, malgré plusieurs tentatives de dissuasion de ma part. Je ne voyais pas l'intérêt de documenter cette histoire que je savais sans lendemain. Du coup, vu que je n'étais pas ce qu'on pourrait qualifier d'enthousiaste à l'idée de poser, quand il a brandi son téléphone pour me prendre, je lui ai jeté un regard noir.

Il a éclaté de rire en voyant le résultat, m'a même promis de l'effacer, mais visiblement je n'ai jamais pensé à vérifier.

Pas plus que je n'ai imaginé une seule seconde qu'il utiliserait un jour cette photo contre moi, et qu'elle finirait par devenir l'illustration parfaite du pitoyable surnom dont j'ai moi aussi hérité, « la Fan infernale ».

Dixit la légende :

Une fan infernale se déchaîne contre Vane Wick !

Sous laquelle on peut lire aussi :

« Sympa, Vane a décidé de ne pas porter plainte. “C'est la rançon de la gloire, explique-t-il. J'espère seulement qu'elle va se faire aider, car il est clair qu'elle en a besoin.” » (Lire l'article complet, page 34.)

Je m'abstiens d'aller page 34.

J'ai ma dose, inutile d'en lire plus.

Même si je n'ai jamais considéré que Vane était particulièrement « sympa », comme ils disent, j'avoue que je le trouvais plutôt cool. Il faut croire que j'avais tort.

Il faut croire aussi que son agente ne s'est pas tant démenée que ça pour enterrer cette histoire, contrairement à ce qu'affirmait Jennika. Je parie qu'elle a attendu que les bleus apparaissent avant de se cacher dans un buisson pour le prendre elle-même en photo.

Je la connais, la combine. C'est le truc qui fait tourner Hollywood comme l'huile dans des rouages ! Et aujourd'hui, grâce à mes crises de délire, Vane a encore plus d'étoiles à son petit compteur personnel.

– Bon, dites, vous le prenez, oui ou non ? J'ai pas toute la journée, moi ! rouspète la caissière en me lançant un regard furibond.

Pourtant, à ce que je vois, on dirait plutôt le contraire. Je suis la seule cliente de la boutique, et avant mon arrivée elle lisait un bouquin.

Je suis tentée de laisser le magazine sur le présentoir. D'effacer cette photo de mon esprit et de faire comme si je ne l'avais jamais vue. Mais impossible de revenir en arrière et d'oublier ce qui est désormais gravé dans ma mémoire.

J'hésite. Tout ce que je veux, c'est me débarrasser de ce machin, et en même temps je sais bien que c'est à cause de mes mains moites que la couverture est maintenant toute sale et déformée.

– C'est bon, je le prends.

Ça me fait mal de devoir payer pour ça, mais je ne veux pas la laisser avec un article endommagé sur les bras.

Je fouille dans mon portefeuille et lui tends une liasse de billets froissés, les doigts tremblants, refusant la monnaie qu'elle s'apprête à me rendre. Au moment où je pousse la porte pour sortir, je percute Chay de plein fouet, tellement troublée que je ne distingue que de grosses taches vacillantes devant moi.

Chay me remet d'aplomb, pose les mains sur mes bras.

– Tout va bien ? Tu as besoin de prendre tes médicaments ?

Il m'observe d'un air qu'on ne peut qualifier que de « modérément inquiet ».

Je fais non de la tête. Esquive son contact. Refusant d'avouer que la vision qui me hante n'est pas simplement confinée à mon esprit, mais qu'elle est là, visible aux yeux du monde entier. Sans doute que la photo fait déjà le buzz et se répand comme une traînée de poudre sur Internet, en attendant de faire l'objet d'une séquence bonus dans une émission de divertissement ringarde sur une chaîne nationale.

Je flanque des coups d'ongle à la couverture et la réduit en miettes, jusqu'à la rendre méconnaissable. Puis, après avoir balancé les saletés à la poubelle, je rejoins Chay qui m'attend près du pick-up, l'air sérieusement inquiet cette fois.

– Tout va bien, je le rassure en lui tendant un des Coca avant de grimper à bord. J'ai hâte d'arriver, c'est tout.

Et au moment où je le dis, je me rends compte à quel point je le pense.

SEPT

Sur le moment, lorsque Chay a dit que Paloma vivait dans une petite maison en briques d'adobe, je crois que ça faisait partie des détails sur lesquels j'ai préféré ne pas m'arrêter. Mais après plus d'une heure de trajet sur des chemins de terre franchement défoncés et peu éclairés, voire pas du tout hormis par la lune, j'ai les yeux qui commencent à fatiguer à force de scruter les environs pour essayer de deviner quelle maison est la sienne.

Il n'y a que ça, des maisons d'adobe !

Enfin non, il y a d'autres types d'habitation et beaucoup de mobile homes aussi, mais ce secteur-là comporte surtout des maisons d'adobe, ce qui donne à cet endroit un aspect prédominant de style *pueblo*.

À New York, on a les tours et les bâtiments de grès brun ; dans le Nord-Ouest pacifique, on a les façades à clins ; dans le sud de la Californie, bon… on voit un peu de tout, quoique le style méditerranéen semble régner en maître absolu. Mais de ce que j'en vois, dans cette région du Nouveau-Mexique, ce sont les maisons rectangulaires à toits plats et aux murs arrondis et lisses comme de la terre séchée qui prolifèrent.

Résultat, chaque fois qu'on approche de l'une d'elles, je ne peux m'empêcher de me dire : *C'est là ? C'est dans cette maison que vit Paloma ?*

Et chaque fois je pousse un soupir de frustration en voyant Chay passer sans s'arrêter, pas plus qu'à la suivante.

Du coup, quand enfin il s'arrête devant une grande porte cochère bleue flanquée de murs arrondis et lisses, je suis tellement gonflée à bloc à cause des cochonneries et du stress que j'ai emmagasinés que je suis trop barbouillée pour avoir une réaction sensée.

– On y est, dit Chay en souriant avec bonne humeur, exactement comme au début du périple.

À croire que les dix dernières heures qu'il a passées à servir de chauffeur à une adolescente boudeuse étaient pour lui non seulement un plaisir, mais aussi un vrai jeu d'enfant.

Il attrape mon sac qu'il a calé derrière les sièges dans le petit espace ouvert à l'arrière, le balance sur son épaule et me fait signe de le suivre. Tout en se rappelant à voix haute de penser à graisser les gonds après que la porte l'a accueilli par un grincement bruyant, il me fait entrer et pénètre à ma suite dans la cour intérieure.

J'ai à peine franchi le seuil que je me fige. Je reste plantée dans l'allée de pierre et de gravier qui mène à la porte d'entrée, refusant d'aller plus loin ou d'approcher la première.

J'ignore totalement à quoi ressemble Paloma et quel accueil elle me réserve.

Je ne sais pas du tout à quoi m'attendre.

J'aurais dû poser plus de questions.

Utiliser ces dix heures de trajet pour cuisiner Chay jusqu'à ce qu'il craque et me confie tous les lourds secrets bien noirs que cache Paloma.

Au lieu de ça, j'ai préféré manger. Et lire. Et fantasmer sur un mystérieux garçon à la peau hâlée, aux yeux bleu glacier et aux longs cheveux bruns, que je n'ai pas même croisé une seule fois dans la réalité.

Ça me fait une belle jambe, maintenant.

Il est trop tard pour demander à Chay de retourner au pick-up, et de me ramener fissa à Phoenix pour que j'aie une seconde chance de faire ça bien : déjà la porte d'entrée s'est grande ouverte, et derrière elle apparaît une petite silhouette sombre entourée d'un halo de lumière.

– *Nieta* ! s'exclame une voix étonnamment rauque et grave.

J'ai beau bien regarder, je ne discerne rien de plus qu'une silhouette noire éclairée à contrejour d'un halo jaunâtre chatoyant.

La femme s'avance sur la véranda, directement sous la lanterne du porche, ce qui me permet de la voir de façon bien plus nette. Elle porte une main délicate à sa poitrine et l'agite brièvement devant son cœur, l'air émue, avant de la tendre vers moi.

– *Nieta* ! répète-t-elle, les yeux noyés de larmes et les joues roses de joie. Ma petite-fille ! Te voilà !

Je me tortille, gênée. Je me sens gigantesque et mal à l'aise à côté de sa silhouette minuscule ; j'ai conscience de sa main qui s'approche de moi, mais ne sais pas trop quoi en faire. Ça me paraît un peu bizarre et cérémonieux de la serrer, mais d'un autre côté je ne suis pas tout à fait prête non plus à lui donner l'accolade. D'un point de vue génétique, c'est peut-être effectivement ma grand-mère, mais à cet instant, elle n'est qu'une charmante petite dame avec des petits yeux noirs pétillants, un beau sourire, un nez qui rappelle le mien et une splendide crinière brune balayée de quelques rares mèches argentées scintillant comme des guirlandes de Noël.

Je marmonne un bonjour et esquisse un rapide signe de la main avant d'enfouir cette dernière dans la poche de ma veste. Je m'en veux un peu de ce geste si froid, mais dans les circonstances actuelles, je n'ai rien de mieux à offrir.

Mais si Paloma est vexée, elle n'en laisse rien paraître. Et c'est avec un sourire chaleureux qu'elle me fait entrer.

– Viens, ma petite. Allons à l'intérieur. Au chaud. Il est tard, tu as fait un long voyage. Je vais te conduire à ta chambre, t'installer pour la nuit, et demain nous ferons plus ample connaissance. Mais pour l'instant, tu as surtout besoin de te reposer.

Je fais un pas à l'intérieur, sens Chay me contourner discrètement, puis disparaître au fond du couloir avec mon sac, alors que je m'arrête sur un petit tapis tissé aux couleurs vives, à peine plus loin que le seuil, pour essayer de tout embrasser du regard. Des murs épais aux angles arrondis, d'imposants châssis de portes à nu, des poutres en bois massif qui traversent le plafond, une cheminée d'angle en forme de ruche, remplie de bûches empilées à la verticale qui embaument la pièce d'un agréable parfum de prosopis.

– Ta mère disait vrai, déclare Paloma en allant dans la cuisine.

Sa robe en coton léger bruisse dans son sillage, ses pieds nus glissant avec légèreté au ras du sol, à tel point que je cligne plusieurs fois des yeux pour m'assurer qu'ils touchent bien terre en dépit des apparences.

– À l'exception des yeux, tu es tout le portrait de mon Django… *ton père.*

Ses yeux s'embuent de larmes, tandis que je gigote, gênée. La seule photo de mon père que je connaisse provient d'un de ces tirages en noir et blanc délivrés par les cabines de Photomaton.

Il y a trois poses différentes. Une de Django qui sourit, une de Jennika qui louche en tirant la langue, et une troisième du couple. Celle-ci montre une Jennika adolescente essayant désespérément de copier le look de Courtney Love au milieu des années 1990, avec ses cheveux blonds décolorés, son rouge à lèvres foncé et sa robe baby-doll. Langoureusement installée sur les genoux de Django qui fait mine de l'embrasser dans le cou avec exubérance, elle renverse la tête en arrière, hilare.

Il va sans dire que la troisième photo était ma préférée.

Ils avaient l'air si jeunes et amoureux, si sereins et libres…

Mais si j'étais vraiment sensible à cet aspect de la photo, au fond, c'était surtout son message implicite qui me touchait.

Un message de mise en garde.

Une preuve en image, largement suffisante, que tout peut basculer en un instant.

Une façon de vous rappeler que *bam*, d'un coup, votre vie entière peut être bouleversée et que vous ne pouvez rien y faire.

Trois mois après cette photo, Django était mort, Jennika, enceinte, et leurs sentiments de liberté et de sérénité, disparus à jamais.

Au début, j'ai demandé à Jennika le tirage entier avec les trois poses, mais elle s'est esclaffée en refusant catégoriquement. Alors après, je lui ai demandé celle du baiser – en fait, c'était celle-là que je voulais vraiment –, mais elle a encore dit non, puis elle a attrapé une paire de petits ciseaux à ongles et coupé celle du haut, qu'elle m'a donnée.

Voilà comment la photo de Django a atterri dans mon portefeuille pendant que Jennika gardait les deux autres planquées. Elle était loin d'imaginer que chaque fois qu'elle décrochait un nouveau contrat, je passais le premier jour de notre arrivée à inspecter les lieux pour trouver sa cachette et mater la photo du baiser pendant qu'elle était en rendez-vous.

Paloma s'affaire autour d'une marmite sur la cuisinière, tour à tour occupée à remuer avec une grande cuillère en bois, puis à porter cette dernière sous son nez en humant profondément. Estimant finalement que c'est prêt, elle verse son contenu dans une grande tasse fait-main et revient vers moi.

– Bois tant que c'est chaud, dit-elle en me la tendant. Ça t'aidera à dormir. Et à t'apaiser.

Ça me fait mal de l'avouer, mais je n'ai aucune envie de prendre le risque d'accepter. Paloma a beau avoir l'air parfaitement charmante et inoffensive (rien à voir avec l'affreuse sorcière que j'imaginais), être ici, dans la maison où mon père a vécu pendant seize ans avant de s'enfuir en Californie – où il a rencontré ma mère, puis trouvé la mort… Eh bien, disons que tout ça commence un peu à me faire flipper…

Mais Paloma, patiente, continue de me tendre la tasse, l'air de dire clairement qu'elle restera plantée là des heures, s'il le faut. Et vu que dans le genre soirée étrange et embarrassante on peut difficilement faire pire, je finis par accepter avec un gros soupir. En agrippant la délicate anse de céramique entre mes doigts, je suis aussitôt attirée par l'odeur délicieuse et appétissante que dégage cette mystérieuse mixture.

En un rien de temps, je vide ma tasse. Paloma m'en débarrasse et la pose sur une table à proximité.

– Ça devrait commencer à faire effet assez vite, il vaudrait donc mieux te conduire à ta chambre.

D'un geste doux et bienveillant, elle me guide par le coude, me fait remonter un petit couloir, passer devant une porte close, puis une autre, puis sous une arcade, et entrer dans une pièce où je m'écroule sur le lit.

Elle me borde de ses doigts agiles.

– Demain matin, on se racontera tout, mais pour l'heure, dors, *nieta* chérie.

Huit

Je suis dans la forêt.

Une forêt verdoyante, fraîche, sans un souffle de vent, au sol parsemé de mousse, peuplée d'arbres imposants soutenant une canopée de longues branches entrelacées, à travers laquelle ne filtre qu'un faible rayon de soleil. La lumière se reflète sur les feuilles de sorte qu'elles semblent animées, vivantes, comme si elles oscillaient en harmonie avec le chant mélodieux du corbeau.

D'un pas leste, j'avance silencieusement le long d'un sentier sans nom, le corbeau juché sur mon épaule. Vigilant, il scrute les environs de ses yeux pourpres, tandis qu'un vague souvenir m'assaille et me rappelle que je n'ai aucune raison d'avoir peur : le corbeau est mon guide, il saura m'orienter. Ma place est ici.

J'escalade des rochers, traverse péniblement des ruisseaux au courant rapide. L'eau monte de plus en plus, finit par engloutir mes chevilles et détremper ma robe. Les cheveux mouillés et emmêlés, j'agrippe finalement un récif sur la berge opposée, les doigts cramponnés à son arête saillante, me hisse hors de l'eau et m'affale au sommet, le corbeau perché juste à mon côté. On se réchauffe sous un puissant rai de lumière qui absorbe l'humidité de ma robe, de mes cheveux, de ma peau, et la renvoie au ciel, promettant de me retrouver sous forme de rosée, de neige ou de pluie. Mais très vite le corbeau me donne des petits coups sur l'épaule de son bec busqué, pour m'indiquer qu'il est temps de se remettre en route.

Notre voyage se poursuit à travers un relief boisé et s'achève dès l'instant où ses serres me pincent fermement les épaules, presque au point de se planter dans ma chair. Il bat des ailes, les déploie et s'envole haut dans le ciel, et bien que je ne le quitte pas des yeux et fasse tout mon possible pour suivre sa trajectoire, je le perds de vue en un clin d'œil.

Sa mission accomplie, il ne m'est plus d'aucune utilité. Je suis arrivée à destination, laquelle revêt l'apparence de cette magnifique clairière tapissée d'herbe où je me trouve.

D'un geste nerveux, je passe la main sur ma robe en espérant paraître présentable et jolie aux yeux de l'ami qui m'attend. Détectant sa présence avant même de le voir, je ferme les yeux, hume son intense parfum de terre, savourant la montée d'adrénaline qui affole mon cœur tout excité, prolongeant cet instant autant que possible avant qu'il ne m'appelle et me supplie de le regarder.

Le sourire sur mes lèvres s'accentue quand je l'entends prononcer mon prénom, je me retourne, le contemple et le dévore des yeux comme il le fait avec moi. Mon regard se promène sur ce bel inconnu à la peau lisse et hâlée et aux brillants cheveux de jais qui balaient son visage. J'avise son torse svelte et dénudé, ses épaules larges et robustes et ses mains relâchées le long du corps qui ne laissent presque rien transparaître du plaisir que je les sais capables de donner.

Il me prend par la main pour m'entraîner hors de la clairière, de l'autre côté de la forêt, où nous attend une magnifique source chaude bouillonnante. Ses eaux thermales limpides dégagent une légère brume de chaleur qui tourbillonne, virevolte et ricoche à la surface.

Je m'y glisse la première, laissant l'eau s'emparer de ma robe jusqu'à ce qu'elle me moule comme une seconde peau, et regagne la berge opposée où j'attends avec impatience que ses mains brûlantes viennent explorer mon corps. Le désir monte en moi comme une violente fièvre que seule apaise la sensation de ses mains sur mon visage, et celle de nos lèvres qui se mêlent, se goûtent et se cherchent dans un baiser si divin qu'un feu d'artifice d'images vient embraser mes pensées.

Je vois d'abord une fleur qui forme un bouton, éclot et se fane sur sa tige, pour enfin se redresser et former un nouveau bouton – vision qui s'efface derrière celle d'une foule d'âmes éblouissantes plus vives que le jour, aux côtés d'âmes devenues si sombres qu'elles se confondent avec la nuit. Toutes fusionnent avec les éléments, pour illustrer tour à tour le cycle permanent de la neige, de la rosée et de la pluie par le ciel, le visage tantôt ravageur, tantôt apaisant du vent, l'égale aptitude du feu à chauffer ou détruire, et la patience stoïque de la terre qui s'efforce d'assimiler toutes nos exigences…

Les images tournent en boucle jusqu'à ce que le message soit clair :

Je suis l'hydrogène de l'eau dans laquelle je baigne.

Je suis l'oxygène de l'air que je respire.

Je suis la petite bulle de chaleur de cette source minérale.

Je suis le sang qui coule dans les veines du garçon qui m'a embrassée, aussi sûr que je suis le battement des ailes du corbeau qui m'a conduite à lui.

Je fais partie intégrante du tout, et le tout, de moi.

Jusqu'ici obscure à mes yeux, cette vérité m'apparaît maintenant clairement, grâce à l'émotion d'un simple baiser.

Ses doigts s'affairent, rapides, adroits. Ils s'attardent sur ma robe, repoussent son tissu derrière mes épaules, l'abaissent sous ma taille alors qu'il enfouit sa tête et me couvre le corps de baisers. Je l'interromps dans son élan en serrant ses joues entre mes paumes, car j'ai besoin de le voir, de le voir vraiment, autant que lui me voit.

Je caresse des pouces l'arête saillante de ses pommettes. Joue avec ses cheveux humides. Les repousse sur ses tempes, derrière ses oreilles, pour laisser apparaître ses yeux, bleu glacier aux éclats d'or, qui reflètent mon image à l'infini.

Des yeux kaléidoscopiques.

Je retiens mon souffle, incapable de détacher mon regard du sien et n'ayant aucune envie de regarder ailleurs pour l'instant – ni peut-être même plus jamais.

– Le moment est venu, dit-il en intensifiant son regard jusqu'à ce qu'il se grave dans le mien.

Je m'empresse d'acquiescer. Je pressens qu'il dit vrai, sans même savoir de quoi il parle.

– On ne peut pas revenir en arrière. Ta place est ici.

En arrière ?

Pourquoi aurais-je envie de revenir en arrière ?

J'étais destinée à le rencontrer, ça, j'en suis persuadée.

Je fais abstraction de mes pensées pour me blottir davantage contre lui. J'enroule une jambe autour de ses genoux pour l'attirer contre moi, brûlant de lui voler un autre baiser.

Les lèvres gonflées, j'approche ma bouche…

… mais me heurte à un vide béant et glacial.

À sa place, quelqu'un d'autre se tient face à moi.

Un individu qui possède le même corps svelte et musclé, les mêmes traits, mais bien que ses cheveux soient brillants et bruns comme ceux de mon ami, ceux-là sont coupés très court, au ras du crâne. Quant à ses yeux, s'ils ont en commun la couleur et les mouchetures dorées, la comparaison s'arrête là.

Ces yeux-là sont glacials.

Cruels.

Et au lieu de refléter mon image, ils l'engloutissent comme le gouffre abyssal que je devine en eux.

– Je prends le relais, décrète-t-il en le poussant brutalement.

– Certainement pas.

Mon ami se remet vite d'aplomb, le corps et les poings tendus, prêt à me défendre.

L'inconnu ricane, le bouscule pour passer devant, mais mon ami lui barre une nouvelle fois le chemin.

– T'en fais pas, frangin, c'est son âme que je veux – son cœur est tout à toi !

Mon ami se plante devant lui tel un solide rempart.

– Le cœur ne va pas sans l'âme. Malheureusement, tu n'auras ni l'un ni l'autre.

Le regard de l'autre s'assombrit davantage, plus résolu et plus cruel encore.

– Dans ce cas c'est la tienne que je prendrai.

Je mets un peu de temps à percuter.

À y voir clair.

Mais c'est du temps de perdu.

Pour rien.

Brusquement consciente de la menace, je me retrouve écarquillant les yeux d'horreur en voyant le garçon – celui au regard creux et glacial – se métamorphoser.

Il devient méconnaissable.

Inhumain.

Une progéniture monstrueuse et démoniaque, le fruit de l'horreur et de l'abomination.

Les contours de sa bouche à présent déchiquetés, en sang et répugnants, révèlent des crocs pointus qui se plantent dans la chair de mon ami et l'écorchent. Le torse broyé de ce dernier n'est bientôt plus qu'une effroyable mare de sang au milieu de l'eau.

L'autre renverse la tête en arrière en poussant un grognement épouvantable. Dans ses yeux flamboie un éclat rouge semblable au filet écarlate qui dégouline de son menton, lorsqu'un serpent hideux jaillit de sa bouche à la place de sa langue.

Je tends les bras, tâtonne autour de moi comme une folle dans la tentative désespérée de sauver mon ami.

Il n'est pas question que je le perde.

Ni que je reste les bras croisés sans rien faire.

Ça fait seize ans que je l'attends.

Même si on ne s'est encore rien dit, il est évident que c'est l'amour qui nous unit.

C'est lui qui nous a conduits jusqu'ici.

On est liés.

On est faits l'un pour l'autre.

Destinés.

Certaines choses ne font pas l'ombre d'un doute, c'est tout.

Je me jette sur le démon. Je le roue de coups de pied. Je me débats. Je crie. Mais mes efforts sont vains, je ne suis pas de taille face au serpent.

Il m'esquive et plonge droit dans la cavité à présent béante du torse mutilé de mon ami.

Il en ressort avec une petite sphère chatoyante et sacrée qu'il tète avec précaution et douceur avant de la dévorer tout entière, étouffant la vie qu'elle contenait comme une flamme.

Le démon m'adresse un grand sourire – vision abominable à jamais gravée dans ma mémoire. Puis il se volatilise dans la nature en me laissant seule avec mon ami, mon grand amour, le seul auquel j'étais destinée, qui n'est désormais plus qu'une coquille de chair inerte et sans vie dans mes bras.

NEUF

Je me réveille en hurlant. À plat ventre, le visage écrasé dans un oreiller, si bien que le bruit est assourdi. Mais j'ai quand même peur que Paloma m'ait entendue et décide de venir vérifier que tout va bien.

D'un coup de pied, je repousse l'enchevêtrement de couvertures et de draps sur mes jambes. Je me hisse pour m'adosser à la petite tête de lit en bois et tends l'oreille vers le couloir à l'affût d'un signe de ma grand-mère, persuadée qu'elle va faire irruption dans la chambre d'une minute à l'autre, parée d'une étrange tisane qu'elle m'obligera à boire. Cependant, tout ce que je parviens à distinguer, c'est le son rassurant de bruits de cuisine qui filtre sous la porte.

Un robinet qui coule, du beurre qui grésille, ainsi que le léger soupir aspiré d'une porte de réfrigérateur qu'on ouvre, suivi du bruit sourd, ferme et franc lorsqu'on la referme. La bande-son d'un quotidien domestique que la majorité des gens considère comme normale, mais que je ne connais pour ma part qu'à travers la télé et les films.

Ces seize dernières années, Jennika et moi avons passé notre vie sur la route. Autrement dit, la plupart de mes repas, je les ai pris à bord d'avions, au restaurant, dans des bars étrangers aux règles sanitaires douteuses et, les jours de chance, aux énormes banquets livrés directement aux studios.

La seule fois où j'ai vaguement fait l'expérience d'un semblant de vie de famille « normale », c'est quand on s'était retrouvées à séjourner chez Harlan le jour de mon douzième anniversaire, et que Jennika avait tenté de nous faire la surprise de préparer des toasts. Seulement, quelque chose l'avait distraite pendant qu'elle attendait que le pain dore, et tout à coup il s'était mis à fumer, l'alarme d'incendie, à brailler, et une fois le désastre réglé, Harlan nous avait entassées dans sa voiture et invitées à bruncher dans un restau végétalien près de la plage de Malibu.

Cela dit, Paloma ne ressemble pas du tout à Jennika. De ce que j'en vois, c'est l'image même de l'hospitalité latine. Toutefois, mon ventre a beau gargouiller et me pousser à sortir du lit pour aller la rejoindre, je suis déterminée à patienter et à prolonger un tout petit peu cet instant.

Je repousse une mèche trempée et collante de mon front, et troque sans plus attendre les vêtements dans lesquels j'ai dormi contre le peignoir en coton souple que Paloma a étendu sur une chaise. Mon horrible cauchemar est encore si frais dans ma mémoire que, pour la première fois depuis que je rêve de ce garçon, je prie pour ne plus jamais le revoir.

Les orteils recroquevillés dans la moelleuse descente de lit en peau de mouton, j'entame une petite série d'étirements. Je fais en sorte de me débarrasser du torticolis dont j'écope systématiquement quand je dors à plat ventre, puis je fais le tour de ma nouvelle chambre pour en explorer chaque recoin, à défaut d'avoir pu le faire hier soir, vu que la mixture que Paloma m'a fait boire m'a rapidement assommée.

Près de la fenêtre, il y a un vieux pupitre en bois, assorti d'une chaise avec les initiales de mon père gravées dans la fibre, dans le coin en haut à droite. Les contours du « DS » sont si nets et anguleux qu'on dirait presque du grec. Mais j'ai beau essayer d'imaginer mon père assis là en train de discuter au téléphone, de faire ses devoirs ou même d'échafauder son éventuelle fuite à L.A., ça ne sert à rien. Impossible de faire la transition entre une photo en noir et blanc sur laquelle il sourit et une personne en chair et en os, à savoir le fils unique de Paloma, qui se sentait si oppressé dans cette ville et dans cette maison même que sa seule hâte était de s'enfuir.

Même en apercevant sa photo encadrée sur la commode, j'ai du mal à le resituer. Cela dit, malgré son apparence soignée sur ce portrait, on devine clairement qu'il est malheureux.

Sa chemise est propre et repassée, ses cheveux bruns, fraîchement coupés, mais bien que son sourire soit assez agréable, si on regarde bien, on décèle une pointe flagrante d'agitation dans son regard. Je ne peux m'empêcher de me demander si Paloma en était elle aussi consciente, ou bien si, comme un parent sur deux, elle est de ceux qui préfèrent fermer les yeux sur toutes ces choses trop pénibles à voir.

– Il avait seize ans sur cette photo.

Paloma passe la tête par la porte à présent entrouverte ; je ne m'y attendais tellement pas que je sursaute malgré moi.

– Le même âge que toi, ajoute-t-elle.

Je reste là à la fixer, une main agrippant ma poitrine sous laquelle je sens mon cœur battre à tout rompre, l'autre reposant la photo car, étrangement, j'ai mauvaise conscience de l'avoir examinée comme ça.

– Je t'ai entendue te lever.

Elle s'approche, me prend le cadre des mains et le tient entre les siennes.

Je reste silencieuse. Je ne sais trop quoi dire. Je suis presque certaine que mon cri étouffé n'a pas porté jusqu'à la cuisine : cela signifie-t-il qu'elle attendait campée derrière ma porte pour intervenir pile au bon moment ?

– Disons que j'ai *senti* que tu te réveillais, plus que je ne t'ai entendue.

Elle sourit, son regard oscillant entre le portrait et moi.

– Il a quitté la maison peu de temps après que cette photo a été prise. Il m'a téléphoné de temps en temps, envoyé quelques cartes postales, mais après son départ je ne l'ai plus jamais revu.

Elle repose le cadre en prenant soin de le replacer exactement là où je l'ai trouvé, puis s'avance vers la fenêtre pour écarter les rideaux en coton et laisser un pâle rayon de soleil entrer à flots dans la pièce.

– C'est un capteur de rêves, explique-t-elle en suivant mon regard.

Je tends le bras pour attraper le tressage délicat suspendu au-dessus de l'appui de fenêtre. C'est un anneau rempli d'un filet, avec des perles tout autour et un trou en plein milieu, auquel pendillent de fines franges en peau de daim et un assortiment de petites plumes.

– Connais-tu la légende des capteurs de rêves ? s'enquiert-elle, ses yeux noirs pétillants me faisant penser à la couleur de la terre après une nuit d'orage.

Je fais non de la tête et me gratte le bras, bien que ça ne me démange pas vraiment, c'est juste un tic nerveux que je traîne depuis des années. Mon horrible rêve me hante encore, prêt à refaire surface, et j'en viens à me demander si je ne devrais pas le lui raconter... Impulsion que je m'empresse de refouler.

– À l'instar des êtres, il n'y a pas deux capteurs pareils, et pourtant tous ont des caractéristiques communes. Celui-ci est d'origine navajo, fabriqué par un ami. On dit que les rêves prennent leur source hors de nous. C'est pourquoi on accroche les capteurs au-dessus des lits ou des fenêtres, pour qu'ils agissent comme une toile d'araignée en retenant les bons rêves, ceux qui nous aident à passer la journée en douceur, et en laissant les mauvais traverser le trou que tu vois au centre, afin qu'ils soient brûlés par les premières lueurs du jour. Et ces plumes en bas...

Elle indique d'un geste les plumes que je tripotais entre mes doigts sans même m'en rendre compte.

– Elles sont censées symboliser le souffle de tous les êtres vivants.

Elle se tourne face à moi en me sondant légèrement du regard, comme si elle attendait une révélation capitale de ma part. Je suis bien tentée de lui dire que son capteur de rêves ne marche pas, que c'est certes un joli petit objet artisanal, mais qu'en termes d'efficacité, c'est un fiasco complet.

Mais ses yeux dégagent une telle bonté et tant d'espoir que je ravale ma langue, et la suis plutôt dans la cuisine pour le petit déjeuner.

– Dis, tu es au courant qu'il y a un rocher qui dépasse de ton mur ?

Je finis mon jus et vais poser le verre dans l'évier devant lequel se tient Paloma, de l'eau savonneuse jusqu'aux coudes, car visiblement il n'y a pas l'ombre d'un lave-vaisselle dans les parages. Ma question n'est pas censée paraître aussi abrupte et impolie. Mais contrairement à ce que je croyais, je me suis réveillée bien après l'heure du petit déjeuner, et même du déjeuner. Et je dois dire que ça m'étonne un peu qu'on ait englouti une énorme pile de délicieux pancakes à la farine de maïs bleu nappés de sirop d'érable, de baies bio de toutes sortes directement cueillies dans le jardin et de jus de fruits fraîchement pressés. L'arôme d'une bonne petite tasse de café *piñon* était si intense que je peux encore sentir son odeur tenace dans la pièce. Tout ça sans la moindre allusion à ce rocher bizarre, jusqu'à ce que j'aborde le sujet.

Un petit sourire se dessine sur les lèvres de Paloma comme elle me répond :

– Il ne faut pas contrarier la nature. On ne devrait jamais exiger qu'elle se plie à nos habitudes, mais plutôt apprendre à vivre en harmonie avec elle, car elle a beaucoup à nous offrir.

Oh punaise !

J'ai déjà entendu ce genre de propos. D'habitude, on entend ça dans la bouche de starlettes au regard illuminé, tout juste sorties d'un cours de yoga *boul'-ver-sant*. Leur récente révélation dure quelques semaines tout au plus, jusqu'à ce qu'une nouvelle gym à la mode fasse fureur et que lesdites starlettes passent à autre chose.

Sauf que Paloma est loin d'en être une. Quoique je ne doute pas qu'elle ait pu être très séduisante… autrefois. Si mes calculs sont bons, elle doit avoir une petite cinquantaine, mais dans le style naturel et discret, elle est encore très belle avec sa longue natte brune qui lui tombe jusqu'aux reins, ses yeux noisette, son corps menu, sa robe droite en coton léger qui me rappelle terriblement celle que je porte en rêve, et ses pieds nus.

Effleurant le rocher du bout des doigts, je suis sidérée par la façon qu'il a de s'imposer littéralement dans la pièce, massif et intrusif, obligeant tout ce qui l'entoure à se débrouiller pour coexister.

La maison paraît différente ce matin, et pas seulement à cause de ce bloc que je ne remarque que maintenant. Hier soir, l'endroit dégageait une ambiance chaleureuse avec son beau feu de cheminée et son assortiment de lampes allumées. Mais à présent le décor paraît sobre, presque quelconque. Il se compose de quelques tapis navajo, de meubles en bois tout simples, de pots de confiture remplis de petites grappes de fleurs des champs jaunes et violettes, sans oublier ces drôles de petites niches creusées dans les murs, chacune abritant des statuettes peintes à la main représentant différents saints.

Toutefois, aussi austère soit-il, l'ensemble procure un sentiment de confort indéniable que je n'arrive pas trop à m'expliquer. Quoique ce soit peut-être lié à la taille de la maison. C'est petit, douillet, et il est facile de s'y repérer. Il y a ce grand espace ouvert qui accueille la cuisine et la salle de séjour, deux chambres – une pour moi, une pour Paloma – (et deux salles de bains aussi, je suppose, puisque je ne me souviens pas qu'elle ait utilisé la mienne), et une autre pièce à l'autre bout, visiblement une annexe récente. Le couloir aux murs en brique qui y mène débouche sur un passage voûté encadré d'un mur entier d'étagères croulant sous des bouquets d'herbes séchées, des pots emplis de liquides bizarres et tout un bric-à-brac – faute d'une meilleure appellation.

– C'est quoi, là-bas ? je demande en lui montrant la pièce mystérieuse.

– La pièce où je reçois mes patients ; considère ça comme mon bureau, si tu veux.

Elle retire la bonde du fond de l'évier et laisse l'eau s'écouler en gargouillant dans la canalisation, tandis qu'elle s'essuie les mains avec un torchon bleu brodé.

– Rassure-toi, j'ai pris ma journée pour qu'on puisse discuter et apprendre à mieux se connaître sans être dérangées.

Je jette un coup d'œil à la pièce avant de me tourner vers Paloma.

– Dans ce cas, on ferait peut-être bien de commencer par là-bas. Après tout, c'est moi la folle qu'on a envoyée ici pour se faire soigner.

Elle me lance un regard que je ne parviens pas déchiffrer : est-ce de la compassion, de la tristesse, de la nostalgie ? Impossible à dire.

– Tu n'es *pas* folle.

Elle s'appuie contre un plan de travail constitué de mosaïques espagnoles aux couleurs vives, la tête penchée d'un air songeur.

– Cependant, j'ai bien peur de ne rien pouvoir faire pour te soigner, comme tu dis.

Je la dévisage les yeux exorbités, assommée par cet aveu.

– Mais qu'est-ce que je fiche ici, alors ? je m'écrie, limite hystérique. Pourquoi j'ai fait tout ce chemin si tu ne peux pas m'aider ? À quoi bon tout ce cirque ? Pourquoi m'avoir enlevée à Jennika ?

– Tu m'as mal comprise.

Elle s'éloigne de la cuisine et me fait signe de la rejoindre dans le séjour où elle remue les bûches entassées à la verticale dans la cheminée, qui se mettent à crépiter et jeter des étincelles, puis se dirige vers le canapé et se pose au milieu des coussins.

– J'ai dit que je ne pouvais pas te *soigner*, pas que je ne pouvais pas t'*aider*. Il n'y a rien à soigner, Daire.

Je lui lance un regard furieux. Trépigne. Resserre d'un geste brusque mon peignoir, si bien qu'il fait presque deux fois le tour de mon corps. Puis vais me jucher sur le bras d'un fauteuil sans avoir la moindre idée de là où elle veut en venir. Tout ça m'a l'air louche, un peu comme si elle parlait un double langage.

Je suis à *ça* de téléphoner à Jennika pour lui demander de rappliquer en avion et de venir me chercher, quand Paloma reprend :

– C'est arrivé à ton père aussi. Ça se déclenche toujours vers l'âge de seize ans.

Je pousse un énorme soupir. Dépitée.

– Donc, je suis bien cinglée. Génial. Et d'après toi, je tiens ça de mon père ?

Je serre les dents en entortillant si fort ma ceinture que j'entends le tissu se déchirer.

C'est super.

Vraiment.

Tout ce chemin, pour au final recevoir le même diagnostic qu'au Maroc et à L.A.

– Non.

Le ton de Paloma est aussi sévère que son expression.

– Tu n'es *pas* folle. Tu en as peut-être l'impression, et même l'air, mais c'est tout sauf de la folie. Ce que tu vis en ce moment est une première manifestation de ton patrimoine biologique, un héritage familial qui se transmet d'une génération à l'autre, toujours au premier-né.

Hein ?

Je secoue la tête et la scrute à nouveau. Ses lèvres continuent de remuer, tandis qu'elle livre ses explications, mais c'est trop d'informations d'un coup, trop bizarre à comprendre. Le son de sa voix et ses propos absurdes m'embrouillent tellement que c'est à peine si j'arrive à formuler ma question :

– Mais… mais alors, pourquoi continuer à avoir des enfants, si vous êtes tous au courant ? Sérieusement… vous n'imaginez pas ce que j'endure. Pourquoi Django aurait-il pris ce risque ? Pourquoi ne pas s'être protégé ou avoir prévenu Jennika, au moins ?

– Parce que Django était aussi jeune, idéaliste et têtu que n'importe quel adolescent de seize ans. Il refusait de me croire et de tenir compte de mes mises en garde. Il pensait qu'en s'enfuyant il pourrait échapper à ses visions, à ce que je lui disais. Mais tu l'as déjà constaté, on ne peut pas y échapper. Si tu tentes de fuir, ces visions te poursuivront jusqu'à l'autre bout de la planète pour te retrouver. On m'a dit que tes symptômes étaient violemment apparus au Maroc, mais je pense que déjà bien avant tu as été confrontée à des premiers signes, n'est-ce pas ?

J'ai un gros nœud à l'estomac. Un énorme poids qui m'écrase la poitrine. Je lutte pour respirer normalement, tout en cherchant frénétiquement du regard une sortie de secours.

– Je n'arrivais pas à communiquer avec Django. Je n'ai pas su raisonner mon seul et unique fils, le convaincre d'accepter son devoir. Ses responsabilités. Son destin. Mais avec toi, Daire, je n'échouerai pas. Je sais exactement ce que tu endures. Bien sûr, les visions sont différentes selon chacun d'entre nous, mais le message qu'elles renferment n'en est pas moins réel. Il faut que tu répondes à cet appel avant qu'il ne soit trop tard.

Elle pince l'ourlet de sa robe de ses ongles courts et sans vernis.

– Je suis désolée de ta souffrance et de ta confusion actuelle, mais je peux te promettre qu'il n'en sera pas toujours ainsi. Moyennant de bons conseils, une bonne alimentation et une initiation appropriée, tu surmonteras tout ça et tu comprendras la nature de ton destin, de ton héritage – le rôle que tu es destinée à jouer depuis ta naissance.

Je cligne des yeux. La dévisage. Cligne encore. Puis m'entends bafouiller « quoi ? » tandis que je la fixe d'un œil torve.

– Ce que tu racontes est complètement dément, tu le sais, ça ?

– Tout à fait, acquiesce-t-elle. Je me souviens avoir eu à peu près la même réaction, je t'assure. Mais il faut que tu dépasses tes préjugés, que tu réfléchisses au-delà des principes qui ont conditionné toutes tes croyances. L'enjeu est trop important. Cette ville renferme des secrets dont tu n'as pas idée. Elle est peuplée de coyotes, or ces êtres sont des roublards dont tu dois apprendre à déjouer les mauvais tours.

Elle me fixe droit dans les yeux pour me faire comprendre qu'elle ne plaisante pas et ne compte pas y aller par quatre chemins.

– Si tu n'apprends rien et refuses d'accepter la mission à laquelle tu es destinée, j'ai peur de ne pas pouvoir te sauver – ni moi ni personne. Si tu continues à fuir ta vocation, tu subiras le même sort que ton père, et ce n'est qu'une question de temps. Mais ça, ma petite *nieta*, c'est hors de question. Je ne veux pas te perdre et je ne les laisserai pas gagner. Tant que tu ne seras pas en paix avec ton destin, que tu n'auras pas pleinement compris ce que l'avenir te réserve et ce qu'on attend de toi, ton seul refuge sera ici même, dans cette maison. Ma propriété est protégée : tant que tu es ici, tu n'as rien à craindre. Mais il faudra des semaines avant que tu ne sois suffisamment formée pour partir.

Je me braque brusquement en la dévisageant, incrédule. *N'importe quoi !* Pas question qu'elle me garde en captivité. Ni que j'écoute une seconde de plus ses salades.

Sans lui laisser le temps de réagir, je quitte la pièce et enfile le couloir à toutes jambes, poursuivie par le son de sa voix, que je finis par stopper net d'un claquement de porte.

DIX

Je m'habille en quatrième vitesse. Troquant le peignoir blanc tout froissé contre un débardeur noir fraîchement lavé, j'enfile le jean bleu brut et les ballerines noires dans lesquelles je suis arrivée. Puis, après avoir attrapé ma veste militaire kaki et rassemblé à la va-vite mes cheveux en queue-de-cheval, je ferme la glissière de mon sac, le balance sur mon épaule et téléphone à Jennika.

Pour la deuxième fois.

Mais, exactement comme lors de mon premier appel, je tombe directement sur sa boîte vocale.

Prendre l'avion, c'est hors de question. Je suis interdite de vol sur toutes les compagnies.

La voiture, c'est exclu aussi. J'ai beau avoir seize ans, je n'ai ni permis d'apprenti conducteur ni permis tout court. Jusqu'à ce jour, je n'en avais jamais vraiment vu l'utilité.

Tout ce que je sais, c'est que je ne peux plus rester ici. Ce n'est même pas envisageable. Je prendrai le bus ou bien je marcherai s'il le faut. Je suis prête à tout pour me tirer de cet endroit de malheur.

Du coin de l'œil, j'avise le portrait de mon père ; le regard troublé et agité de Django semble me conseiller de me faire la malle avant qu'il ne soit trop tard.

Pas étonnant qu'il se soit enfui, Paloma est une tordue.

Elle frappe à la porte, chuchote à travers le bois, tente de m'amadouer avec ses « nieta », puis tourne la poignée et essaye d'entrer. Ses efforts sont repoussés par la vieille chaise en bois que j'ai calée et qui l'empêchera d'entrer jusqu'à ce que je sois loin d'ici.

L'oreille plaquée contre le chambranle, j'écoute le bruit rassurant de ses pas qui s'éloignent, une reddition temporaire dont je suis bien décidée à profiter en fonçant ouvrir la fenêtre pour me hisser sur le rebord et laisser tomber mon sac dans la cour dallée en contrebas, où il atterrit lourdement. Les yeux rivés sur le grand portail bleu et le mur d'adobe qui entoure la propriété, je remarque pour la première fois l'étrange clôture en bois constituée de branches de genévrier juste devant, elle-même bordée d'une large plate-bande blanche à l'aspect granuleux.

Une couche de sel derrière une clôture en bois derrière un épais mur d'adobe, *est-ce que c'est à ça que Paloma faisait allusion quand elle affirmait que sa maison était protégée ?*

Dubitative, je passe une jambe à califourchon sur le rebord, me plie en deux et me contorsionne jusqu'à ce que j'aie libéré l'autre, puis me laisse glisser dehors. Le chatouillement des plumes du capteur de rêves qui m'effleurent le haut du crâne ne fait que me rappeler pourquoi je dois m'enfuir : cet endroit est une maison de fous ! Si je reste une minute de plus ici, je pourrai dire adieu au monde normal.

Je m'accroupis près de mon sac, empoigne la sangle et traverse la cour comme une flèche. Le bruit des graviers qui crissent bruyamment sous mes semelles fait écho dans ma tête ; le portail proteste, dans un grincement qui me fait pester à voix basse jusqu'à ce que, enfin, je sois libre, débarrassée d'elle. Je remonte le sentier à toute vitesse en suivant le chemin par lequel je suis arrivée. Mes pas sont si lourds que des petits nuages de poussière s'élèvent dans mon sillage.

Je cours un bon moment. Bien plus longtemps que je n'en ai l'habitude. La sangle de mon sac me cisaille l'épaule, j'ai les joues en feu, les yeux qui brûlent, mais je continue quand même. Je continue sans m'arrêter jusqu'à ce que mon point de côté se transforme en une crampe cuisante et lancinante, si bien que j'en perds l'équilibre et m'écroule par terre comme une masse. Recroquevillée, le menton rentré entre mes genoux, mon sac éparpillé sur le sentier, je lutte pour me ressaisir et reprendre mon souffle. À force de supplications, je persuade la douleur de se calmer pour que je puisse repartir.

Quittant peu à peu la route principale, je me traîne jusqu'au bas-côté et descends dans l'étroite ravine qui la borde. Je fais bien attention à ménager mes forces et à ne pas avancer trop vite en restant bien accroupie, hors de vue, histoire que Paloma ait du mal à me repérer si jamais elle décide de partir à ma recherche.

Une rangée d'arbrisseaux desséchés en passe de devenir des amarantes s'accrochent dans mon jean, tandis que je me faufile devant un alignement de maisons d'adobe impersonnelles. Toutes aussi délabrées les unes que les autres avec leurs cheminées qui tombent en ruine et leurs fenêtres rafistolées, chacune possède son lot de tacots complètement rouillés, de poulets errant en toute liberté, de bétail en train de paître et de cordes à linge surchargées et distendues en guise d'aménagement paysager.

De toutes les villes que j'ai visitées, c'est sans conteste celle qui porte le plus mal son nom. Elle ne dégage absolument rien d'un tant soit peu *enchanteur*. C'est l'un des pires cas de publicité mensongère que j'aie jamais connus.

J'ai beaucoup voyagé. Question séjours prolongés dans des trous paumés sans perspective d'avenir, j'ai déjà donné. Du moins, c'est ce que je croyais avant d'arriver ici.

C'est vrai, quoi, où est-ce que les gens font leurs courses pour s'habiller et se nourrir ?

Où se retrouvent les jeunes pour sortir – ceux qui n'ont pas encore sauté dans le premier bus pour se tailler de ce bled ?

Et surtout, où est-ce que j'attrape ce bus, et dans combien de temps part-il ?

Je sors mon téléphone pour essayer de rappeler Jennika, mais une fois de plus je tombe directement sur sa boîte vocale. Après avoir laissé un énième message furax, doublé d'un texto encore pire, j'envisage un instant d'appeler Harlan, mais me ravise aussitôt. Je ne sais pas du tout où en est sa relation avec Jennika, ni même s'il est rentré de Thaïlande.

De plus, vu l'heure à ma montre, la nuit ne va pas tarder à tomber ; d'ici là, j'ai intérêt à avoir repéré le centre-ville, sinon je suis bonne pour passer une longue nuit sinistre.

Je suis la ravine jusqu'à me retrouver de nouveau sur une succession de chemins de terre. Ils se suivent et se ressemblent, si bien qu'au bout d'un moment le paysage n'est plus qu'un gros amas confus de rues désertes et déprimantes qui semblent ne mener nulle part en particulier.

Je viens juste de décider d'aller carrément frapper à la prochaine maison que je vois pour demander de l'aide quand par miracle, au détour d'un chemin, je tombe sur un semblant de ville, ou du moins ce qui s'apparente le plus à ce que je m'attends à trouver dans le coin.

L'artère principale est large et s'étend sur la longueur de trois panneaux de stop avant de déboucher à nouveau sur… rien. Ayant déjà perdu assez de temps, je me dirige vers la première devanture que j'aperçois, dont l'enseigne indique CHEZ GIFFORD, BOUTIQUE DE SOUVENIRS – NOTAIRE & BOÎTE POSTALE, flanquée d'une pancarte plus petite proposant du café glacé.

D'un geste énergique, je pousse la porte et pénètre à l'intérieur ; la clochette juste au-dessus tinte si bruyamment que tous les clients interrompent leur conversation, le temps de tourner la tête et de me dévisager d'un air interloqué en découvrant mes cheveux emmêlés, mes joues toutes rouges et mon jean crasseux.

Super. Pile à l'heure d'affluence.

Dans un soupir, je remonte mon sac sur l'épaule, remets un peu d'ordre dans ma tenue et prends place dans la file d'attente. Les voix recommencent à s'élever autour de moi, tandis que je dégote une carte postale sur un présentoir à proximité : une prise de vue de cette misérable artère, légendée du mot « Enchantment ! » en grosses lettres roses. À mon sens, c'est l'illustration parfaite, la preuve en image que cet endroit est vraiment sinistre.

À l'aide du stylo enchaîné au portant, je note rapidement l'adresse de Jennika, avant d'écrire un petit mot.

Chère Jennika...
Merci de m'avoir envoyée dans ce trou paumé, puis d'avoir refusé tous mes appels.
Je n'ai pas du tout le sentiment d'avoir été abandonnée.
Vraiment pas.
L'attention que tu me portes me touche énormément.
Plein de bisous.
Ta fille qui t'aime,

Daire

J'ai conscience que d'ici à ce que la carte lui parvienne, je serai déjà loin, mais ce petit étalage de sarcasmes me met du baume au cœur.

La file avance plus vite que prévu et je ne tarde pas à me rapprocher peu à peu du comptoir. Aussi tentant soit-il, je m'efforce un instant de résister au portant de magazines qui me fait de l'œil, mais en vain, c'est plus fort que moi. Celui où Vane et moi figurons en couverture ne cesse d'attirer mon regard. J'ai bien conscience du nœud qui me tord le ventre rien que de le voir, sauf que cette fois, plus que de l'impuissance, c'est de la colère que je ressens, et j'estime que c'est un progrès.

J'abaisse mes lunettes de soleil et rentre le menton, dans l'espoir que personne ne fera le lien entre moi et l'enragée sur la couverture de papier glacé du tabloïd. Bien qu'*a priori* ce ne soit pas nécessaire, puisque visiblement, après m'avoir ouvertement dévisagée, les clients m'ignorent maintenant royalement, ce dont je leur suis extrêmement reconnaissante.

– J'peux vous aider ? lance le guichetier alors que je m'approche en vitesse et m'appuie contre le comptoir en Formica gris.

Avec son jean bien ajusté, sa chemise western et sa grosse boucle de ceinture en argent, on dirait un ancien ouvrier agricole à la retraite. Néanmoins, son accent saccadé de la côte est laisse entendre qu'il a vécu une tout autre vie avant de se retrouver ici.

Je cale mon sac sur une hanche et lui glisse la carte.

– Juste la carte postale, un timbre et quelques indications aussi, j'espère, je réponds en fouillant pour trouver mon portefeuille.

Fredonnant tout bas, il appose un timbre au verso. Sans la moindre gêne, il marque une pause pour lire ce que j'ai écrit, puis relève le nez vers moi.

– Alors comme ça, on veut se faire la belle ?

Je lève un sourcil intrigué, surprise qu'il choisisse de le formuler comme ça.

Mais il se contente de hausser les épaules et de m'indiquer la sortie du pouce.

– L'arrêt de bus se trouve au bout du pâté de maisons. Les cars pour Albuquerque partent toutes les deux heures.

Il consulte sa montre.

– Malheureusement vous venez d'en louper un. Autrement dit, vous êtes coincée avec nous autres pour encore quelques heures !

Son rire plonge ses yeux sous une profusion de rides, et même si je suis sûre qu'il ne pense pas à mal, je ne suis pas d'humeur à l'imiter.

Je m'en tiens à régler ce que je dois et ressors en trombe. Les yeux plissés face au soleil pâlissant, je cherche du regard un bon endroit où me planquer, pour que Paloma ne me retrouve pas avant que j'aie pu m'enfuir.

ONZE

En descendant la rue, je passe devant la vitrine d'une boulangerie remplie de gâteaux d'anniversaire aux glaçages élaborés, une librairie d'occasion proposant une sélection aléatoire de livres de poche écornés et une petite boutique d'habillement aux pauvres cintres affaissés présentant le genre de vêtements tape-à-l'œil que je n'aurais jamais eu l'idée de regarder. Tandis que je m'arrête devant le magasin de vins et spiritueux, à l'angle, en attendant que la voie soit dégagée et que je puisse voir ce qui se trouve en face, je sens le poids désagréable d'un regard posé sur moi et découvre en me retournant un garçon d'environ mon âge, adossé à un mur de brique.

– T'as du feu ? demande-t-il d'une voix basse et grave en agitant une cigarette sous son nez.

Je fais non de la tête. Tripotant distraitement l'extrémité de ma queue-de-cheval, je le toise de la tête aux pieds, avisant tour à tour des bottes en cuir marron, un jean délavé, un pull en V gris clair, des cheveux bruns humides peignés en arrière, un menton carré, des sourcils marqués, des lunettes de soleil foncées qui masquent ses yeux et des lèvres esquissant un grand sourire charmeur.

– Sûre ? insiste-t-il en penchant la tête.

Il sourit de plus belle, révélant une dentition parfaite d'un blanc éclatant, qui contraste vivement avec sa peau hâlée.

Il a l'attitude d'un séducteur, d'un type qui sait qu'il plaît. Et qui a l'habitude d'arriver à ses fins.

Je fais encore non de la tête, tente tant bien que mal de détourner le regard, mais en vain. Mon instinct me conseille de déguerpir, mais ma curiosité insiste pour que je reste.

– C'est vraiment dommage, soupire-t-il, un rictus au coin des lèvres.

Son sourire s'agrandit encore lorsqu'il brandit la cigarette devant lui et qu'elle se transforme en un serpent noir luisant qui remonte le long de son bras en ondulant et se glisse à l'intérieur de sa bouche, à la place de sa langue.

Je me fige. Certaine que le temps va s'arrêter et les corbeaux, apparaître. Je suis persuadée que c'est une nouvelle hallucination, mais en fait non, il part d'un rire tonitruant qui subsiste un moment en fond sonore.

– Je vais me débrouiller tout seul, alors !

Il plonge la main dans sa poche, en ressort un briquet en argent et turquoise et le porte à ses lèvres pour allumer la cigarette qui l'y attend en lieu et place du serpent ; du pouce, il actionne la molette, et la petite flamme souligne l'éclat rouge de son visage.

Il tire une longue bouffée tandis que je le dévisage derrière ses lunettes noires qu'il n'est plus l'heure de porter. Avant qu'il ait le temps d'expirer et de me souffler un chapelet de ronds de fumée à la figure, je m'en vais. Je traverse la rue, le souffle court, le cœur battant, compose le numéro de Jennika aussitôt engagée sur la chaussée, et lui laisse une avalanche de messages si odieux que, par comparaison, ma carte postale passe pour une lettre d'amour.

Ma réaction est ridicule. Il faut vraiment que je me ressaisisse. Ce que j'ai vu n'était pas réel. N'empêche, ça m'a bien secouée et j'ai un mal fou à m'en remettre.

L'arrêt de bus n'est plus qu'à quelques mètres d'asphalte, mais en fin de compte, je change d'avis. Avec son unique banc en bois fendu et son miteux abri en plastique qui semble prêt à s'écrouler à la prochaine averse, l'endroit est trop à découvert, trop exposé. Sans compter que c'est sans doute là que Paloma me chercherait en premier lieu. Elle est peut-être folle, mais elle n'est pas bête, ça j'en suis sûre.

Pressée de trouver un endroit où me planquer, et peut-être même avaler un truc en vitesse, je m'apprête à repartir et à ranger mon portable dans mon sac, quand je remarque que le voyant lumineux de la batterie clignote au moment même où une enseigne lumineuse criarde s'allume pile face à moi :

LE TERRIER DU LAPIN.

Juste à côté de ces mots rouge vif rutile une flèche en dents de scie qui pointe en direction d'une volée de marches raides.

Un bar en sous-sol.

La planque parfaite en attendant l'arrivée de mon bus.

Le dernier endroit où Paloma ou Chay auraient l'idée de vérifier.

Prenant ça comme un bon présage – le premier depuis des semaines –, je dévale l'escalier et franchis la porte d'entrée en hâte, pénétrant dans un lieu si lugubre et mal éclairé que mes yeux mettent quelques secondes à s'ajuster.

– Carte d'identité.

Un videur baraqué avec un cou de taureau me toise de la tête aux pieds.

– Oh mais… je viens pas pour boire de l'alcool ; je veux juste un soda, et peut-être un petit truc à manger.

Je lui adresse un petit sourire forcé, mais c'est peine perdue avec lui. Il se prend pour un gros dur, un vrai mec, un gars insensible aux petites amabilités.

– Carte d'identité, répète-t-il avant d'ajouter : pas de carte, pas d'entrée.

Acquiesçant, je fais glisser mon sac jusqu'à mon coude et fouille dans le fatras de fringues dont je finis par extirper mon passeport que je lui tends aussitôt. Remuant mes joues gonflées d'air, je patiente en silence tandis qu'il l'examine, grommelle une phrase entre ses dents que je n'arrive pas trop à comprendre, puis me fait signe de lui tendre la main droite au dos de laquelle il appose un coup de tampon avant de me laisser passer avec un regard pressant.

Une fois à l'intérieur, j'inspecte les lieux avec attention. D'un coup d'œil furtif, j'avise les banquettes en vinyle rouge, les tables en bois noir, la moquette d'une couleur douteuse et le long bar en acajou assailli de clients, qui ont pour la plupart le regard vitreux et usé de ceux qui sont restés trop longtemps à se balancer sur leur tabouret de bar.

Alors que je cherche des yeux une table disponible, de préférence dans un petit coin sombre et tranquille où seule la serveuse pourra me trouver, très vite je repère un couple d'un certain âge en train de libérer pile le genre de petit box qu'il me faut, et m'empresse de me l'approprier avant même que leurs assiettes ne soient débarrassées.

Du bout des doigts, j'extirpe un des menus du support en prenant bien soin d'éviter ses bords poisseux et examine le choix de snacks salés en promotion – tous destinés à vous assoiffer et à vous faire boire davantage.

– Qu'esse j'vous sers ?

Je relève le nez dans un sursaut. Je n'avais pas entendu la serveuse arriver.

– Qu'est-ce-que-je-vous-sers ? répète-t-elle avec un sourire suffisant, en veillant cette fois à bien articuler chaque mot.

Sa façon de tapoter son stylo sur sa hanche me fait dire qu'elle est tellement habituée à récolter des pourboires minables qu'elle ne voit plus l'intérêt de se donner du mal.

– Ah, euh… je bafouille, consciente que si je lui demande un petit délai elle ne repassera jamais. Je crois que je vais prendre les ailes de poulet frites, et euh, un Sprite aussi. Merci, j'ajoute en commettant le péché capital de glisser le menu vers elle.

Elle râle et le renfonce énergiquement dans son support d'origine.

– Autre chose ?

Malgré son ton éreinté et revêche et sa bouche pincée d'un air à la fois dur et triste, je devine qu'elle n'a que quelques années de plus que moi.

À mon avis, il se pourrait aussi qu'elle ait un jour été la reine de beauté de la ville. En témoignent certains signes encore visibles, tels ses longs faux ongles récemment posés à ce que j'en vois, ses racines noires soigneusement entretenues et décolorées en blond clair, et son soutien-gorge à balconnet en dentelle noire qui hisse ses seins si hauts et ronds qu'ils menacent de déborder de son débardeur blanc moulant, et font osciller son badge au nom de « Marliz » comme un yoyo. Malgré cela, allez savoir pourquoi, ça n'a pas suffi à lui payer une autre vie.

– J'ai besoin de recharger mon téléphone, je fais. Vous auriez une prise que je pourrais utiliser ?

Du pouce, elle m'indique le comptoir derrière son dos ; la modeste bosse de son biceps fait un bond qui me permet de remarquer le zigzag d'un minutieux tatouage de serpent remontant de son poignet à son épaule et au-delà, à un endroit invisible.

– Demandez au barman, glapit-elle en se tournant pour taper dans le dos d'un commis de salle surchargé de travail et lui ordonner de débarrasser fissa ma table.

Après quoi elle repart en cuisine, poussant d'un coup de hanche une double porte battante qui semble l'engloutir tout entière.

Je vais au bar en tâchant de garder un œil sur mes affaires tandis que je tente d'intercepter le barman, ce qui est plus facile à dire qu'à faire. Je n'ai pas le temps d'ouvrir la bouche qu'il a déjà repéré ma main en l'air, celle avec le tampon, et m'indique sèchement de retourner à ma place.

– Hé ! S'il vous plaît... j'insiste alors qu'il me tourne le dos. Je ne cherche pas à commander un verre, je voudrais juste recharger mon téléphone. Vous pourriez me dépanner ? Vous devez bien avoir une prise de libre quelque part, non ?

Il s'interrompt, ses yeux noirs aux paupières lourdes rivés sur le bar tout en longueur, et se retourne en me scrutant attentivement, si bien que tous les autres clients baissent leur verre pour m'observer à leur tour. J'en viens à me demander si je ne ferais pas mieux de récupérer mon sac et de filer. Aller à ce fichu arrêt de bus et prendre le risque de me faire repérer par Paloma, Chay ou qui que ce soit d'autre à ses ordres.

Je n'aime pas beaucoup qu'on me dévisage, surtout de cette façon. Ça me fait trop penser aux êtres lumineux quand ils m'épient. Et aux corbeaux aussi. Ça me rappelle cette soirée atroce à Marrakech quand la place Djema'a el-Fna s'est transformée en une marée d'yeux luisants et de têtes coupées ensanglantées plantées sur des piques.

J'inspire un bon coup pour chasser cette image de mon esprit. Puis, d'un coup d'œil derrière moi, je vérifie que mes affaires sont toujours là.

– Tu as un chargeur ? me lance le barman au même instant.

J'acquiesce, incapable de détacher mon regard du sien, maintenant que je l'ai croisé.

– Bah donne.

Il me tend la main, me regardant comme si j'étais la fille la plus bête qu'il ait jamais vue.

J'hésite à le lui passer, mais en même temps je n'ai pas vraiment le choix. Je sens mon estomac faire un bond en le voyant refermer ses doigts tatoués sur mon téléphone et s'en aller sans un mot. Il disparaît au fond d'un long couloir pendant que je retourne m'asseoir à ma table, où je descends mon Sprite à grands bruits et picore mes ailes de poulet, gardant constamment un œil sur ma montre, implorant tout bas les aiguilles d'avancer plus vite, pressée comme jamais de quitter cet endroit.

Un groupe d'individus passe devant le videur en le bousculant, quatre types qui jouent les gros durs en jeans amples, tee-shirts au logo d'une marque de bière et casquettes militaires, tandis que leurs copines aux cheveux crêpés font les belles en stilettos vertigineux, décolletés plongeants et jeans taille basse dont le savant négligé laisse apparaître leurs tatouages vulgaires au bas des reins et leurs piercings au nombril. Me surprenant à les observer, ils plissent les yeux, puis m'oublient aussitôt quand la musique change et passe d'un vieux morceau des Red Hot Chili Peppers à un classique de Santana qui donne aussitôt envie aux filles de se trémousser.

Pendant qu'elles se prennent par la taille, s'enlacent et se déhanchent langoureusement en faisant tout pour que leurs mecs les regardent, moi je me cramponne tant bien que mal à la table, les doigts écrasés contre un vieux morceau de chewing-gum fossilisé que quelqu'un a jugé bon de coller là, alors que le rythme incessant des percussions me donne le tournis. Le tempo est si entêtant que très vite le refrain devient un déluge de paroles absurdes qui s'évanouissent dans le néant.

Ça commence.

Je me sens entraînée vers le fond. Engloutie par le bruit.

L'atmosphère devient d'abord voilée, puis chatoyante, et bientôt tout se fige et le temps interrompt sa course avec fracas.

La serveuse est à présent immobile, un plateau d'assiettes en équilibre dans la main, tandis que le commis verse un arc d'eau solide en suspens dans les airs. Une moue sur les lèvres, les yeux mi-clos, les danseuses sont arrêtées en plein déhanché, tandis que leurs copains aux bras tatoués tentent d'attraper les bières qu'on vient de leur servir.

J'ai beau cligner des yeux plusieurs fois, le spectacle reste obstinément le même et refuse de reprendre son cours. Le battement de tambour est si lancinant et cadencé que quelque chose en moi, un sentiment ancestral et enfoui, commence à vibrer, à s'éveiller et à remonter à la surface.

Je serre fort mes paupières, luttant pour garder le contrôle. Consciente que les corbeaux voltigent tout autour de moi, se posent sur mes épaules et la table en m'infligeant de violents coups de bec sur les doigts, tandis que les êtres lumineux s'agglutinent et insistent pour que je les écoute et tienne compte de leurs mises en garde.

Tendant le bras vers mon sac, je cherche à tâtons le restant d'herbes que Paloma m'a donné. Ça va me donner envie de dormir, c'est inévitable, mais tant pis, je préfère encore être abrutie de sommeil. *Tout* mais pas ça.

Je verse la poudre dans mon soda, mélange vite fait avec ma paille, puis descends le verre si rapidement qu'un filet déborde au coin de mes lèvres, coule dans mon cou et atterrit en petites gouttes poisseuses sur ma poitrine. Puis je me laisse aller en arrière contre le dossier, serre fort les bras contre moi et attends que la vision disparaisse, que le temps reprenne sa course et défile à nouveau.

– Terminé ?

J'ai encore les yeux fermés quand la serveuse passe à ma table.

Relevant la tête, je croise deux yeux tartinés d'une croûte d'eye-liner si épaisse que je ne sais trop si Jennika serait choquée ou admirative. J'acquiesce en l'entendant répéter la question, trop secouée pour dire quoi que ce soit, appliquant plutôt toute mon énergie à prier pour que les herbes fassent effet assez longtemps pour que j'aille jusqu'à Albuquerque. Sans quoi, qui sait où je vais me retrouver ?

– Alors vous feriez bien d'y aller si vous ne voulez pas louper votre bus.

Les yeux mi-clos, je sonde une nouvelle fois son visage. Ses sourcils trop épilés lui donnent un air surpris – plus que ce dont elle est probablement capable.

– Comment savez-vous que je veux prendre le bus ? je m'étonne, quasi certaine de ne pas en avoir parlé.

La fille s'en tient à poser l'addition sous mon nez avec un petit sourire narquois.

– Sois maligne, et tire-toi d'ici tant que tu peux, si tu ne veux pas prendre perpette comme moi, m'avise-t-elle d'une voix qui s'estompe à mesure qu'elle s'éloigne.

– J'ai donné mon portable au barman, je lance derrière son dos : vous savez où il l'a mis ?

D'un petit signe de tête elle m'indique le long couloir, puis disparaît en cuisine. Alors je jette quelques billets sur la table, attrape mon sac et pars dans cette direction.

Cet endroit est immense, bien plus qu'il n'y paraît à première vue. Un sous-sol gigantesque traversé d'une multitude de galeries qui partent dans tous les sens et me rappellent le vieux bunker d'un décor de film sur lequel travaillait Jennika quand j'étais gamine.

Comme je ne sais pas du tout où je vais, je me contente de m'orienter au bruit. Je me dis qu'au pire, je finirai par croiser quelqu'un qui saura peut-être m'aiguiller ; c'est pourquoi je suis d'autant plus surprise en pénétrant dans une vaste salle bondée, abritant une scène et un groupe de musiciens aux pieds desquels danse une horde d'ados.

Des ados.

Des gens de mon âge.

Qui l'eût cru ?

Ils sont même fringués comme des ados, bien que je me demande où ils les trouvent, leurs fringues. La seule boutique

que j'aie vue ne vendait rien d'un tant soit peu branché ou sympa.

Cette ville a peut-être plus à offrir que je ne le pensais ? Possible, mais je ne compte pas rester dans les parages pour le découvrir.

Je vais au bar, espérant que cette barmaid sera plus aimable que sa collègue, et après avoir crié pour me faire entendre dans le raffut, repars dans la direction qu'elle m'a indiquée, suscitant bien malgré moi toutes sortes de réflexions, alors que je me fraye un chemin à travers la piste de danse.

Deux brunes ricanent en me regardant de travers comme je passe devant elle, marmonnant quelque chose qui m'échappe. Mais vu qu'il ne reste que vingt minutes d'ici mon affranchissement définitif de cet endroit de malheur, je décide de ne pas relever – je ne peux pas me permettre un retard. Ni la moindre erreur.

Je frappe bruyamment à la porte. Une fois. Deux fois. Prête à tout pour faire avancer les choses, je lève de nouveau le bras, m'apprêtant à taper encore plus fort, quand la porte s'ouvre d'un coup et un homme mûr retient prestement mon poignet dans son poing.

– Oui ?

Ses yeux pétillent comme il me fait un sourire tout en dents, et à première vue, tout du moins, il m'apparaît comme la personne la plus sympathique que j'aie croisée jusqu'ici, bien que quelque chose chez lui me fasse reculer et dégager ma main de sa poigne d'un mouvement brusque.

Il me dévisage, plisse les yeux, attend que je dise quelque chose et comme je sais que je dois en finir au plus vite, je me force à articuler une réponse :

– Je viens pour mon téléphone.

Il me jauge d'un rapide coup d'œil, et bien que ce ne soit pas désagréable, je sens des frissons me parcourir les bras et me picoter la peau de manière assez dérangeante. Alors il ouvre grande la porte et me fait signe d'entrer. Un autre type de dos est en train de fixer un mur d'écrans de surveillance qui renseignent sur tout ce qui se passe à l'intérieur comme à l'extérieur du bar.

– Fiston, la fille a besoin de son téléphone, lui lance l'homme.

Parcourant le bureau du regard, je remarque plusieurs tables, téléphones, ordinateurs, imprimantes, chaises, tous les trucs habituels, rien d'inquiétant à cela, et pourtant quelque chose dans cette pièce me met complètement à cran.

Le garçon tend le bras vers le mur et tire d'un coup sec sur la prise, ses cheveux noirs luisant sous la lumière du néon de façon criarde. Il se retourne, mon téléphone et son chargeur dans la main, et là, je suis figée sur place. Muette. Incapable de quoi que ce soit, sinon de le fixer dans le blanc des yeux.

Des yeux glacials. Cruels. Aux iris bleu glacier mouchetés d'or sans le moindre reflet.

Les yeux que j'ai vus en rêve.

– C'est à toi ?

Son ton est léger, charmeur, excessivement sûr de lui, caractéristique d'un type habitué à séduire des filles muettes de stupeur.

D'un type qui m'a récemment demandé du feu devant le magasin de vins et spiritueux.

Ma main tremble, mon cœur bat la chamade, alors que j'esquisse un geste pour récupérer mon téléphone, mais je découvre alors que ses intentions sont tout autres.

Il s'empare de ma main, la serre dans la sienne alors que son étrange regard bleu s'accentue et me défie.

Malgré sa décontraction, sa douceur et son côté indéniablement attrayant, quelque chose me fait brusquement reculer à son contact ; mon téléphone me glisse des doigts et se fracasse par terre, et je dois me faire violence pour m'arracher à son regard, le temps de m'agenouiller pour le ramasser.

– J'espère que tu vas rester un petit peu pour écouter le groupe jouer ?

Sa voix plane au-dessus de moi.

– Ils ont fait tout le chemin depuis Albuquerque et ne sont là que pour la soirée. Ce s'rait dommage de rater ça.

La gorge nouée, je hisse mon sac sur l'épaule et m'efforce de retrouver mes esprits : mieux vaut que je garde mon calme pour l'instant et que je décampe à la première occasion.

– Malheureusement ce sera sans moi, je réponds en feignant tant bien que mal la désinvolture, mais ma voix toute tremblante et aiguë me trahit. J'ai un bus à prendre, alors… si tu veux bien…

J'agite les doigts pour lui indiquer de me laisser passer. Mais il ne bouge pas d'un pouce et me barre le passage, un grand sourire sur les lèvres.

La tête penchée de côté, une mèche devant les yeux, il m'observe en faisant claquer sa langue contre son palais.

– Allons, ce n'est pas très sympa ce que tu dis, siffle-t-il en souriant de plus belle alors qu'il repousse sa mèche d'un geste. Tu pourrais au moins rester un peu. Nous donner une chance de faire plus ample connaissance. J'ignorais que Paloma nous cachait une petite-fille aussi charmante. Et toi ? ajoute-t-il en se tournant vers son père.

Tous deux échangent un regard entendu que je ne saisis pas du tout.

Je m'apprête à répliquer, à lui demander comment il sait pour mon lien de parenté avec Paloma, mais il ne m'en laisse pas le temps.

– Crois-moi, Enchantment est encore plus petit qu'il n'en a l'air. Difficile de garder un secret dans un village où tout le monde se connaît.

Il plante ses yeux dans les miens, mais au lieu de cet étrange bleu opaque qui les caractérisait jusqu'ici, ils sont à présent rouge cramoisi. Alors un rictus lui tord les lèvres, lesquelles s'entrouvrent juste assez pour laisser le serpent surgir et se jeter sur moi.

Paniquée, je le repousse et fonce vers la porte. Je tends la main de toutes mes forces vers la poignée qui n'est plus qu'à quelques centimètres, quand subitement les murs commencent à se désagréger, le plafond, à s'affaisser, et l'espace devient si restreint qu'il engloutit la porte, empêchant ma fuite.

La pièce rapetisse, m'oppresse, me pousse à genoux, se vide de son oxygène, si bien que je n'arrive plus à respirer, à m'orienter, ni à faire quoi que ce soit hormis hurler.

Je hurle jusqu'à m'en faire exploser les tympans.

Jusqu'à ce que des étoiles dansent sur mes paupières fermées.

Et jusqu'à ce que je m'aperçoive qu'en réalité aucun cri n'est sorti de ma bouche.

Une main douce et ferme m'agrippe l'épaule alors que le garçon m'observe d'un air inquiet.

– Hé, tu te sens bien ?

Je lui coule un regard noir du coin de l'œil et le découvre tel qu'il est vraiment : non plus un démon, mais plutôt un bel arrogant paré d'une sollicitude trompeuse.

– Tu veux un verre d'eau ou t'allonger un peu ?

Ses yeux se plissent d'amusement pendant que la pièce se remet en ordre autour de moi et que tout revient à la normale.

Il me tend la main pour m'aider, mais je m'empresse de me relever toute seule et de m'écarter de lui. Son père nous observe, le visage placide, indéchiffrable, pendant que son fils me tourne autour en feignant de s'inquiéter.

– Ne t'approche pas, je murmure d'une voix faible, plaintive, les nerfs en pelote.

Même si c'est parfaitement ridicule et s'ils s'évertuent à faire mine de n'avoir rien remarqué, je sais ce que j'ai vu, je n'ai pas rêvé.

– Enfin arrête ! insiste-t-il en essayant encore d'approcher. Ce n'est pas une façon de…

– Ne me touche pas, je te dis !

J'attrape mon sac et me rue vers la porte.

Je l'entends qui crie derrière mon dos, tandis que je traverse à toutes jambes une foule gigantesque de gens de mon âge, des jeunes avec qui je me serais peut-être liée d'amitié si Paloma avait réussi à me retenir ici.

Je me cogne et trébuche de filles en garçons jusqu'à ce que l'un d'eux me rattrape par le bras et me stabilise.

– Ça va ?

Je le repousse et me débats pour qu'il me lâche, mais très vite je me sens délicieusement apaisée et rassurée, comme enveloppée d'une couverture chaude. Mes gestes ralentissent et mes pensées deviennent si confuses que je renonce finalement à fuir. Privée de tout souvenir, je me demande pourquoi je tenais tant à partir alors que je serais prête à tout pour me sentir toujours aussi protégée, aimée et sereine qu'à cet instant.

Pour rester à l'abri dans ses bras.

Je me blottis contre son torse et lève le visage vers lui. Le souffle coupé, je découvre des yeux bleu glacier mouchetés d'or qui scintillent comme un kaléidoscope et reflètent mon image à l'infini.

Le garçon de mon rêve.

Celui qui est mort dans mes bras.

Des frères.

C'est ce que l'autre a affirmé :

T'en fais pas, frangin, c'est son âme que je veux – son cœur est tout à toi !

Non, c'est impossible. Mon esprit me joue des tours. Je ne peux plus me fier aux apparences.

Je m'écarte, secouée par la brusque perte de chaleur et la terrible sensation de froid qui m'envahit dès l'instant où je romps notre étreinte.

– Désolé, je voulais juste... j'ai cru que tu avais besoin...

Il me fixe, le regard anxieux, la tête penchée de côté de sorte que ses longs cheveux bruns oscillent le long de ses bras.

Mais avant même qu'il ne termine sa phrase, je file. Je traverse la salle en courant, ressors du bar en coup de vent et grimpe les marches raides quatre à quatre en me persuadant que ces garçons n'existent pas, du moins pas comme je le crois.

Les hallucinations se mêlent aux rêves pour ne faire qu'un. Il faut juste que je parte d'ici... Il le faut, c'est tout...

Je suis à peu près à mi-chemin dans la ruelle, quand je m'accorde une pause sous un réverbère, le seul qui soit allumé, et m'affaisse contre le mur en tentant tant bien que mal de reprendre mon souffle. Pliée en deux, serrant fort mes genoux, je sens des nappes de sueur chaude ruisseler sous mes vêtements et me tremper de la tête aux pieds.

D'un geste sec je repousse ma queue-de-cheval pour décoller les cheveux agglutinés à ma nuque, et ce n'est qu'en reposant la main sur mon genou que je remarque le dessin du tampon auquel je n'avais pas prêté attention jusqu'ici : un coyote à l'encre rouge, aux yeux luisants de colère.

Cette ville renferme des secrets dont tu n'as pas idée. Elle est peuplée de coyotes, or ces êtres sont des roublards dont tu dois apprendre à déjouer les mauvais tours.

Le souvenir des paroles de Paloma me pousse à me redresser et à repartir à l'aveuglette vers la rue, tandis qu'une foule d'êtres lumineux déferlent vers moi, de plus en plus nombreux, et finissent par m'encercler.

Domptant l'effet des plantes, ils sautent par les fenêtres, surgissent de l'ombre alors que les corbeaux fondent sur mes chevilles et me criblent les pieds de coups de bec, croassant de fureur lorsque je trébuche sur eux, les piétine et les réduis à des touffes de plumes ensanglantées qui me collent aux semelles.

L'arrêt de bus n'est plus qu'à quelques mètres : plus qu'une rue à traverser, et je serai libre.

Délivrée du Terrier du Lapin, de cette ruelle, de cette ville abominable, des êtres lumineux, des corbeaux et des garçons aux mystérieux yeux bleus.

Je vais y arriver.

Je peux le faire.

Il le faut.

Je n'ai pas le choix.

Tant pis si mon champ de vision se restreint et transforme tout ce que je vois en taches lumineuses qui vacillent devant moi.

Tant pis si mes jambes flageolent et que mes genoux ne veulent plus me porter.

Je déboule dans la rue, les bras tendus, luttant pour m'orienter sous cette lumière éblouissante, une prière silencieuse remuant mes lèvres :

Au secours… pitié… plus que quelques pas et j'y suis…

Des crissements de pneus et des éclats de voix résonnent en vrac dans ma tête. Aveuglée, chancelante, je lance des coups d'œil nerveux aux ombres qui vacillent autour de moi. Des ronds de lumière vive défilent, quand soudain du métal brûlant me percute et m'éjecte violemment dans les airs comme un pantin désarticulé, les bras déployés à la manière d'un corbeau. Happée par la loi de la pesanteur, je dégringole ensuite à toute vitesse vers le bitume rugissant et atterris sur un parterre de cailloux tranchants comme des rasoirs qui entaillent mes vêtements et se plantent dans ma chair, le nez écrasé dans la puanteur du caoutchouc cramé et de la peau carbonisée.

La dernière chose que je vois est le reflet du visage souriant de mon père sur la vieille photo en noir et blanc.

Il me juge de ses petits yeux noirs plissés, je l'ai déçu.

Je n'ai pas tenu compte de ses mises en garde.

J'étais trop focalisée sur l'état épouvantable de sa tête sur cette place marocaine pour écouter ce qu'il tentait de me dire.

Voilà pourquoi je suis maintenant dans la même situation que lui.

La même, mais en pire.

Je n'ai pas eu le temps de m'enfuir, moi.

Je n'ai pas réussi à m'échapper.

Voilà pourquoi je vais mourir dans cette ville.

Le chemin des esprits

DOUZE

Paloma se penche sur la tombe ; murmurant en espagnol, sa langue maternelle, elle déblaie la couche de saletés du bout des doigts, puis dépose les fleurs telles quelles. Un petit bouquet composé directement dans son jardin, de belles fleurs violettes et or qui continuent de fleurir malgré le début de l'automne.

Le regard grave, la bouche figée, elle s'agenouille sur un carré d'herbes sèches, sa longue natte brune glissant sur son épaule et balayant la modeste stèle rectangulaire jusqu'à ce qu'elle l'intercepte, la dompte puis se retourne vers moi en entendant ma question :

– Alors, c'est là qu'il repose ? je commente à haute voix, beaucoup plus fort que prévu, ce que je regrette aussitôt.

Elle secoue la tête et me regarde droit dans les yeux.

– Non, répond-elle à ma surprise.

Interloquée, je jette un nouveau coup d'œil à la stèle pour m'assurer que je ne me suis pas trompée.

– C'est ici qu'on l'a enterré. Qu'on a inhumé son corps. Mais ne t'y trompe pas, Daire, il ne demeure plus ici.

Je fais de mon mieux pour ne pas sourciller, mais à mon avis, c'est raté. On pourrait croire que je me serais habituée au franc-parler de Paloma, mais franchement, c'est trop bizarre d'entendre une mère parler du corps de son fils défunt d'une manière aussi franche et détachée.

– Ne commets pas l'erreur d'associer cet endroit à ton père.

Elle plisse les yeux, m'invite à l'écouter attentivement :

– Ce n'est pas *là* qu'il se trouve. Si tu as envie de venir ici pour lui rendre visite et avoir un endroit où lui parler, où communier avec lui... si tu estimes que ça t'aide, alors bien sûr, fais-le. C'est parfaitement compréhensible et je ne ferai jamais rien pour t'en empêcher. Mais n'oublie jamais que ton père est partout. Son âme a été libérée, délivrée d'ici-bas dans le but de ne faire qu'un avec le vent qui souffle dans tes cheveux et la poussière qui se déplace sous tes pas. Il est la pluie du nuage orageux qui plane au-dessus de ces montagnes au loin.

Elle étire un bras svelte et gracieux pour m'indiquer la magnifique chaîne de montagnes Sangre de Cristo, une vaste cordillère bleu marine et grise au sommet couronné de neige blanche.

– Il est l'éclosion de chaque fleur. Il est uni aux forces de la nature. Il est partout où ton regard se pose. Autrement dit, tu peux aussi bien lui parler ici que n'importe où ailleurs. Et si tu écoutes attentivement, il se pourrait bien que tu entendes sa réponse.

Je déglutis nerveusement, encore absorbée par le passage où mon père ne fait qu'un avec le vent, la terre et la pluie. Ses paroles me rappellent ce rêve que j'ai fait la première nuit de mon arrivée. Celui dans lequel je prenais conscience de faire partie intégrante de tout – et où, peu après, mon grand amour perdait la vie.

Solidement appuyée sur mes béquilles, je parcours du regard l'étendue du cimetière, pas encore accoutumée à l'humilité discrète de cet endroit. À Los Angeles, les nécropoles sont soigneusement agencées selon des plans d'urbanisme rigoureux et consistent en de larges monticules herbeux bien entretenus et quelques rares bassins près desquels on peut faire une pause pour se recueillir. Ils portent des noms hollywoodiens clinquants, tels que Forest Lawn Memorial Park, entretenant l'illusion que l'être cher que vous avez perdu n'est pas vraiment mort, mais que lui et ses voisins ont plutôt été sélectionnés pour un prestigieux tournoi de golf dans l'au-delà.

Ce cimetière-ci, en revanche, n'est rien de tout ça : il est à l'état sauvage et d'accès facile, sans chichis ni désignation euphémique ni mausolées de marbre rutilants. Il ne prétend pas être autre chose que ce qu'il est, à savoir un lieu où les gens ordinaires peuvent enterrer leurs chers disparus. Situé en bordure de la nationale, pour ainsi dire au beau milieu de nulle part, il paraît incohérent, désorganisé, envahi de croix faites à la main et de stèles qui, à première vue, ont toutes l'air de jurer les unes avec les autres.

Mais aussi misérable qu'il paraisse de prime abord, je constate à présent que les tombes sont bien et régulièrement entretenues, ornées de grands bouquets de fleurs – certaines en plastique, d'autres fraîches – disposés à côté de ballons récemment gonflés, retenus au sol par de grosses pierres pour qu'ils oscillent au gré du vent. L'ensemble produit une telle profusion de couleurs, de réconfort et d'amour que, curieusement, je ne peux m'empêcher de me sentir en paix ici. Et très vite je me rends compte que je ne suis pas pressée de m'en aller.

– Comment est-il mort ? je demande en me servant de ma jambe plus ou moins indemne pour frotter celle qui est dans le plâtre.

Ça me démange et j'ai vraiment hâte qu'on me l'enlève.

– Jennika n'a jamais voulu me le dire, j'ajoute en voyant Paloma hésiter et détourner les yeux.

– Pourquoi l'appelles-tu Jennika ? s'étonne-t-elle d'une voix douce en me regardant à nouveau.

Ce serait aussi simple de lui répondre « parce que c'est son prénom », mais je m'abstiens. Je sais bien ce qu'elle a voulu dire.

– Elle avait à peine dix-sept ans quand elle m'a eue : je l'ai élevée autant qu'elle. Et puis j'ai grandi entourée d'adultes, du coup il n'y avait pas beaucoup de place pour les babillages. Tout le monde l'appelait Jennika, alors un jour où j'ai eu vraiment besoin de capter son attention, je l'ai appelée par son prénom moi aussi. Évidemment je l'ai mal prononcé, mais elle a pigé. C'est le premier mot que j'ai prononcé, et depuis c'est resté.

Paloma acquiesce avec un petit sourire en coin.

– Maintenant, à toi. Django, qu'est-ce qu'il lui est vraiment arrivé ? Il a eu un accident, comme moi ?

Je contemple mon corps couvert de bleus et meurtri qui, grâce aux soins de Paloma et à ses connaissances approfondies en médecine douce (sans oublier le fait que Chay soit arrivé sur le lieu de l'accident seulement quelques secondes après l'impact : j'avais vu juste, Paloma l'avait envoyé à ma recherche), a évité d'avoir sa propre tombe dans le cimetière local. En réalité, j'ai même évité bien plus que ça. Ça remonte à deux semaines à peine et je suis déjà sur pied.

– Il a bien eu un accident, confirme-t-elle, en ajoutant d'un ton plus sérieux : mais rien à voir avec le tien.

Je hoche la tête, les yeux mi-clos. J'aimerais bien qu'elle active et cesse de tourner autour du pot. Je meurs d'envie de connaître la suite de l'histoire. Mais je commence aussi à me rendre compte que Paloma a son propre rythme. Il ne faut pas la brusquer.

Elle se relève, époussette les saletés sur ses genoux et se tourne face aux montagnes comme si elle s'adressait à elles et non à moi :

– Ça s'est passé en Californie, sur une autoroute de Los Angeles. Il était parti à moto chercher ta mère, quand le camion devant lui a pilé, et le chargement de tuyaux de plomb qu'il transportait s'est détaché et lui a dégringolé dessus. Il a été éjecté de sa moto. Il est mort sur le coup. Par décapitation, selon le rapport *officiel*.

Elle se retourne, le visage marqué par l'expression de quelqu'un qui a trop souvent raconté son histoire et qui a fini par s'habituer aux détails sordides. À l'inverse de moi. Ce qui explique sans doute pourquoi mon estomac se met à faire des nœuds, tandis qu'un goût de bile me prend à la gorge.

Mort par décapitation, selon le rapport officiel.

Les mots tournent en boucle dans mon esprit, à tel point que je jette mes béquilles à terre et m'effondre à côté d'elles. Les bras serrés autour de moi, la tête rentrée, je tente tant bien que mal d'accuser le coup.

Au bout de quelques instants, Paloma s'assied près de moi. Elle me caresse les cheveux d'un geste qui apaise mon corps tout entier, son souffle murmurant à mon oreille :

– Qu'y a-t-il, *nieta* ? S'il te plaît, explique-moi.

Il y a encore deux semaines, jamais je ne me serais confiée à elle. Il y a encore deux semaines, je la fuyais, persuadée qu'elle incarnait bien plus une ennemie qu'une alliée.

Mais il s'est passé beaucoup de choses depuis.

Je commence à accepter l'idée que je vis dans un monde que la majorité des gens n'arriverait même pas à concevoir.

« Parfois, mieux vaut ne pas savoir »… ce vieux dicton est logique, en fin de compte.

C'est sûr que dans cette histoire, les ignorants ont de la chance.

Malheureusement pour moi, je ne fais plus partie de leur bande. J'ai changé de camp.

Maintenant que j'ai vu ce que j'ai vu, et que je sais ce que je sais, je ne peux plus me voiler la face, même si j'en meurs d'envie.

D'après Paloma, il faut que d'une manière ou d'une autre j'arrive à l'accepter ; sinon, je finirai non plus assise devant la tombe de mon père, mais étendue à son côté, à six pieds sous terre.

– Au Maroc... sur cette place, Djema'a el-Fna...

Mon estomac se tord, une petite voix dans ma tête me crie de me taire, de peur de m'entendre confirmer mes dires, mais je m'efforce de faire abstraction. Le moment est venu d'enfin lui en parler :

– Je l'ai vu.

Je lève les yeux vers elle, car j'ai besoin de voir sa réaction, mais Paloma se contente d'acquiescer avec le calme et la sagesse qui la caractérisent, m'encourageant à poursuivre.

– La place était envahie de têtes sanglantes atroces plantées sur des piques, dont une au premier rang, au centre, qui m'a appelée par mon prénom... et que j'ai reconnue grâce à la vieille photo en noir et blanc que je garde dans mon portefeuille. C'était Django. Dès que je l'ai vu, j'ai su que c'était lui.

Ma voix se brise, mes yeux se mettent à me piquer et Paloma s'empresse de me réconforter. De ses doigts fins et légers, elle me caresse le front, les joues tout en me chuchotant un flot de paroles dans sa langue maternelle, qui m'échappe totalement, alors que je lutte pour ne pas m'effondrer.

– Jennika me l'a dit, répond-elle en repassant à l'anglais d'une voix posée, neutre. Elle m'a fait part des histoires que tu lui as racontées. Après notre discussion, j'ai effectué quelques recherches et découvert que le nom de cette place dont tu parles se traduit par « Assemblée des trépassés » : elle servait autrefois de lieu d'exposition publique aux têtes des condamnés à mort, qui étaient plantées sur des piques sur le pourtour de la place.

Je m'écarte et la dévisage. D'un côté je suis soulagée qu'elle me confirme que je ne suis pas folle, que ce que j'ai vu ce jour-là était bien réel, mais de l'autre, je me demande franchement en quoi cette découverte pourrait être de bon augure en ce qui me concerne.

– Je suis convaincue que ce que tu as vu était réel, autant que les êtres lumineux et les corbeaux dont tu m'as déjà parlé. Ton père avait des visions similaires. Moi aussi. Je sais combien elles sont terrifiantes. Mais comme tu as pu t'en rendre compte, on ne peut s'y soustraire. Ils vont se donner beaucoup de mal pour capter ton attention, et pour cause, ils n'ont pas le choix, l'enjeu est trop important. Ils ne peuvent se permettre de rater l'occasion, et heureusement ça n'arrive pas souvent. C'est un stress considérable pour celui qui a la charge de transmettre son don, et en attendant, tout est en péril.

Je ne suis pas tout à fait sûre de comprendre ce que cela signifie. Elle est toujours très énigmatique, et bien qu'elle soit disposée à répondre à certaines de mes questions, pour la plupart elle se borne généralement à faire non de la tête en disant : « Plus tard, *nieta*. Plus tard. »

Pour autant, ça ne m'empêche pas d'insister.

– Tu as dit que la cause officielle de sa mort était la décapitation, mais c'était quoi, en vrai ? Les corbeaux ? C'est eux qui ont provoqué l'accident – ou quelque chose du genre, peut-être ?

Je la regarde au fond des yeux, pressée de comprendre.

– Les corbeaux, les êtres lumineux ou n'importe quel messager susceptible de lui être apparu n'y sont pour rien. C'est parce qu'il a refusé de les écouter, d'admettre leur présence et de tenir compte de leur appel une fois pour toutes que Django est mort. Cela seul a provoqué sa fin prématurée.

Crois-le ou non, ces visions sont nos alliées. Leur apparition est le signe qu'il est temps pour nous de se réveiller, de répondre à notre vocation et de suivre le destin pour lequel nous sommes nés. Les signes sont irréguliers au début, puis aux alentours de seize ans, ils s'intensifient. Rares sont les occasions de pouvoir agir. L'initiation doit démarrer sans trop tarder. Sinon…

Elle marque une pause, hésitant à pousser la confidence trop loin, avant d'ajouter :

– Disons juste que d'autres forces sont à l'œuvre, dont l'unique but est d'anéantir les Chasseurs, afin de se révolter et de régner. C'est un combat vieux comme le monde, et malheureusement l'issue n'est pas pour tout de suite.

Je la fixe, ahurie, pas certaine d'avoir bien entendu.

– *Les Chasseurs*, tu dis ? je répète d'une voix stridente en me penchant brusquement vers elle, avide d'explications.

Mais elle acquiesce simplement, comme si ce terme était loin de la faire tiquer autant que moi.

– Ne te méprends pas, Daire, ta vocation est cruciale. Nombreux sont ceux qui vont s'en remettre à toi, dont la plupart n'en auront même pas conscience et penseront encore moins à te remercier. Néanmoins, tu dois apprendre à persister, comme tous tes ancêtres avant toi. Il existe d'autres forces parmi nous, des forces si obscures et puissantes qu'au début elles sont difficiles à cerner. Mais sois sans crainte, je te préparerai à y faire face. L'initiation consiste en plusieurs étapes bien distinctes. Nous suivons tous la même préparation – je suis passée par là, ma mère aussi, ainsi que d'innombrables générations avant elle. Toutefois, je te préviens, ça n'a rien de facile. Ton être tout entier va être mis à l'épreuve et de temps en temps tu auras l'impression d'être au supplice, tu me haïras, tu m'en voudras et tu envisageras de t'enfuir à nouveau. Mais tu ne le feras pas.

Elle plonge ses yeux dans les miens.

– Maintenant que tu sais où cela mène, tu ne fuiras plus jamais, n'est-ce pas, *nieta* ?

Son regard s'adoucit, mais ses paroles me font frissonner.

– Cette initiation a plusieurs objectifs : te rendre plus forte à divers égards que tu n'es pas encore en mesure de saisir, et te préparer à un avenir qui te paraîtra sans doute inconcevable pour l'instant. Mais bientôt tous les éléments se mettront en place – et je t'arrête tout de suite, *non*, tout n'est pas noir. Crois-moi, attends-toi à vivre aussi plein de moments magiques. Tu vas découvrir des dimensions mystiques qui dépassent ton imagination. Tu vas être confrontée à la magie dans sa forme la plus pure. Et puis un jour, quand le moment sera venu de réintégrer la communauté, tu seras prête. Je veillerai à ce que tu le sois coûte que coûte.

Son ton est si grave et son regard, si lointain que la réplique moqueuse que j'avais en tête s'évanouit sur mes lèvres. Je ne sais pas ce qui m'attend, mais il est clair qu'elle ne plaisante pas et que je ferais bien d'en faire autant.

– Je crois que j'ai déjà eu affaire à cette force obscure, je confie, hésitant momentanément à poursuivre devant sa mine subitement rembrunie. J'ai fait des rêves… dans lesquels tout commençait bien… mais ensuite la situation dérapait. Et l'autre soir, au Terrier du Lapin, juste avant l'accident, j'ai croisé les deux garçons qui hantent ces rêves. Au début, j'ai cru que je délirais, que c'était une hallucination de plus, mais à présent je ne sais plus trop. Ils avaient presque les mêmes yeux : des yeux étranges, bleu glacier. Et alors que l'un est…

… mon grand et unique amour, celui qui m'est destiné.

Je secoue la tête et recommence :

– L'un d'eux est… *sympa* mais l'autre, eh bien… il s'est transformé en démon.

Je me tais, cueille un brin d'herbe que je tripote distraitement. Cet aveu haut et fort me met un peu mal à l'aise, mais je sens que contrairement à tous ceux qui préféreraient que je me taise, c'est exactement le genre de confidences que Paloma souhaite que je lui fasse.

– Je crois que si je n'en ai pas parlé avant, c'est parce que je n'étais pas certaine d'avoir *vraiment* vu tout ça. Mais avec le recul… je me dis que c'était peut-être une sorte de mise en garde.

Paloma acquiesce, le visage impassible, serein, quoique ses mains la trahissent : impossible de ne pas voir comme elles tremblent lorsqu'elle tend le bras pour attraper un mouchoir qu'elle porte ensuite à son nez.

– J'ai bien peur que les choses aient évolué plus vite que je ne l'imaginais.

Elle chiffonne le mouchoir en boule et le soustrait aux regards, non sans que j'aie le temps d'apercevoir la tache de sang qui s'étale dans le tissu.

– Je crains que nous ayons beaucoup moins de temps que prévu.

Elle me lance un regard inquiet.

– Alors, quand commencera l'initiation ? je m'enquiers en la regardant se lever et prendre le temps de se remettre d'aplomb avant de me tendre la main.

– Elle a déjà commencé, *nieta*, répond-elle en m'aidant à me caler sur mes béquilles. Elle a déjà commencé…

TREIZE

– Déjà fait du cheval ?

Chay me glisse un regard du coin de l'œil, alors que je me tiens juste derrière lui et le regarde fixer la selle sur le dos de l'animal, un superbe paint horse à l'impeccable robe pie, marron et blanche.

– Quand j'étais petite. Parfois, les palefreniers sur les plateaux de tournage me laissaient monter. Mais ça remonte à longtemps. J'ai presque tout oublié de ce que j'avais appris, j'explique, à la fois nerveuse et excitée à l'idée de monter cet animal aussi splendide qu'imposant dès que je serai débarrassée de mon plâtre.

– Ne t'en fais pas. Kachina est gentille, tu verras. Vous vous entendrez bien toutes les deux, dit Chay d'un ton aussi doux que son sourire. En fait, généralement il suffit de lui donner une petite friandise pour briser la glace. Va voir à l'arrière du pick-up, tu trouveras une glacière.

Il m'indique une direction approximative du menton.

– Et dedans, tu trouveras des carottes à lui donner.

Je m'exécute et reviens avec deux grosses carottes que, dans un excès de zèle, je me dépêche de lui fourrer dans la gueule. Mon geste est maladroit, inexpérimenté, et lorsque la jument retrousse les lèvres pour les accepter et que je découvre la taille de ses dents, mes mains se mettent à trembler si violemment que j'en perds mes carottes, l'obligeant à baisser le museau et à les ramasser par terre.

Rouge de honte, je m'essuie les mains sur mon jean et commente avec un rire forcé :

– Vous croyez qu'elle va m'en vouloir ?

– Je suis sûr qu'avec le temps elle te pardonnera, sourit Chay, un éventail de rides au coin des yeux et le front tout plissé sous le bord de son foulard. Les chevaux sursautent facilement. Pour des animaux d'une telle envergure, ce sont tous de vraies poules mouillées ! Il faut les approcher doucement, gentiment, comme tu aimerais qu'on le fasse avec toi. Appelle-la par son prénom, susurre-lui des mots doux à l'oreille. Ensuite, prends le temps de rester tranquillement à côté d'elle. Continue de respirer calmement, à un rythme régulier, de façon qu'elle puisse s'adapter à ton énergie en même temps que tu t'adaptes à la sienne. Et après, quand tu sens que le moment est venu, tu peux la caresser comme ça.

Il me montre comment faire et lisse la crinière de la jument de sa large main, d'un geste qui fait scintiller au soleil sa bague en forme d'aigle avec les yeux en pierre jaune, puis il avance progressivement vers le creux de sa nuque. Il lui donne plusieurs petites tapes avant de lui gratter doucement le poil entre les yeux, juste en dessous de sa houppette.

– Elle est à vous ?

Je le regarde approcher sa bouche de l'oreille de Kachina et lui marmonner quelque chose dans une langue étrangère ; ça dure un petit moment, si bien que je finis par me demander s'il m'a entendue.

– Si elle est à moi ? glousse-t-il finalement en me jetant un coup d'œil. En théorie, j'imagine qu'on peut dire ça. C'est un client qui avait perdu son emploi et qui ne pouvait plus se permettre de subvenir à son entretien qui m'en a fait cadeau. Mais dans le grand ordre de l'univers, non, Kachina n'appartient qu'à elle-même. Maintenant qu'elle est entrée dans ma vie, j'ai accepté de veiller sur elle aussi longtemps qu'elle souhaitera rester. Du moins… sauf si le job t'intéresse ?

Je cligne des yeux, certaine d'avoir mal compris.

– Je sais que Paloma va bien t'occuper avec ton initiation, mais les chevaux jouent aussi un rôle. Ils ont beaucoup à nous apprendre sur l'endurance, la force et l'amitié. Et d'un point de vue plus concret, ils constituent un bon moyen de locomotion – tout au moins en attendant qu'on puisse te faire passer le permis. Paloma a toute la place qu'il faut chez elle pour un box… Alors, qu'en dis-tu ?

Un cheval rien qu'à moi ?

Je n'ai jamais eu le moindre animal de compagnie jusqu'ici, même si, si j'en crois ce que dit Chay, elle ne sera pas véritablement à moi ; peu importe, une offre pareille, ça ne se refuse pas.

– Est-ce que ça ne devrait pas être à elle de décider ? je dis finalement. Après tout, à cause de moi elle a dû ramasser sa friandise par terre. Elle n'a peut-être aucune envie que je m'occupe d'elle.

Chay réfléchit un instant à cette hypothèse.

– Très bien. Dans ce cas, en selle, on verra bien si ça colle entre vous.

Je cligne des yeux, sans trop savoir comment réagir.

– Sérieux ?

Il hoche la tête.

– Mais… et mon plâtre ? Paloma a dit que je devais attendre qu'on me le retire, ce qui se fera peut-être dès demain. N'empêche, elle m'a dit clairement que je pouvais regarder et toucher, mais monter, *non*.

Chay esquisse un sourire, les paupières plissées, presque tombantes.

– Parfois Paloma est un peu trop prudente. Ça va bien se passer. Et je doute que ça dérange Kachina. Tu sais quoi ? Si jamais il arrive quoi que ce soit à l'une de vous, j'en assume l'entière responsabilité, d'accord ?

Après une brève hésitation, j'acquiesce d'un signe de tête et il me fait grimper sur son dos.

On se promène un moment, mon paint et son appaloosa allant au pas côte à côte sur le sentier en faisant voler la terre sur leur passage. Mais on ne galope pas, on évite les sauts, on ne prend même pas le trot. Chay dit qu'on aura tout le temps plus tard pour ça, mais que pour l'instant je dois me réhabituer aux sensations.

– Alors vous vivez ici, dans la réserve ? je demande, ma voix rivalisant avec le bruissement du vent qui traverse les arbres et agite les feuilles comme des carillons.

Je suis un peu gênée de poser la question, car j'ai le sentiment que je devrais déjà connaître la réponse, mais je cherchais quelque chose à dire pour briser le silence, et c'est tout ce que j'ai trouvé.

Les yeux mi-clos, il porte le regard au loin, scrutant le paysage bien au-delà du bosquet d'arbres à proximité, concentré sur quelque chose que je n'arrive pas trop à distinguer. Son ton est vague, évasif, quand il me répond :

– Plus aujourd'hui. Mais mon père, si. C'est un ancien de la tribu.

Il tire d'un petit coup sec sur les rênes et je l'imite, nos chevaux s'arrêtant progressivement, tandis que je m'esquinte les yeux à essayer de suivre jusqu'au bout la trajectoire de son regard. Mais hormis un genévrier aux branches tellement tordues qu'elles paraissent presque difformes, je ne distingue pas grand-chose.

– Il aura bientôt quatre-vingts ans, ajoute-t-il.

Reportant son attention sur moi et tirant doucement sur la bride de Kachina, il nous fait faire demi-tour et nous repartons dans la direction inverse.

– Bientôt quatre-vingts ans, et encore fort comme un lion !

Au large sourire qu'il me lance, je comprends qu'il tente péniblement de revenir à ma question initiale, bien qu'il ait la tête ailleurs.

– Il me laisse garder certains chevaux chez lui, tandis que les autres restent chez moi.

Je parcours du regard une vaste plaine en rase campagne clairsemée de quelques maisons d'adobe, songeant qu'à part l'absence de centre-ville (il y a toutefois un casino en retrait de la route principale, ainsi qu'une station d'essence-épicerie), le voisinage n'a pas l'air très différent de celui où vit Paloma.

– Vous avez toujours vécu à Enchantment ?

– Je suis parti pour les études, répond-il avec un haussement d'épaules. Et puis de là, j'ai enchaîné avec l'école vétérinaire de l'université du Colorado ; mais très vite après avoir obtenu mon diplôme, je suis revenu.

– Pourquoi ? je m'étonne d'un ton qui trahit le fond de ma pensée, à savoir : *comment une personne instruite et libre de ses choix peut-elle décider de rester dans un endroit pareil ?*

Mais si Chay est vexé, il ne le montre pas. Il se contente de rire doucement.

– Oh, pour différentes raisons, disons certaines plus inéluctables que d'autres.

Puis, sans plus de précisions, il ajoute :

– Alors ? Est-ce que cette première balade à cheval t'a plu ?

– Beaucoup, je soupire avec satisfaction. Je crois que j'aimerais bien remettre ça, si vous êtes d'accord. Et elle aussi, bien sûr.

Je tends le bras pour tapoter le cou de Kachina, mais là encore, je ne suis pas très adroite, pas encore habituée à ses mouvements, et je finis par glisser dans une position si instable que je dois me cramponner de toutes mes forces pour ne pas dégringoler par terre.

– Au fait, qu'est-ce que vous regardiez là-bas ? je demande une fois que j'ai réussi à me redresser.

Du pouce, j'indique la direction dont nous revenons, consciente que quoi que ce fût, ça a suffi à nous faire rebrousser chemin et écourter notre promenade.

Chay continue d'avancer en bifurquant, et me répond en coup de vent sans se retourner :

– Tu n'es pas prête à y aller pour l'instant.

Je fixe son dos, perplexe, ma curiosité plus piquée que jamais. Mais sentant d'emblée que le sujet va aboutir à une impasse, je préfère ne pas insister.

Je décide de simplement faire oui de la tête quand il se retourne vers moi.

Il me propose :

– Bon, et si on ramenait nos montures à l'écurie pour les préparer pour la nuit, et qu'on allait ensuite se siroter un petit soda ? Quand ton initiation aura commencé, tu n'en reboiras pas de sitôt.

Une fois les chevaux brossés, abreuvés et nourris, et leurs box tapissés de paille fraîche, on grimpe dans le pick-up et on s'en va. Chay fait un arrêt à la station d'essence-épicerie et file acheter nos boissons, pendant que je réponds à un énième coup de fil désespéré de Jennika.

Je sors un instant du pick-up, m'éloigne un peu sur le parking et m'installe sur le bord du trottoir près des pompes à eau et à air. J'ai un mal fou à la comprendre, tant la réception est mauvaise et étouffe ses mots, comme si elle appelait du fin fond d'un tunnel.

Cela dit, ce n'est pas très compliqué de combler les trous : c'est plus ou moins une redite de la discussion qu'on a depuis déjà plusieurs semaines. Depuis le jour où elle a découvert au réveil une flopée de messages furax de ma part, appelé

Paloma et appris que j'avais été renversée par une voiture. Comme à son habitude, elle me bombarde de questions. Elles s'enchaînent si vite qu'au bout du compte, je ne sais même plus à laquelle répondre.

– Je vais bien, je t'assure. Tu n'as vraiment aucune raison de venir, je dis – une réponse toute faite que je lui sers presque chaque fois qu'elle parle de plaquer son job au Chili pour venir me chercher.

Toute faite, certes, mais sans aucun effet. Jamais. Elle s'obstine :

– Tu peux me le dire, Daire… est-ce que Paloma a fait quoi que ce soit de bizarre ?

Je lève les yeux au ciel. Du point de vue de Jennika, tout ce que fait Paloma est bizarre, mais moi je ne vois plus les choses de cette manière. Paloma est peut-être une femme étrange qui vit clairement en marge de la société, mais ses talents de guérisseuse sont indéniables, de même qu'elle est la seule qui comprenne réellement ce qui m'arrive.

– « Bizarre » dans quel sens ? je fais, comme chaque fois.

– *Daire…* soupire-t-elle en s'éternisant sur mon nom pour bien me faire comprendre que ce genre de réponses ne prend plus. Réponds à la question. Tu sais très bien *dans quel sens.*

– Paloma va bien. Je vais bien. Chay aussi. Et Enchantment est… *bien.*

Je resserre mes doigts autour de l'appareil en essayant de ne pas m'étrangler avec ce mensonge.

– Je te l'ai déjà dit, le premier jour, j'ai paniqué, c'est tout. Mais crois-moi, tu serais stupéfaite des miracles que Paloma a accomplis. Mes plaies ont cicatrisé et il n'en reste pas la moindre trace, ni même des griffures que je m'étais faites sur les bras au Maroc. Oh, et on va bientôt pouvoir m'enlever mon plâtre, peut-être dès demain.

– Je veux des photos ! Des preuves ! Envoie-moi tout ce que tu peux comme photos. C'est le seul moyen de me convaincre que tu vas bien et que tu…

Je soupire en écartant brusquement le téléphone de mon oreille et le pose sur le bord du trottoir à côté de moi. D'une voix affolée, elle continue de hurler, menacer, supplier… Un refrain que je connais par cœur. Je n'ai plus qu'à enfouir la tête entre mes genoux en attendant que le couplet s'achève.

Je relève le nez à temps pour apercevoir Chay qui me fait signe en retournant au pick-up, ce qui me pousse à écourter :

– Jennika, il faut que j'y aille. Mais sérieusement, inutile de venir ou de t'inquiéter. Je vais parfaitement bien. Je vais t'envoyer une photo – des tonnes de photos. Je vais tellement t'en envoyer qu'à la fin tu en auras marre de voir ma tête, d'accord ? Mais d'ici là, relax. Et essaie de me croire sur parole.

Je me relève, m'époussette les mains sur les fesses et traverse le parking en boitillant. Je contourne une vieille Mustang gris métallisé qui se gare devant la pompe, tandis qu'un garçon aux longs cheveux bruns sort de la voiture côté conducteur, et qu'une femme plus âgée parée d'un collier de turquoises sublime ouvre la portière côté passager en manquant de me cogner.

– Oh, désolée… s'excuse-t-elle.

On échange un regard assez bref, mais qui suffit quand même à susciter en moi un extraordinaire sentiment de bonté universelle, très vite éclipsé par une tristesse si ancrée et pesante que j'en reste figée sur place, alors que l'inconnue est déjà partie.

Paloma m'a déjà parlé de ça. Elle m'a dit que ce genre de choses – d'impression – était prévisible. Elle affirme que c'est un don qui me servira beaucoup à l'avenir, et que je devrais prendre le temps de le développer aussi souvent que possible. Selon elle, chaque fois que je croise une nouvelle personne, je dois me fier non pas à ce que je vois et entends, mais plutôt à ce que je ressens au plus profond de moi.

Le problème, c'est que hormis l'excursion au cimetière et la virée d'aujourd'hui avec Chay, je passe le plus clair de mon temps alitée. Et d'après ce que j'ai compris, toute future sortie hors de la maison se fera également sous étroite surveillance. Paloma soutient que c'est trop risqué que je parte me balader seule, et Chay semble approuver. Mais jusqu'ici, aucun des deux ne s'est donné la peine de m'expliquer exactement quel pourrait être le risque en question.

Tournant la tête vers le garçon à la pompe, je le regarde s'adosser à la voiture et surveiller de près le compteur, grimaçant en voyant le montant en dollars s'élever alors que le nombre de litres peine à augmenter. J'avise sa chevelure brune, sa carrure robuste et ses bras sculptés qui se déploient de son tee-shirt à manches courtes noir, visiblement insensibles à la météo. Son torse svelte et tout en courbes se resserre à la taille dans un jean bleu brut qu'il porte bas. Sa beauté est tellement fascinante et troublante que je suis forcée de secouer énergiquement la tête, de fermer les yeux et de reprendre depuis le début. Les paroles de Paloma me reviennent en mémoire : ce qui compte, ce n'est pas ce que je vois, mais ce que je ressens.

Un Chasseur doit apprendre à voir dans les ténèbres en se fiant à ce que lui dicte son instinct.

Les paupières closes, le souffle régulier, je tente de me concentrer à nouveau. Aussitôt un autre sentiment de bonté m'envahit de façon fulgurante, assez semblable à celui ressenti juste auparavant face à la femme plus âgée, à cette différence que là, le sentiment est si sincère et si pur que mes genoux se dérobent pour toute réaction. Et au lieu de céder à la tristesse comme avec elle, il aboutit à tout autre chose.

Si je m'écoutais, je serais tentée de croire que c'est de l'amour.

Un amour véritable et inconditionnel.

Le genre d'amour que je n'ai jamais ressenti qu'en rêve et à une seule autre occasion, l'espace d'un instant, juste avant que je ne m'enfuie du Terrier du Lapin.

Je ferais mieux de m'en aller. De m'éclipser tant que je peux. De partir avant qu'il me surprenne en train de le dévisager comme une godiche. Seulement, je suis trop subjuguée pour bouger un orteil ou pour comprendre le sens de tout ça. Et l'instant d'après, il se retourne. Ses yeux bleu glacier se posent sur moi, reflétant mon image démultipliée.

Son regard s'accentue, ses lèvres s'entrouvrent comme s'il s'apprêtait à dire quelque chose.

Rien qu'à le regarder je tremble de la tête aux pieds, le corps aimanté, vacillant vers lui, tout comme dans mon rêve. On est attirés l'un par l'autre, liés par une force invisible. Mais avant qu'il ne puisse s'exprimer, je romps le charme et repars en clopinant comme une dératée vers le pick-up.

Après avoir avalé d'un trait une longue gorgée du soda que Chay me tend en quittant la station, je suis du regard le paysage dénudé et aride jusqu'à ce qu'il disparaisse au loin dans la nuit, obsédée malgré moi par ce garçon et par le souvenir de ses yeux bleu glacier plongés dans les miens.

QUATORZE

Chay se gare devant le portail pendant que Paloma aide une fille de mon âge à grimper sur le siège passager d'un crossover couvert de poussière. Après avoir replié une longue canne blanche à embout rouge, elle la lui tend puis se dirige vers le pick-up. Son regard se pose sur moi lorsqu'elle se penche à travers la vitre ouverte côté conducteur.

– Tu t'es bien amusée, *nieta* ?

J'opine rapidement, puis descends à cloche-pied du véhicule. Je me réceptionne sur ma jambe valide, sac à dos en main, et pars vers la maison clopin-clopant, en croisant les doigts pour qu'elle ne me demande pas si ça m'a plu de monter Kachina, car quelque chose me dit que je ne serais pas très bonne menteuse, du moins pas avec elle. Elle est bien trop intuitive, je n'aurais pas le temps d'ouvrir la bouche qu'elle saurait déjà si je dis la vérité.

– *Muy bien*, sourit-elle en me regardant franchir le portail. Va te débarbouiller, je te rejoins. La nuit est presque tombée… c'est bientôt l'heure de s'y mettre.

Je lui décoche un coup d'œil curieux, mais fais ce qu'elle me dit. J'entre dans la maison et remonte le petit couloir jusqu'à ma chambre en me demandant quel rapport il peut bien y avoir entre le coucher du soleil et mon initiation. Est-ce que j'aurais dû le prendre au pied de la lettre quand elle a dit que tous les Chasseurs devaient apprendre à voir dans les ténèbres ?

J'attrape le pantalon de survêt plié qu'elle a laissé au pied de mon lit et mets mon pull et mon jean sales dans le panier d'osier, fronçant les sourcils en apercevant la jambe qu'on a dû déchirer de la cheville au genou pour que j'aie la place d'y passer mon plâtre. Bien que Paloma m'en ait promis un autre en échange dès que je serai rétablie, je doute sérieusement de trouver quoi que ce soit de comparable. C'est mon jean préféré, foncé et près du corps, je passe ma vie dedans pour ainsi dire. Sans compter que je l'ai acheté à Paris, une ville où je ne suis pas près de retourner. Du peu que j'ai vu d'Enchantment, il n'y a pas une boutique digne de ce nom. Pas même un supermarché, punaise !

Mais Paloma ne partage pas mon point de vue sur les vêtements. Pour elle, ils ne sont pas tant une expression de la personnalité qu'un moyen pratique de couvrir son corps. Bien que les siens soient propres, repassés et bien entretenus, il est évident que la mode n'est pas sa préoccupation première. D'après ce que j'ai vu, sa penderie se compose d'une poignée de robes en coton léger qu'elle porte en intérieur, toujours pieds nus, comme en extérieur, associées à un gilet bleu ciel miteux et des espadrilles bleu marine. C'est curieux, et pourtant c'est plus fort que moi, je trouve ça assez agréable.

Le détachement de Paloma est une bouffée d'oxygène, comparé aux débâcles vestimentaires auxquelles j'avais l'habitude d'assister en studio. Des assemblées étaient convoquées en urgence afin de débattre le pour et le contre au sujet de l'ourlet de robe d'une starlette, comme si le sort du monde, et moins du film, en dépendait.

Et je ne parle pas de la fâcheuse tendance de Jennika à considérer ma maigre garde-robe comme un prolongement de la sienne. À croire qu'elle a hérité en surdose du gène midinette, moi un petit peu, et Paloma pas du tout.

Du moins c'est ce que je pensais avant de m'attacher les cheveux en queue-de-cheval et de m'approcher de la fenêtre pour tirer le rideau : là, je m'aperçois que le portail est toujours ouvert, et Chay, toujours garé devant. Seulement, maintenant la portière côté conducteur est grande ouverte, et Paloma, penchée à l'intérieur, est blottie dans ses bras.

Je les épie malgré moi. Si je m'attendais à ça ! Stupéfaite, je constate que ce n'est pas tant la brève accolade qu'on se donne entre amis en se tapotant le dos, mais plutôt la douce et longue étreinte qu'échangent deux personnes qui tiennent énormément l'une à l'autre.

Je savais qu'ils étaient amis, mais j'ai toujours supposé qu'entre eux c'était platonique. Il ne m'était jamais venu à l'esprit que leur relation puisse être plus poussée.

Mais au moment même où je commence à m'en dissuader et à me dire que j'interprète beaucoup trop la scène, ils s'embrassent et confirment mes doutes. Je m'empresse de tirer le rideau d'un coup sec et file m'asseoir à la table de la cuisine en attendant que la première séance officielle de mon initiation commence.

Mon père n'est jamais allé aussi loin. Il a refusé de s'investir et je dois dire que je le comprends. Mais, histoire d'éviter de connaître le même sort terrible que lui, je me suis promis d'au moins tenter l'expérience et de voir où ça me mène. Si ça me déplaît, je me débrouillerai pour trouver une autre solution. Mais je ne commettrai pas d'imprudences. Et je ne finirai pas six pieds sous terre. Contrairement à Django, je compte bien soigner ma sortie.

Paloma rentre et ferme la porte derrière elle. Après avoir attaché les boutons de son gilet, elle se frotte les mains et se dirige vers la cheminée où elle s'emploie à remuer doucement les bûches à l'aide d'un long tisonnier de fer ; une fois satisfaite de voir le feu jeter des étincelles et crépiter, elle se tourne vers moi.

– Chay a un faible pour les sucreries, dit-elle.

Je la dévisage, tellement prise de court par cette drôle de remarque qu'aucune réponse sensée ne me vient à l'esprit.

– C'est quelqu'un de très bien, mais il a une mauvaise influence, rit-elle en s'attribuant le siège face à moi et en croisant les bras sur la table. Ton initiation va nécessiter de nombreux changements dans ton mode de vie, à commencer par ton régime alimentaire. J'ai le regret de t'annoncer que Chay et toi avez partagé votre dernier soda ensemble, alors j'espère que tu l'as savouré.

Elle allonge le bras et pose une main sur la mienne.

– À partir de maintenant, tu ne mangeras que ce que la nature fournit, dans sa forme la plus pure possible. Autrement dit, fini les édulcorants, les aliments traités, les plats préparés, bref, plus de cochonneries.

Je déglutis nerveusement et la fixe les yeux écarquillés, totalement interloquée. Mais qu'est-ce qu'il me reste alors ? Elle a mis son veto à pratiquement tout ce que j'adore !

– Les premiers jours se révéleront difficiles, comme tu vas rapidement le constater. Le sucre est une substance puissante qui crée une forte dépendance. Mais très vite tu commenceras à te sentir mieux, plus résistante et en meilleure forme, d'un point de vue aussi bien physique que moral et psychologique. Tu trouveras ça tellement agréable que je suis sûre que cette nouvelle façon de t'alimenter deviendra une seconde nature chez toi. Et sinon, si tu estimes que c'est tout le contraire, alors j'ai peur que tu ne doives trouver le moyen de t'y faire. En l'occurrence il n'y a vraiment pas le choix.

– Mais… pourquoi ?

Mon visage affiche une grimace destinée à lui faire comprendre que non seulement je proteste, mais aussi que je doute de la justesse de ses arguments. Ça me rappelle le régime sans féculents que toutes les célébrités entament à l'approche d'un gros tournage, en considérant la corbeille à pain comme leur pire ennemi.

– À part mes blessures qui ont presque toutes cicatrisé, je suis en pleine forme. Je vois vraiment pas ce que ça change, si de temps en temps je prends un Coca ou une sucrerie !

Paloma se lève de table et remonte le couloir qui mène à son cabinet. Elle me fait signe de venir m'asseoir à la petite table en bois carrée pendant qu'elle remplit une petite casserole en cuivre avec de l'eau en bouteille, puis la pose sur un réchaud et s'applique ensuite à cueillir des bouts d'herbes séchées parmi les nombreux bouquets suspendus aux crochets au-dessus de sa tête.

Elle roule les morceaux entre son index et son pouce en fredonnant un air doux et mélodieux que je n'arrive pas trop à décrypter. Puis elle plonge les boulettes d'herbe une par une dans la casserole, auxquelles elle ajoute un caillou noir extrait de la petite bourse en peau de daim qu'elle porte autour du cou.

La pierre atterrit dans un *ploc* sonore quand elle me dit :

– Nous descendons d'une ancienne lignée de chamans.

Je fixe son dos, atterrée.

– *Des chamans ?* je répète en m'efforçant de contenir mon agacement et de ne pas oublier ma promesse : être patiente et lui donner sa chance.

À tous les coups, ce n'est pas ce qu'elle a voulu dire.

– Je croyais que tu avais dit qu'on était des Chasseurs ? je réplique, perplexe, doutant de m'habituer un jour à tous les trucs farfelus qu'elle raconte.

Il ne s'est pas passé un jour depuis mon arrivée où je ne me suis pas sentie complètement paumée, et je commence à croire que c'est parti pour durer.

Paloma se débarrasse de son gilet, le pose sur le plan de travail près d'elle et se remet à remuer dans la casserole.

– Chamans, sorciers, guérisseurs, Artisans de lumière, médiums, mystiques, faiseurs de miracles, initiés, tous ceux qui savent voir à travers les ténèbres...

Elle hausse brièvement les épaules.

– Les noms sont différents, mais au fond c'est la même chose.

Elle me lance un coup d'œil pour s'assurer que j'ai bien entendu avant de recommencer à remuer.

– Les bases du chamanisme datent de plusieurs milliers d'années ; leurs origines remontent jusqu'en Sibérie, à l'époque où le rôle principal du chaman était de protéger la communauté. Il veillait au bien-être de la tribu en lui procurant des soins si nécessaire, en étudiant le ciel pour protéger les cultures et les réserves de nourriture, en présidant à des cérémonies religieuses, en servant de principal médiateur entre ce monde et celui des esprits, et d'autres choses encore. C'était un rôle vénéré et sacré, une vocation de premier ordre. Alors qu'ils étaient dispersés sur plusieurs continents et séparés par de grandes étendues d'eau sans aucun moyen de communication, leurs cérémonies et leurs rituels se trouvaient être extraordinairement semblables. Malheureusement, des années plus tard, quand nous sommes tous devenus « civilisés », nuance-t-elle en faisant mine de mettre le mot entre guillemets, les chamans ont été persécutés et contraints de se cacher. Ils étaient considérés comme des sorciers, des envoûteurs, accusés d'invoquer le mal. On les disait dangereux, alors qu'en vérité ils étaient simplement incompris de ceux qui étaient trop ignorants pour passer outre leurs propres conceptions étriquées du fonctionnement de l'univers. L'ignorance est un des plus grands maux connus de l'homme.

Elle se retourne face à moi, ses petits yeux noirs pétillant.

– Suivie de près par l'orgueil et l'avarice, en deuxième et troisième position.

Elle surveille sa casserole, remue encore un peu son contenu, puis pose une passoire sur une grande tasse et y verse l'infusion. Ensuite, à l'aide de pinces, elle attrape la petite pierre fumante et humide et la dépose sur la table devant moi.

– Au fil des années, ce rôle a évolué et son nom avec. Pour les nôtres, nous sommes connus en tant que Chasseurs. Nous recherchons la vérité, la spiritualité, la lumière et aussi les âmes égarées. Et notre mission, notre vocation, notre destin est de maintenir l'équilibre des choses, ce qui nécessite que nous cheminions dans le monde des esprits de la même façon que nous cheminons dans ce monde. Fut un temps où maintenir cet équilibre était beaucoup plus simple, mais cette époque est révolue. Pour répondre à ta question initiale, à savoir pourquoi, sache que notre capacité à naviguer entre les mondes dépend de notre engagement à nous purifier corps et âme. Et cette purification commence par une alimentation saine, *nieta* chérie.

Elle jette un coup d'œil au fond de la tasse et inhale profondément. Puis, estimant que c'est prêt, elle la place devant moi.

– Maintenant, bois ça, dit-elle.

Je scrute la tasse en grimaçant. Je n'ai pas tout suivi du programme, mais je ne tiens pas non plus à m'y opposer catégoriquement et à finir comme Django. Le souvenir terrifiant de la tête sanglante de mon père plantée sur une pique et hurlant pour capter mon attention me donne toute la motivation nécessaire pour vider la tasse jusqu'à la dernière goutte. Étonnamment, à mesure qu'elle coule au fond de ma gorge, l'infusion me réchauffe et m'apaise, et bien que l'arrière-goût en soit amer, ça ne me dérange pas plus que ça.

– L'univers est bien plus complexe qu'il n'y paraît, reprend Paloma en retournant s'asseoir. En réalité, le cosmos est divisé en trois mondes : le Monde Supérieur, le Monde Souterrain et le Monde Intermédiaire. Chacun d'eux se compose de différentes sphères, y compris le Monde Intermédiaire qui est celui que tu connais, celui où se déroule notre existence quotidienne. Mais la plupart des gens se contentent des apparences et n'ont pas conscience que le monde est peuplé de forces invisibles qui influencent leur vie d'une façon dont ils n'ont même pas idée. La réalité ne se limite pas à ce que tu vois, *nieta.* Dans chacun de ces mondes tu croiseras de nombreux êtres charmants et compatissants, prêts à t'aider dans tes différentes quêtes. Ils apparaîtront sous la forme d'animaux, d'êtres humains, de créatures mythologiques – même un simple brin d'herbe peut se révéler d'une grande aide. Chaque chose possède sa propre énergie, sa propre force vitale, et un jour tu communiqueras avec la Terre et ses éléments aussi facilement qu'avec moi, mais chaque chose en son temps.

Elle m'observe, les mains jointes en prière, les bouts des doigts pressés l'un contre l'autre.

– J'imagine que tu te sens un peu dépassée par tout ça pour l'instant, ça fait beaucoup d'informations à assimiler. C'est pourquoi, n'oublie pas que tu n'es jamais seule, c'est important. Je te servirai de guide, bien que mon rôle ne soit pas tant de t'instruire que de t'aider à retrouver ce que tu sais déjà au fond de toi.

Balayant la pièce d'un regard, j'avise des étagères garnies de fortifiants, de potions et de toutes sortes de remèdes à base de plantes, et d'autres croulant sous des livres, des hochets, un assortiment de cristaux et de pierres et un tambour rouge. J'ai beau essayer de garder l'esprit ouvert, de jouer le jeu du mieux que je peux, je ne comprends rien à ce qu'elle raconte. Je suis la fille d'une maquilleuse itinérante, moi ; toutes mes connaissances, je les ai acquises en studio, sur Internet ou par le biais d'expériences pratiques concrètes. Je ne connais rien à tout ça. Je n'avais jamais entendu parler de chamans ou de chasseurs d'âmes avant mon arrivée ici.

Je m'apprête à protester, mais elle s'empresse de me faire taire.

– Crois-moi, *nieta*... tout le savoir dont tu as besoin, tu le possèdes déjà en toi. C'est l'héritage de tes ancêtres, tu l'as dans le sang, dans le cœur, et mon devoir est de t'aider à le découvrir. Dans peu de temps, tu navigueras entre le Monde Supérieur et le Monde Souterrain aussi facilement que tu te déplaces dans le Monde Intermédiaire. Tu apprendras à passer d'une sphère à l'autre jusqu'à ce qu'elles te soient parfaitement familières. Le moment venu, tu feras physiquement la traversée, mais pour l'heure, il y a plusieurs étapes à accomplir. C'est pourquoi ce voyage, ton premier voyage, sera un voyage de l'âme. Tu auras l'impression de rêver, et pourtant je t'assure que ce sera bien réel. Ce rêve se révélera aussi intense que révélateur, et il fera date. L'objectif est de te permettre d'entrer en relation avec ton animal totem, dont tu finiras par être très proche et dépendante. Il se montrera trois fois, c'est comme ça que tu sauras que c'est lui, alors sois bien attentive. C'est la première et la dernière fois que tu bois ce breuvage, et tu ne dois parler à personne des choses que tu vas voir et vivre – personne, sauf moi. C'est impératif, il en va de ta sécurité. Alors dis-moi, *nieta*, comment te sens-tu ? Prête à partir en voyage ?

J'ai un mal fou à lui répondre. À faire le tri dans tout ce qu'elle a dit. La tête dans le brouillard, la bouche sèche comme si elle était farcie de coton, c'est à peine si j'arrive à pousser un grognement assourdi en guise de réponse.

L'instant d'après, mes doigts se referment autour de la petite pierre, ma tête se pose doucement sur la table et mon âme bondit hors de mon corps, fusant plus vite que la lumière.

QUINZE

Je me tiens devant un arbre, un arbre vraiment immense avec un énorme trou creusé dans son tronc. J'ai déjà vu cet arbre un jour où on était allées faire de la tyrolienne avec Jennika dans une forêt de nuages au Costa Rica.

Sauf que cette fois, au lieu d'escalader l'échelle à l'intérieur pour atteindre la plateforme au sommet, je m'engouffre dans le trou et descends le long d'un tunnel qui s'enfonce sous terre. Je dévale un long réseau de racines tentaculaires et entortillées qui me font penser à de longs doigts grêles, entremêlés et interminables.

Je suis plongée dans l'obscurité, un vent froid et humide me fouette les joues et m'emplit les narines d'un parfum de terre riche, qui tourbillonne devant moi pour m'ouvrir un passage et me permettre de poursuivre ma traversée. Et bien qu'au début ce soit plutôt amusant, parce que ça me rappelle quand je faisais de la luge étant gosse, très vite je suis prise d'angoisse, de claustrophobie, et me mets à respirer péniblement, paniquée dans cet espace si restreint.

J'enfonce mes talons, m'effondre sur le ventre, me cramponne et laboure la terre pour essayer de me creuser un chemin et de remonter jusqu'en haut. Je n'ai pas l'étoffe d'une Chasseuse. Si ça implique d'être enterrée vivante empêtrée dans de grosses racines grouillant d'insectes et d'asticots, alors non merci, je n'ai aucune envie d'en être.

Mes doigts continuent de creuser profondément dans le terreau, mais en vain. Je ne peux pas lutter, je n'ai aucune adhérence.

Et impossible de rebrousser chemin.

La galerie derrière moi se referme à la seconde où je passe à travers.

Et celle face à moi continue de s'ouvrir comme une bouche béante, dévidant la terre de plus en plus vite pour précipiter ma chute.

Je bascule sur le dos en réprimant le cri à présent logé dans ma gorge. Je me dis de garder mon calme, de préserver le peu d'oxygène qu'il me reste, quand soudain je suis projetée dans un champ de lumière si vive que je suis obligée de fermer brusquement les yeux, et de les rouvrir tout doucement pour leur laisser le temps de s'adapter.

J'atterris brutalement dans le sable, dans un dérapage si incontrôlé qu'on dirait un poids lourd en détresse. Passé quelques instants d'étourdissement, je me relève, inspecte rapidement les alentours et découvre autour de moi le dernier endroit auquel je m'attendais : une magnifique plage de sable blanc bordée d'eaux turquoise limpides. Une carte postale du paradis.

Je m'élance vers le rivage, ravie d'être débarrassée de mes pansements et de mon plâtre. Je laisse mes orteils avancer petit à petit dans l'eau, et souris lorsque les embruns écumeux déferlent sur mes pieds et trempent l'ourlet de mon survêtement avant de se retirer en laissant de fines gouttelettes mourir sur ma peau.

Des dauphins folâtrent au large, ainsi qu'un petit groupe de baleines qui effectuent des bonds spectaculaires hors de l'eau, leurs grands corps lisses et brillants plongeant et s'élevant en crête, et plus près encore, plusieurs bancs de minuscules poissons scintillants qui tournent en rond à toute vitesse autour de mes chevilles et de mes pieds. Mais aucun de ces êtres vivants n'est mon guide, ça j'en suis sûre.

Je quitte le rivage pour gagner l'endroit où le littoral cède la place à une superbe forêt abritée par des arbres aux larges troncs vigoureux, soutenant des branches aux feuilles si touffues qu'elles ne laissent filtrer qu'un mince filet de lumière. Les couleurs sont si éclatantes qu'on dirait plus une peinture à l'huile qu'un endroit réel. Les fleurs sont plus grosses, la mousse, plus moelleuse, et dans ce cocon de silence on entend le souffle du vent danser dans les feuilles et les faire bruisser, osciller et tinter doucement les unes contre les autres, tel le murmure d'une chanson qui me pousse à continuer d'avancer.

Prenant Paloma au mot quand elle disait que chaque chose possède sa propre force vitale et son mode de communication, je vais où le vent me porte, le laisse me guider jusqu'à une clairière que je reconnais grâce à mes rêves, et où je ne suis pas du tout contente de me retrouver.

Je jette des coups d'œil inquiets autour de moi à la recherche d'une grosse pierre, d'un bâton – de quoi me défendre au cas où les choses tourneraient mal encore une fois, quand soudain j'entends un long croassement et découvre en me retournant un corbeau qui voltige dans la trouée juste devant moi.

Les yeux mi-clos, je fixe durement l'ennemi, ce corbeau aux yeux pourpres perçants qui m'avait conduite à l'épisode cauchemardesque avec le garçon démoniaque.

Je me penche pour ramasser une petite pierre bien dure par terre, mais avant même que j'aie le temps de viser, il a disparu.

Je fais volte-face en le cherchant du regard jusqu'à ce que j'entende de nouveau son appel et le retrouve à terre, à quelques pas derrière mon dos.

Armée de la pierre, je brandis le poing en le visant avec précision, de façon plus déterminée cette fois. Mais exactement comme l'instant d'avant, je n'ai pas le temps de la lancer qu'il se volatilise dans les airs.

Mon cœur bat à tout rompre, ma respiration devient saccadée alors que je tourne les talons et m'arrête net en le voyant réapparaître devant moi, son bec arrondi grand ouvert dans un long croassement et ses yeux luisants rivés sur moi.

Je serre le poing, lève le bras bien haut, le regard braqué sur ma cible.

– La troisième sera la bonne !

Il cligne des yeux, tandis que je lâche la pierre en visant complètement au hasard, complètement à côté, perturbée par les paroles de Paloma qui me reviennent brusquement.

Il se montrera trois fois, c'est comme ça que tu sauras que c'est lui, alors sois bien attentive.

– Toi ? je souffle en le fixant d'un œil accusateur.

Et l'instant d'après, il prend son envol. Ses ailes pointues amplement déployées, il décrit un cercle parfait au-dessus de ma tête avant de s'élancer plus haut et plus loin dans le ciel, balloté par le vent.

D'une caresse sur mon épaule, Paloma m'amène à regagner le confort de sa douillette maison d'adobe, en chuchotant tout bas :

– Reviens, *nieta*. Il est temps de rentrer.

Seize

Ébouriffée et clignant des yeux, je relève la tête de la table en écartant les cheveux de mon visage, repoussant les mèches folles derrière mon oreille. Je constate avec émerveillement que j'ai les idées claires, pas du tout troubles et embrouillées comme c'est le cas avec les médicaments.

– Combien de temps suis-je restée inconsciente ? je demande en étirant mon cou d'un côté puis de l'autre, détendant mes muscles comme si je me réveillais d'une longue sieste bien agréable.

Paloma sourit. Elle pose un verre d'eau devant moi et m'invite à le boire.

– Environ trente minutes ; mais je suppose que toi, ça t'a paru moins long. Ton voyage a été fructueux, j'espère ?

Je bois une gorgée d'eau, puis repousse le verre. Tirant sur mes manches jusqu'à ce qu'elles recouvrent mes phalanges, j'essaie de trouver un semblant de réponse, sans me rendre compte tout de suite que je tiens toujours la petite pierre noire au creux de ma main.

Fructueux ?

Ce n'est pas vraiment le terme que j'emploierais.

– J'ai trouvé mon guide, si c'est ce que tu sous-entends. Mais bon, je ne sais pas trop si je dois m'en réjouir…

Cette dernière phrase est prononcée si doucement qu'elle est presque inaudible, mais bien que je sois pratiquement sûre qu'elle l'ait entendue, Paloma fait comme si de rien n'était et enchaîne avec une autre question :

– Dans quel sens as-tu voyagé ? Vers le haut, le bas ou de côté ?

Je réfléchis un instant, me remémorant l'arbre, les racines, la galerie, les vers de terre…

– Le bas, je fais. J'ai voyagé vers le centre de la Terre.

– Le Monde Souterrain, acquiesce-t-elle. C'est presque toujours lui qu'on découvre lors de sa première visite. Le Monde Supérieur est beaucoup plus difficile à atteindre, même pour les Chasseurs chevronnés. Il m'a fallu des années pour y parvenir.

Elle m'observe attentivement.

– Alors dis-moi, comment l'as-tu trouvé ?

Je contemple mes mains, deux monticules recouverts de tissu.

– En me laissant guider par le vent, je dis.

Je replie une jambe sous mes fesses, me tortille sur mon siège, mal à l'aise, franchement embarrassée d'admettre un truc pareil.

– Et ton guide, il s'est bien montré trois fois ?

Je confirme d'un signe de tête. Je resserre de plus belle les doigts autour du caillou, au point d'en avoir mal à la main.

– Oui. Mais ce n'est pas la première fois qu'on se croise, lui et moi. Il m'est apparu en rêve, un rêve qui a mal fini. Et un peu à cause de lui.

Son regard, devenu subitement sombre et sérieux, me pousse à continuer :

– Pour la faire courte, quelqu'un dont je suis proche et auquel je tiens beaucoup – du moins en rêve, en tout cas –, meurt. Et c'est mon guide qui me conduit exprès jusqu'à lui pour que je sois témoin de sa mort. C'est le rêve dont je t'ai parlé quand on était au cimetière… sauf que bon, j'avais omis de te préciser la fin.

Cette fois, le regard de Paloma s'agrandit, tandis que sa main s'agite sur sa poitrine comme un colibri en quête de nectar.

– Mais c'est merveilleux, *nieta* ! s'exclame-t-elle, les yeux brillants. C'est plus que je n'aurais pu imaginer… plus que je n'aurais jamais osé espérer ! Et tu dis que c'est le vent qui t'a guidée ?

Je la dévisage en fronçant les sourcils, le dos voûté, passablement irritée par son enthousiasme et son manque de compassion.

– Une personne est morte, Paloma, je répète, les dents serrées en la regardant droit dans les yeux. Assassinée par un *démon*. Et c'est à cause de mon prétendu guide si je me suis retrouvée là-bas. Ça paraît peut-être idiot à tes yeux, mais ce rêve avait l'air vraiment réel, et depuis, j'ai beau essayer d'oublier, je n'y arrive pas, ça *m'obsède*.

Je la fixe, la supplie du regard de comprendre, mais malgré tous les points sur lesquels je viens d'insister, elle ne saisit toujours pas ; je le vois à la façon dont son visage s'adoucit et dont ses yeux deviennent de plus en plus embués.

– Les rêves ne doivent pas toujours être interprétés au pied de la lettre, *nieta*. Parfois, la mort n'est au fond qu'une métaphore de la renaissance. Cela permet à une personne de changer et de se transformer, de devenir quelqu'un de meilleur et de plus fort.

Nos regards se croisent.

– Si ton guide t'a conduite là-bas, alors c'est qu'il avait une bonne raison. Mais il n'y a qu'un moyen de savoir si c'est vraiment ton guide : as-tu toujours la pierre que je t'ai confiée ?

J'ouvre la paume pour la lui montrer. Toujours sous le choc, je regarde Paloma l'emporter vers le réchaud et me faire signe de la rejoindre alors qu'elle la replonge dans la casserole, met l'eau à bouillir et contemple le mélange trouble avec une infinie patience qui m'échappe complètement.

Elle murmure en espagnol, les poings serrés, pressés contre son cœur. Mais j'ai beau fixer le fond de la casserole à côté d'elle avec autant d'attention, je n'arrive absolument pas à comprendre pourquoi elle est excitée à ce point.

Quelques instants plus tard, elle attrape la passoire et déverse l'eau bouillante dans l'évier. Puis, reposant la casserole sur le plan de travail, elle se tourne vers moi et me demande :

– Est-ce que c'est ce que tu as vu ? Est-ce le guide que tu as rencontré lors de ton voyage ?

Je me penche au-dessus de son épaule sans m'attendre à voir quoi que ce soit en particulier, et là, je découvre sidérée que la petite pierre noire a pris la forme d'un corbeau. Gravées dessus, ses ailes ressortent distinctement, tout comme ses yeux pourpres luisants.

– Est-ce bien le guide que tu as vu ?

Je ravale nerveusement ma salive en faisant oui de la tête. C'est tout ce dont je suis capable. Ce spectacle me laisse sans voix.

Je continue de fixer le caillou transformé en corbeau, persuadée que c'est impossible, que c'est forcément une illusion. Et pourtant il est là, sous mon nez. Ça me rappelle ces petits fétiches de pierre en forme d'animaux, que j'avais vus un jour dans une boutique pour touristes en Arizona, très polis et élaborés, fabriqués à la main par la tribu Zuni, assez similaires à celui-ci.

– Nous avons tous un animal totem, tous autant que nous sommes.

Elle contemple la réplique en pierre.

– Malheureusement, la plupart des gens mènent une longue existence bien remplie sans jamais prendre conscience du leur. Chaque animal a une fonction, une signification différente. Et il se trouve que le tien, le corbeau, est vraiment très inattendu. Il incarne la magie, le changement de perception et un pouvoir de métamorphose spectaculaire.

Elle me regarde les yeux brillants de fierté en ajoutant :

– Il s'élève dans les ténèbres pour en rapporter la lumière. Il te soufflera les secrets de la magie, bien que ceux-ci ne doivent jamais être révélés. L'arrivée du corbeau annonce l'accomplissement d'une prophétie.

Elle porte la main à sa bouche, submergée par une émotion que je n'arrive pas trop à saisir.

– Il semble par ailleurs que le vent soit ton élément. Oh, *nieta* ! s'écrie-t-elle d'une voix enrouée et émue. Je ne m'attendais pas à ce que tu fasses cette découverte aussi vite, sinon je t'en aurais parlé. D'habitude c'est le genre de choses qu'on n'apprend que bien plus tard au cours de l'initiation. C'est très inattendu, ça c'est sûr.

– Et... c'est *bon signe* ? je demande du bout des lèvres en essayant toujours de donner un sens à cette pierre et aux propos de Paloma, mais en vain : je me sens plus paumée que jamais.

– Mieux que ça ! sourit-elle les mains jointes. C'est formidable ! Mais quelque part j'aurais dû m'en douter. Tu descends d'une lignée très influente qui renferme une magie puissante des deux côtés. Et de plus, sans le savoir, Django t'a transmis son potentiel inexploité : il fallait bien qu'il aille quelque part, alors il t'est parvenu, explique-t-elle, soulevant ainsi une question à laquelle je n'avais pas songé jusqu'ici.

– Quand tu dis « lignée très influente qui renferme une magie puissante des deux côtés »...

Paloma me décoche un coup d'œil inquiet comme si elle sentait la question arriver, ce qui est probablement le cas.

– Qu'est-ce que ça signifie ? Qui est le père de Django... mon grand-père ?

Elle pousse un soupir et répond d'un ton résigné à l'image de son expression :

– Il s'appelle Alejandro.

Je me penche vers elle.

– *S'appelle ?...* Alors, il est toujours vivant ? je m'égaye, ravie à l'idée d'avoir deux grands-parents en vie.

– Non, *nieta*. Malheureusement, il n'est plus vivant au sens où tu l'entends. Mais tout comme Django, il demeure omniprésent, c'est pourquoi je préfère ne pas parler de lui au passé. Alejandro et moi avons été unis dans un but bien précis. Sa famille est originaire d'une longue lignée de chamans très puissants ; Alejandro était réputé pour être un chaman-jaguar de premier ordre. Notre rencontre a été arrangée par nos parents dans l'espoir que de notre union découlerait une descendance dotée du genre de dons que je perçois en toi. Néanmoins, ça ne nous a pas empêchés de tomber amoureux l'un de l'autre, c'est pourquoi j'ai été anéantie lorsqu'il a été rappelé au Brésil pour une urgence familiale et que son avion s'est finalement écrasé peu après le décollage. Après quoi je me suis vite rendu compte que j'étais enceinte, un peu dans les mêmes circonstances que Jennika et Django. Malheureusement, les Chasseurs ne sont pas réputés pour vivre de longues unions heureuses, *nieta*. Voilà un aspect de notre héritage auquel j'espère que tu échapperas.

Je mets un moment à assimiler : trois grands-parents morts dans un accident d'avion, Paloma qui découvre qu'elle est enceinte juste après la mort de son bien-aimé... L'histoire a une drôle de façon de se répéter.

– Ce n'est pas un hasard, *nieta*, dit-elle, devinant les pensées que je n'arrive pas à exprimer. Ce sont les forces des ténèbres, les responsables de ces tragédies. C'est leur façon à eux d'essayer de nous empêcher d'engendrer une descendance susceptible de s'allier un jour à notre combat contre elles. Mais chaque fois elles sont intervenues trop tard, un enfant était déjà en route, dont l'un d'eux était toi.

– Alors d'après toi c'est ce qui expliquerait que je progresse aussi vite, à cause de tout ce potentiel inexploité qui peut enfin s'exprimer ?

Le visage de Paloma se relève, sa tristesse s'atténuant à ces mots :

– Percevoir l'appel du vent lors d'un premier voyage...

Elle remue doucement la tête, le regard perdu au loin.

– C'est, si je puis dire, *incroyable*. Cela fait de toi une Danseuse du vent, vois-tu ? Autrement dit, le vent est ton guide parmi les éléments. Si tu le respectes et te fies à son chant pour t'orienter, tu ne feras jamais fausse route. Le vent est une force puissante avec laquelle il faut compter, c'est certain. Et visiblement, bientôt, bien plus tôt que je ne l'imaginais, tu compteras toi aussi parmi ces forces. Tu as dépassé toutes mes attentes, accompli en un seul voyage bien plus que n'importe lequel de tes ancêtres avant toi.

Je tripote l'ourlet à côtes de mon sweat-shirt ; j'aimerais tant réussir à partager son enthousiasme, mais hélas, je suis loin du compte.

Elle a tort au sujet du rêve. Personne ne renaissait. Ni n'était transformé. Le garçon était tué purement et simplement, laissé pour mort dans mes bras. Et c'est à cause du corbeau si je me suis retrouvée là.

– Ça fait déjà un moment que je fais le même rêve.

Je m'interromps pour lever les yeux vers elle.

– La nuit de mon arrivée ici, je l'ai encore fait, et c'est là que j'ai assisté à la mort de ce garçon. Les autres fois, c'était plus...

Je m'efforce de trouver le terme approprié, un terme convenable à l'oreille d'une grand-mère.

– Eh bien, les autres rêves étaient plus enjoués... plus romantiques. Alors que le dernier était comme une version plus aboutie. Il avait un début, un milieu, et une fin vraiment triste.

Elle hoche la tête, m'invite du regard à continuer.

– L'autre soir, au Terrier du Lapin, j'ai vu les deux garçons, et puis tout à l'heure, j'ai revu l'un d'eux quand on était à la station-service avec Chay. Ce sont leurs yeux qui les trahissent. Dans le rêve, ils ont une étrange couleur bleu glacier : dans ceux de l'un des deux mon image se reflète, mais dans ceux de l'autre – le démon – elle est comme absorbée par le néant, et c'est pareil dans la réalité. J'ignore pourquoi je rêve d'eux, pourquoi je rêve de personnes qui existent mais que je n'avais jamais rencontrées. Je ne sais pas du tout quoi en penser, mais une chose est sûre, le garçon qui mourait dans mon rêve, il n'était pas transformé par la mort et il ne renaissait pas non plus. Son âme lui était tout bonnement volée. Alors, si ce rêve est censé être prophétique, je ne veux pas m'en mêler. C'était un spectacle horrible, il n'y avait aucun moyen de le sauver et je ne peux pas m'empêcher de me dire que si je n'avais pas suivi le corbeau, ça ne se serait jamais terminé comme ça. Alors, désolée si ce corbeau est loin de me faire sauter de joie comme toi !

Ma voix se brise malgré moi et j'ai beau cligner des yeux pour tenter de refouler mes larmes, l'une d'elles parvient quand même à s'échapper.

Du plat de la main, je l'écrase d'un geste brusque, elle comme toutes les suivantes. La main posée sur mon épaule, Paloma me dit d'une voix douce :

– Tu es à la veille d'une transformation capitale. Ne te méprends pas, *nieta*, tu retourneras au Terrier du Lapin. Tu croiseras à nouveau ces garçons. Et crois-moi, tu apprendras même à te fier au corbeau, car sa sagesse est bien plus grande que la tienne. Mais d'abord, nous devons te préparer. Il est temps de passer à l'étape suivante et de t'initier à la quête de visions.

DIX-SEPT

– Crois-moi, *nieta*, tes pouvoirs seront extraordinaires, bien plus que tu ne peux l'imaginer à ce stade.

Paloma remonte le corridor à toute allure avec un entrain débordant que j'ai bien du mal à suivre. Pénétrant en vitesse dans ma chambre, elle attrape mon jean, un débardeur blanc, un pull noir à col en V, ma veste militaire kaki ainsi qu'une vieille paire de tennis toutes poussiéreuses qui ne m'appartient pas. Elle me laisse tout sur les bras et me dit de me changer pendant qu'elle attrape un petit sac noir sur la dernière étagère d'une armoire qu'elle atteint à l'aide d'un marchepied. Ensuite, elle ressort en trombe de la pièce et repart comme un ouragan en direction de son bureau.

– Mais qui dit grands pouvoirs dit grandes responsabilités, ne l'oublie jamais !

Elle lance un coup d'œil par-dessus son épaule pour s'assurer que j'ai bien entendu.

– Tu vas acquérir un grand savoir. Découvrir le pouvoir guérisseur des plantes, ainsi qu'un certain nombre de chants et de psaumes qui détiennent des pouvoirs qu'il ne faudra jamais sous-estimer ou utiliser abusivement. Certains peuvent être nocifs, d'autres, apaisants, mais il est absolument impératif que tu tiennes tes talents en haute estime. Tu ne dois jamais t'en servir à la légère. Et surtout, tu dois apprendre à surmonter toutes les mesquineries, quelles qu'elles soient.

Elle s'appuie un instant contre la porte voûtée et me couve d'un regard très sérieux. Elle est tellement absorbée par son discours qu'elle ne remarque même pas le petit filet de sang qui coule de son nez.

– Si quelqu'un te fait du tort, tu dois apprendre à tendre l'autre joue. Tu ne dois jamais gaspiller tes pouvoirs pour protéger ton amour-propre, mais plutôt les canaliser au service du plus grand bien de tous.

Elle sort un mouchoir froissé de sa poche et entre dans son bureau. Et alors que je m'apprête à lui demander si elle se sent bien, elle se retourne face à moi et dit :

– Il existe un vieux dicton amérindien très sage qui dit : « Chaque fois qu'on pointe un doigt méprisant vers quelqu'un, nos quatre doigts restants nous montrent du doigt. »

Son regard s'arrête sur moi.

– Garde toujours ça à l'esprit, *nieta*. Ne porte jamais de jugement hâtif. Cela dit, sache aussi que les Chasseurs ont des ennemis. Dont l'unique but est de nous vaincre, pour ne pas dire nous anéantir. C'est pourquoi je vais t'apprendre à combattre les ténèbres et te former à embrasser la lumière.

Elle s'avance vers l'étagère qui tapisse le mur du fond, se cognant dans le tambour rouge au passage. Lequel, sous le choc, répercute un son qui me pousse aussitôt à me couvrir les oreilles et à me recroqueviller de panique. Ma réaction est si étrange et inattendue que Paloma se retourne, l'air interloqué.

– Désolée, je bredouille. C'est que… ce son me dérange vraiment. Je sais bien que tu n'as pas fait exprès de le provoquer, mais quand même, moins je l'entends, mieux je me porte.

Elle s'adosse contre l'étagère, le mouchoir toujours pressé sur son nez.

– Le tambour est un instrument sacré, explique-t-elle lentement en prenant le temps de choisir ses mots. Comme je te disais tout à l'heure, chaque chose contient sa propre énergie, sa propre force vitale, et c'est pareil pour le tambour. Le son qu'il produit est similaire à un battement de cœur, une palpitation. On considère généralement qu'il incarne le cheval, car son tempo constitue un portail qui permet de voyager vers les autres mondes.

Puis, remarquant mon expression, elle ajoute :

– Il n'y a rien à craindre, *nieta.*

Je triture nerveusement l'ourlet de mon sweat-shirt, pas le moins du monde rassurée par ses paroles.

– Peut-être, je fais. Mais l'autre fois, sur cette place au Maroc, et dans le Terrier du Lapin aussi, c'est le son des percussions qui a fait que le monde s'est figé et que les êtres lumineux et les corbeaux sont apparus.

Les yeux brillants, Paloma chiffonne en boule son mouchoir taché de sang.

– Alors, c'est que tu as déjà ressenti son pouvoir, en déduit-elle. L'air est-il devenu vaporeux et chatoyant, dis-moi ?

Je tortille mes doigts, les ongles enfoncés dans ma paume, et la regarde s'avancer vers l'évier où elle se débarrasse du mouchoir et se lave les mains.

– Si tu les avais suivis et écoutés, tu te serais retrouvée dans un autre monde, une autre dimension.

Elle repose le torchon, plonge la main dans un placard et en ressort un sachet noir.

– Tu… tu veux dire que j'aurais dû les suivre ? je m'étonne en penchant la tête pour lui lancer un regard sceptique.

– Non, réplique-t-elle en rejetant sa tresse dans son dos. Ce n'est pas du tout ce que je dis. Mieux vaut que tu les aies ignorés. Tu n'étais pas prête à répondre à leur appel et tu te serais très probablement perdue. Naturellement, je t'aurais retrouvée un jour ou l'autre. Mais non, tu as fait ce qu'il fallait. De la même façon que le thé a permis à ton âme de voyager, le battement du tambour permet à ton *corps* de voyager. Mais bientôt tu n'auras plus besoin ni de l'un ni de l'autre. D'ici peu, tu seras à même d'établir les portails toute seule. Enchantment en a une multitude, comme tu vas bientôt le découvrir.

– Et pourquoi est-ce que je dois me rendre dans ces autres dimensions, au juste ? je demande en suivant tous ses gestes du regard tandis qu'elle va et vient d'un bout à l'autre de la pièce pour réunir un lot d'objets disparates apparemment sans rapport entre eux : une petite boîte d'allumettes, un foulard rouge, une fine bougie blanche, quelques morceaux de craie, un petit hochet en cuir brut, ainsi que deux ou trois choses que je ne parviens pas trop à identifier.

– Parce qu'un travail important t'attend là-bas. Tu t'apprêtes à emprunter le chemin des esprits, parcours durant lequel tu auras de nombreuses révélations : tes plus grands talents comme tes pires faiblesses, ainsi que le véritable but de ton existence ici, dans le Monde Intermédiaire. Mais attention, elles ne se feront peut-être pas toutes en même temps. Dans certains cas, il faut des années pour les déchiffrer... bien que quelque chose me dise qu'avec toi, ça ira plus vite que pour la plupart.

– Mais je croyais que j'allais commencer par une quête de visions, et maintenant tu parles d'un parcours sur le chemin des esprits ? Je... je comprends plus très bien. Je vais faire quoi exactement ? Quelle est la différence ?

– Tout cela fait partie d'un même ensemble. Très vite, tu comprendras mieux.

Elle hausse les épaules d'un air de dire que l'explication s'arrête là, bien qu'elle ait seulement réussi à m'embrouiller encore plus.

Elle me fait signe de m'asseoir, tandis qu'elle farfouille dans un tiroir et revient avec une petite bourse en peau de daim qui ressemble beaucoup à la sienne. Elle me la passe au cou en disant :

– Un Chasseur dispose de plusieurs instruments et celui-ci est sans doute le plus important de tous. Tu ne dois jamais t'en séparer. Tu peux l'enlever pour dormir et te laver si tu veux, mais tu dois toujours le garder à portée de main et bien en vue. Ne quitte jamais la maison sans lui. Et ne laisse jamais personne le porter à ta place ou regarder à l'intérieur, pas même un coup d'œil, sinon il perdra tout son pouvoir.

Je lève devant mes yeux la petite pièce de cuir jaunâtre et souple ; elle paraît loin d'être aussi significative que Paloma l'entend, et à vrai dire, je ne suis pas sûre d'être d'accord pour la porter. Je ne vois pas trop comment je vais l'intégrer à ma tenue minimaliste habituelle, à savoir jean slim, veste militaire ajustée, débardeur. Je préfère que ça reste simple. Les accessoires, je ne suis pas trop fan.

Paloma se dirige vers le plan de travail et s'affaire un moment avant de revenir avec la casserole qu'elle pose devant moi. Nous contemplons toutes deux le corbeau aux yeux pourpres qui repose sur un lit de feuilles molles, toutes flétries.

– Puisque le corbeau s'est avéré ton animal totem, ce talisman devra t'accompagner en permanence. Garde-le dans ta bourse afin d'avoir toujours accès à sa sagesse et ses conseils chaque fois que tu en éprouves le besoin. Ses volontés ne te paraîtront peut-être pas forcément logiques sur le coup, mais tu dois apprendre à te fier à lui. Un de ces jours, tu ajouteras d'autres objets aussi, qui te seront révélés en chemin. Pour l'instant tu es seule avec le corbeau. Tu comprends, *nieta* ? Tu comprends l'importance de tout ça ?

Je fais oui de la tête comme si c'était le cas, alors qu'en vérité, pas du tout. Mais c'est ce qu'elle attend de moi, et dès que j'ai rangé le corbeau dans la bourse, elle semble se détendre.

L'instant d'après, elle s'empare du sac noir, me fait signe de la suivre dans le patio et monte à bord de la vieille Jeep blanche qu'elle gare habituellement dans la remise.

– Où est-ce qu'on va ? je demande, comprimée par la sangle de ma ceinture de sécurité, alors que la Jeep s'élance en faisant des bonds sur le chemin de terre défoncé.

Les yeux plissés, je scrute l'obscurité pour essayer de m'orienter, mais en vain, cette ville reste une énigme pour moi.

– T'initier à la quête de visions, répond-elle en serrant de plus belle le volant lorsque l'état de la route empire.

Elle me lance un coup d'œil et ajoute :

– Profite du trajet pour te reposer, *nieta*. Tu auras besoin de toutes tes forces, si jamais ça doit durer.

– Si ? je répète en me tournant brusquement vers elle.

Les yeux presque exorbités, je la supplie de s'expliquer.

– On ne sait jamais, dit-elle d'une voix calme et posée. Mais je suis certaine que tu t'en sortiras très bien.

Je me retourne vers la fenêtre, faute de savoir quoi répliquer. Mais ses paroles m'ont rendue bien trop nerveuse pour que j'envisage une seule seconde de me reposer.

On parcourt des kilomètres, traversant un terrain inconnu qui devient de plus en plus défoncé à mesure qu'on avance. Et quand on s'arrête enfin, freinant à quelques mètres de l'eau, je m'aperçois qu'on n'est pas seules, Chay est en train de faire sortir deux chevaux de leur remorque, que je reconnais tout de suite : Kachina d'un côté, l'appaloosa de l'autre.

– Malheureusement, je dois te laisser ici, annonce Paloma d'une voix empreinte de regret. Cette partie de ton voyage comprend une longue randonnée à cheval et mes vieux os ne sont plus aptes à monter en selle.

Elle tente de sourire, mais je sens qu'elle me cache quelque chose, sans que j'arrive à saisir quoi. Elle se détourne pour sortir un mouchoir qu'elle plaque sur sa bouche en toussant un épais filet de sang, qu'elle ne parvient pas à dissimuler malgré tous ses efforts.

– Paloma… ça va ?

J'ignore ce qui lui arrive, mais je sais que cracher du sang, ce n'est jamais bon signe.

– Ça va, *nieta*, je t'assure, répond-elle en balayant mon inquiétude d'un geste. Chay va t'accompagner là-bas. Une fois sur place, il te laissera seule. La quête de visions est un voyage solitaire et ton équipement est assez limité. Mais sois tranquille, tu n'as pas besoin de grand-chose pour survivre. Sers-toi des allumettes et des bougies uniquement si nécessaire, car elles doivent tenir sur la durée. Quant à la nourriture, il n'y en a pas. Le jeûne est voulu, il te permettra d'entamer ta purification. Tu resteras aussi longtemps qu'il faut, il n'y a pas de limite de temps. Et tu rentreras quand le moment sera venu. Tu le sauras quand ce sera le cas.

– Tu espères sérieusement que je vais partir là tout de suite ? je proteste en croisant fermement les bras. Il fait nuit… il fait froid… et pour information, je meurs de faim. Je n'ai même pas eu le temps de dîner !

Mais bien que mes arguments soient tous valables, ils n'ont aucune influence sur Paloma. Elle les rejette d'un geste.

– Et mon plâtre, alors ? je persiste dans une ultime tentative, pas très subtile certes, mais qui vaut quand même le coup.

Paloma sourit.

– Tu es déjà guérie, *nieta*, comme tu l'auras sans doute deviné. Tu n'en as plus besoin et tu reviendras sûrement sans. Il est composé de matières non polluantes et biodégradables. Ça s'arrangera tout seul.

Chay s'approche pour annoncer que les chevaux sont sellés et prêts à partir, mais moi je ne le suis pas. J'ai tellement de questions que je ne sais même pas par où commencer. Mais je n'ai pas le temps de dire grand-chose que Paloma me serre fort contre elle.

– Au revoir et bonne chance, chuchote-t-elle.

L'instant d'après, Chay me fait grimper sur le dos de Kachina, et lui et moi nous éloignons dans l'obscurité.

DIX-HUIT

On chemine un long moment au cœur de la nuit. Nos chevaux avancent avec précaution sur un sentier escarpé, guidés par la lune, les étoiles et pas grand-chose de plus.

Franchement limitée, notre conversation tient surtout à la prévenance de Chay : « Ça va ? Besoin de quelque chose ? »

Et aussi : « Allons, fais attention ! » les deux fois où je me suis assoupie et ai failli glisser de ma selle.

Et puis finalement, alors que l'aube commence à poindre et que le soleil entame sa lente ascension au-dessus des cimes, il me regarde et dit :

– On y est.

Je regarde tout autour de moi, les yeux si fatigués et troubles que je suis incapable de voir en quoi cet endroit est différent de tous ceux qu'on vient de traverser. On y trouve de la terre, des mauvaises herbes, des à-pics et des arbres dénudés. Il n'a rien de remarquable ou de spécial, c'est juste plus ou moins la même chose.

– Si on laissait les chevaux ici et qu'on te préparait ?

Je me renfrogne en me cramponnant à ma monture.

– Daire, c'est l'heure, dit-il d'une voix douce en me prenant gentiment les rênes des mains.

– Je veux pas y aller, je fais en me mordillant la lèvre, gênée de le dire comme ça d'une voix cassée, mais persistant quand même : je suis fatiguée et affamée et... et j'aime pas cet endroit. Je me sens pas en sécurité.

Je le supplie du regard, mais il reste impassible et me tend plutôt la main.

– Allez, viens.

Il me persuade gentiment de descendre à terre, puis me fait signe de marcher à son côté.

– Mieux vaut se dépêcher. Plus vite tu t'y mettras, plus vite tu pourras rentrer.

Il garde un ton léger presque enjoué, mais l'effet est plutôt raté. Chay est un homme bon et digne de confiance, un homme au tempérament amène et aux intentions nobles. Qualités qui font de lui un très mauvais menteur.

Lorsque le sentier se rétrécit, il passe devant pour me guider le long d'un col tortueux qui nous laisse tous deux hors d'haleine. Il s'arrête devant une vaste ouverture sombre qui s'apparente à l'entrée d'une grotte.

– Bon nombre de tes ancêtres ont effectué leur quête de visions ici, y compris Paloma quand elle avait ton âge, dit-il en se tournant vers moi. Comme tu le sais, Django n'est jamais arrivé jusque-là, autrement dit, cet endroit n'a pas servi depuis de nombreuses années.

– Comment pouvez-vous en être sûr ? je dis en regardant tour à tour Chay et la grotte. L'initiation de Paloma doit remonter à quoi ? Une quarantaine d'années ? Alors, comment pouvez-vous être aussi certain que personne n'est venu ici depuis ?

D'un signe de tête, Chay me montre le sol, poussant du bout de sa botte une substance blanche granuleuse qui forme une épaisse platebande le long de l'entrée, laquelle me rappelle la ligne blanche bordant le mur d'adobe et la clôture de protection contre les coyotes qui entourent la maison de Paloma.

– J'ai dit que l'endroit n'avait pas servi depuis des années, pas que personne ne s'en était occupé. Le sel assure sa protection, il permet de maintenir une énergie pure et les prédateurs à distance.

Les prédateurs.

Voilà un terme que j'aurais préféré ne pas entendre.

Je jette un coup d'œil aux abords de l'entrée, peu emballée par ce que je vois. Non que je voie grand-chose d'ailleurs, mais quand même, rien que d'imaginer la profondeur de cette grotte plongée dans le noir suffit à me ficher les jetons.

– Pas question que j'entre là-dedans, je décrète, même si on sait tous les deux qu'au final je le ferai.

Mais là, tout de suite, je ne suis pas prête. J'ai besoin d'un peu plus de persuasion, de quelques minutes supplémentaires pour rassembler mon courage.

Chay acquiesce et attend patiemment, tandis que je jette un nouveau coup d'œil à l'intérieur. Mais rien n'a changé : je ne distingue qu'une épaisse paroi noire.

– Il y a quoi, là-dedans ? je demande, présumant qu'il a déjà dû y faire un tour une ou deux fois.

– Ça, je l'ignore, répond-il en haussant les épaules. Seuls les Chasseurs sont autorisés à pénétrer dans ce lieu sacré. Je passe juste à l'occasion pour entretenir la bordure pour Paloma, c'est tout.

Je fronce les sourcils. Sa réponse est loin de me rassurer.

– Depuis combien de temps vous sortez ensemble ? je dis, consciente que je ne fais que gagner du temps, bien que cela m'intrigue un peu.

Chay se met à rire en se frottant le front.

– On dit encore « sortir » à notre âge ? s'étonne-t-il en riant de nouveau.

Puis il secoue la tête et me tend le petit baluchon noir que Paloma a préparé.

– Ne t'inquiète pas, Daire. Ça va bien se passer. Je t'assure.

Ma gorge se serre ; je n'en crois pas un mot, mais prends malgré tout une grande inspiration et enjambe l'épaisse ligne blanche.

– Je suis censée faire quoi ? je demande encore tout en inspectant ce qui m'entoure et en tâtant un mur étonnamment lisse.

Je vois Chay plisser les yeux d'un air songeur.

– Eh bien, ma propre expérience remonte à longtemps, mais…

– Attendez – vous avez vécu ça, vous aussi ? je l'interromps en revenant vers lui et en le dévisageant, incrédule. Vous êtes un Chasseur, alors ?

– Pas vraiment, non, admet-il en secouant la tête. Cela dit, le concept de la quête de visions n'est pas étranger aux miens, à savoir les Indiens d'Amérique.

Ses yeux se mettent à pétiller.

– Quand j'avais à peu près ton âge, j'étais tiraillé par des envies contradictoires concernant mon avenir et ne savais pas trop quelle voie suivre. Ma quête m'a aidé à prendre conscience que mon affection pour les animaux était bien plus qu'un simple passe-temps, que c'était une véritable vocation. Alors je me suis inscrit à l'école vétérinaire et je ne l'ai jamais regretté.

– Et combien de temps est-ce que vous avez dû crever de faim dans une grotte pour en arriver à cette conclusion ? je rétorque, aussitôt désolée de la tournure arrogante que prend ma question.

Ce n'est pas sa faute si je me retrouve ici. Pour autant, quand Paloma m'a annoncé que je devrais changer de régime alimentaire afin de me purifier, j'étais loin d'imaginer que ça signifiait jeûner recluse dans l'obscurité d'une grotte jusqu'à l'évanouissement.

– J'ai passé trois jours entiers dans la montagne, raconte-t-il, le regard dans le vague, emporté par un lointain souvenir.

L'expérience fut intense, elle m'a révélé beaucoup de choses, des prophéties. Certaines se sont réalisées, d'autres restent à venir, mais je n'oublierai jamais cette expérience. J'espère qu'il en sera de même pour toi. Allez, mieux vaut t'y mettre.

Je jette un coup d'œil derrière moi ; il fait si sombre dans la grotte que je n'arrive même pas à en distinguer le fond, ni rien d'autre à vrai dire.

– Garde ton calme, me conseille Chay. Trouve un endroit où t'asseoir tranquillement, et très vite tes yeux s'adapteront à l'obscurité pour que la lumière puisse te trouver.

Je fais volte-face vers lui. C'est exactement ce que Jennika me disait quand j'étais petite pour m'apprendre à me passer de veilleuse, gadget qu'elle trouvait horripilant. Exactement ce que je me suis dit quand j'ai suivi Vane dans cette ruelle déserte au Maroc. Dans les deux cas, ça a permis de dissiper mes craintes, alors, avec un peu de chance, ça fonctionnera aussi ici.

– La ligne blanche assurera ta protection et empêchera tout intrus d'approcher. Mais attention, Daire, tu es en sécurité tant que tu restes à l'intérieur. Si jamais tu sors, si tu es attirée hors de la grotte avant que le moment ne soit venu... tout peut arriver.

J'acquiesce en le regardant reconstituer la démarcation à l'aide d'une nouvelle poignée de sel.

– Tu peux y arriver.

Je me raccroche à ses paroles d'adieu, tandis qu'il disparaît au bout du sentier et me laisse seule affronter les ténèbres.

DIX-NEUF

Les orteils du bon côté – côté sûr – de l'épaisse bordure blanche, j'hésite à entrer dans la grotte. Mon cœur fait un bond lorsqu'un serpent à sonnette passe à côté de moi en ondulant sans me porter la moindre attention, et quelques secondes après, je suis stupéfaite de voir un scorpion en faire autant.

Bon, ça marche avec les reptiles et les insectes. Croisons les doigts pour que ça fonctionne aussi avec les bestioles plus grosses, du genre mammifères carnivores à sang chaud.

Ce n'est que lorsque le soleil est suffisamment levé, et comme suspendu au milieu du ciel, que je me risque à aller plus loin, constatant que les parois lisses de la grotte se rétrécissent et que son plafond s'affaisse progressivement avant de finalement se confondre avec le sol.

C'est loin d'être aussi grand que ce que je croyais.

Ni aussi effrayant, de fait.

C'est déjà ça. Et c'est toujours bon à prendre.

À première vue, l'endroit n'a rien d'extraordinaire. Cette grotte ressemble à toutes celles que j'ai pu voir à la télé ou au ciné, si ce n'est l'absence de bonshommes au mur illustrant des scènes de bataille ou de quelconques hiéroglyphes.

Mais en y regardant de plus près, je me rends compte que je me trompe. À l'extrémité du mur est griffonnée une série de mots qui, bizarrement, m'a échappé au premier coup d'œil. Une longue liste dressée par mes ancêtres.

Chacun a inscrit son nom et son prénom, accolés au dessin de l'animal qui fut son guide.

Valentina Santos est la première : son nom apparaît aussi haut qu'il soit possible d'écrire, griffonné à l'endroit où la paroi forme une courbe avec le plafond.

Le trait est décoloré, anguleux, et un raton laveur aux yeux sombres est dessiné avec force détails juste à côté.

Vient ensuite Esperanto Santos et, juste à côté de son nom, une grande chauve-souris noire.

Piann Santos avait pour guide un renard – au pelage roux, si j'en crois la couleur de craie qu'elle a utilisée. Alors que pour Mayra Santos, c'était un léopard ou un guépard – elle n'était pas très bonne dessinatrice, donc c'est difficile à dire.

Plusieurs noms s'ensuivent, Maria, Diego et Gabriella, dont les totems respectifs étaient un cheval, un singe et un écureuil. Et puis plus loin, vers le bas, je reconnais le trait énergique et tout en boucles de Paloma et constate qu'elle s'est donné beaucoup de mal pour graver avec minutie un loup blanc aux yeux bleus perçants.

Je recule un peu, la tête en arrière, frappée par l'ampleur de ce qui se trouve véritablement devant moi, à savoir *une famille.*

Ma famille.

Une longue lignée de Santos, d'hommes et de femmes, qui ont survécu (enfin, je présume) à cette épreuve qui vient tout juste de commencer pour moi.

Je crois que je suis tellement habituée à être une solitaire et à vivre seule avec Jennika qu'il ne m'est jamais venu à l'esprit qu'il puisse exister une tout autre facette de ma famille au-delà de ma mère célibataire excentrique, d'une photo en noir et blanc de mon père mort depuis longtemps, et de quelques anecdotes sur des grands-parents ayant péri bien avant que je sois en âge de me forger le moindre souvenir d'eux.

C'est énorme, bien plus que ce que j'imaginais.

Endurer des épreuves et réussir mon initiation, ce n'est rien à côté.

Je suis une Santos.

L'héritière d'une longue et riche lignée d'ancêtres.

Dont la vocation remonte à plusieurs siècles.

Et le moment est venu pour moi d'ajouter mon nom à la liste, de revendiquer la place qui me revient à leurs côtés.

J'attrape mon sac pour en sortir les bâtons de craie que Paloma a mis dedans et prends bien soin de laisser assez d'espace entre mon nom et le sien, afin de souligner le fait qu'il manque celui de Django. J'en ai déduit que c'était à ça que servaient les autres blancs plus haut, et je suis d'ailleurs soulagée de n'en compter que deux.

Pinçant les lèvres, je constate combien mon prénom fraîchement griffonné paraît curieusement seul, sans l'adjonction du nom « Santos ». Et pourtant, je ne me sens pas de l'ajouter tout de suite. Je n'ai jamais porté ce nom. Jennika et Django ne se sont jamais mariés, ils n'en ont pas eu l'occasion, donc on m'a toujours connue sous le nom de Daire Lyons, patronyme que je tiens de Jennika.

Je serre plus fermement la craie, commence à ajouter un S, mais avant même d'avoir terminé la courbe du bas, je m'arrête. Je ne peux écrire ni Lyons ni Santos. Pour l'instant, je suis simplement Daire, une fille à cheval sur deux filiations. Une qui m'a été attribuée, l'autre que je dois mériter.

Si je survis, je l'ajouterai. Sinon, alors je ne laisserai derrière moi qu'un prénom et le dessin d'un corbeau.

Non que quelqu'un s'aventurera ici après moi. Si je ne survis pas à cette épreuve, il n'y aura personne pour prendre la relève. D'après Paloma, la lignée s'arrête à moi.

Je prends mon temps pour dessiner le corbeau, lui ajouter des ailes pointues, un bec incurvé, une queue trapue, de longues serres acérées et des yeux pourpres luisants. Puis je recule pour admirer mon œuvre, en me disant qu'au moins cette fresque me tiendra compagnie.

Mes origines irlandaises rencontrent enfin mes origines hispaniques, et je suis curieuse de voir comment je vais concilier les deux.

J'envisage d'ajouter quelques gribouillis, histoire de passer le temps, mais c'est juste une idée comme ça et j'y renonce très vite. J'ai le sentiment que ce serait mal, presque irrespectueux. Comme a dit Chay, c'est un lieu sacré. Le moindre motif sans rapport avec le sujet équivaudrait à un graffiti.

Je me relève et effectue un nouveau tour de piste à la recherche d'un détail qui aurait pu m'échapper la première fois. Mais en fin de compte, je ne fais que tourner en rond. Hormis la longue liste de noms, il n'y a pas grand-chose à voir. Alors, après avoir effectué une série d'étirements suivie de quelques postures de yoga qu'un coiffeur de studio m'a un jour apprises, et jeté un rapide coup d'œil dehors sans rien remarquer de particulier, je vais m'affaler par terre au beau milieu de la grotte, en décidant de suivre les conseils de Chay : rester tranquillement assise sans bouger, en attendant qu'il se passe quelque chose, une révélation déterminante pour l'avenir, par exemple.

Mais au bout d'à peine quelques minutes de concentration, je suis de nouveau affamée, je m'agite et m'ennuie ferme. Méditer n'est pas mon fort, pas plus que de rester assise sans bouger, à moins d'avoir un bon bouquin entre les mains. Alors j'attrape le petit sac noir, le retourne à l'envers et vide son contenu par terre. Au menu, la petite boîte d'allumettes, la fine bougie blanche, le foulard rouge, les trois morceaux de craie, un petit bocal de gros sel blanc du même genre que celui qui constitue la démarcation, le petit hochet en cuir brut, ainsi qu'un petit mot soigneusement plié. Je vérifie encore le fond du sac, le retourne entièrement, le secoue bien fort, mais visiblement, c'est tout ce qu'il contient.

Il n'y a rien à boire.

Rien à manger.

Il faut croire que Paloma ne plaisantait pas au sujet de la purification par le jeûne.

Espérant y trouver quelques conseils avisés, je déplie le mot et le lis :

Ma chère nieta,

Les consignes sont simples et peu nombreuses :

Ne quitte pas la grotte avant l'heure.

Ne t'aventure sous aucun prétexte au-delà de la ligne blanche tant que tu n'es pas sûre et certaine que c'est la meilleure chose à faire.

Utilise ton matériel avec parcimonie, il doit te permettre de tenir jusqu'à la fin de ta quête.

Recherche la vérité.

Recherche la lumière.

Libère-toi des anciens principes auxquels tu es attachée, ainsi que de tes vieilles croyances et de tes préjugés, afin de t'ouvrir à des perspectives dont tu as grand besoin.

Reste calme, ne gaspille pas ton énergie et fais de ton mieux pour entrer en synergie avec la montagne.

Lorsque cette dernière t'aura acceptée, qu'elle aura approuvé ta présence, tu le sauras.

Mais sois prudente, car la montagne est trompeuse : elle exige de toi que tu distingues le vrai du faux, la réalité derrière le mirage.

Fais appel au corbeau, si besoin est, il sera toujours là pour te guider.

Fais appel à tes ancêtres aussi, il te suffit de secouer le hochet pour les prévenir.

Mais surtout, ne t'aventure en aucun cas dehors tant que tu n'es pas entièrement certaine que le moment soit venu.
Bonne chance.
Reviens vite.

Paloma

Mon regard oscille entre le mot et la ligne blanche un peu plus loin. Si j'en crois ce que je viens de lire ainsi que les précédentes mises en garde de Chay, ils ne plaisantent pas sur le fait que je ne doive pas bouger tant que ce n'est pas l'heure de repartir.

Mais j'ai beau tenter une nouvelle séance de méditation, ça ne sert à rien. Je n'arrive pas à faire le vide dans ma tête. Ni à faire taire mon estomac qui crie famine. Alors, je prends appui contre le mur qui porte le nom de tous mes ancêtres, dans l'espoir de me sentir un peu moins seule, et en me rappelant que je ne suis guère la première à endurer cette épreuve. Parcourant la liste des yeux, je leur demande conseil tout en secouant le hochet. Ce qui me fait un peu bizarre – mais remarquez que dans le genre bizarre, tout est relatif ici – et quand j'arrive à la fin de la liste, j'invoque aussi le corbeau.

Ensuite, j'attends.

L'estomac complètement noué, je saisis ma petite bourse en peau de daim et la serre doucement entre mes doigts en murmurant :

– S'il te plaît, corbeau, aide-moi à réussir. Montre-moi ce que je dois savoir. Mets-moi à l'épreuve. Et aide-moi à faire tout ce qu'il faut pour survivre.

À peine ai-je prononcé le dernier mot que mes paupières commencent à s'affaisser et deviennent si lourdes que je n'arrive plus à les relever. Quelques secondes après, je m'écroule de sommeil.

Vingt

Je suis fatiguée.

J'ai faim, j'ai soif.

Je suis frigorifiée et je me sens terriblement seule.

Terrifiée par la farandole de danseurs fantômes qui s'agglutinent autour de moi, narguée, raillée, tourmentée, harcelée par leurs silhouettes blafardes qui font tout pour me pousser vers la sortie et me donner envie de quitter les ténèbres de cette grotte, ce dont je me laisse vite convaincre.

Je n'ai jamais voulu être une Chasseuse.

Je n'ai jamais recherché la fortune ou la gloire.

Je suis plus Lyons que Santos, je n'ai pas l'étoffe d'une héroïne.

Tout ce que je voulais, moi, c'était être une fille normale vivant une vie normale dans l'ignorance la plus totale, débarrassée de ces visions d'horreur et de toutes ces créatures des ténèbres.

Je me recroqueville contre le mur, un bras plaqué contre mon ventre pour essayer en vain d'enrayer les douleurs qui font rage à l'intérieur, tandis que l'autre s'agrippe à ma gorge si sèche et irritée que ma langue semble trop grosse, comme si elle ne tenait plus dans ma bouche. Bien décidée à ignorer cette bande de démons et de brutes ignobles qui font la ronde autour de moi, je finis par me relever tant bien que mal, pressée de m'enfuir.

D'un geste maladroit et précipité, je prends appui contre le mur pour me remettre d'aplomb, tandis qu'une constellation d'étoiles scintillantes virevolte devant moi. Mes doigts appuyés sur le fauve de Mayra glissent sur le singe de Diego, l'irréductible vibration de leur énergie prouvant que je n'ai pas ma place parmi eux et que je ne suis pas digne de leur succéder ou de revendiquer leur nom.

Autant arrêter les frais, m'excuser auprès de Paloma et plier bagage.

Hissant mon sac sur l'épaule, je dis adieu aux démons. Mais alors que je m'apprête à franchir la ligne, un superbe garçon aux cheveux bruns me bloque l'issue, ses yeux bleu glacier rivés sur moi reflétant ma triste et piteuse figure à l'infini.

– Tu sais que tu n'as pas le droit, n'est-ce pas ? Tu ne dois pas partir avant l'heure.

Son ton est brusque, mais temporisé par la bonté qui éclaire son regard.

– Tu dois aller jusqu'au bout et tenir le coup. Ils comptent sur toi.

Agacée, je roule des yeux et ronchonne tout bas en me disant que ce garçon n'existe pas, ce n'est que du vent, le fruit de mes fantasmes et d'une imagination délirante.

Il n'a pas d'emprise sur moi.

– On est différents des autres, toi et moi, affirme-t-il, s'évertuant à me convaincre. On n'a pas le choix. Notre voie est tracée d'avance. À nous de la suivre et d'être à la hauteur de la tâche.

Je le toise de pied en cap, commençant par ses chaussures noires, puis parcourant furtivement ses longues jambes, l'élégant V que forme son buste jusqu'à ses larges épaules. Je dévore le moindre centimètre carré de sa peau avant de revenir à ses yeux et prends alors conscience que je ne demande pas mieux que de rester là le plus longtemps possible, absorbée dans son regard. Ses paroles tournent en boucle dans ma tête jusqu'à ce que je réagisse enfin :

– Comment ça, « on » ? Tu es un Chasseur, toi aussi ?

Il se frotte le menton et s'empresse de détourner les yeux.

– Toi et moi sommes les derniers descendants de nos lignées, ajoute-t-il en éludant ma question.

Je me renfrogne, me force à regarder ailleurs et arrête finalement mon regard sur les démons qui continuent de siffler dans mon dos. Ce garçon ne sait rien de moi, il ignore tout du défi auquel je suis confrontée. Je ferais bien mieux, pour moi comme pour tout le monde, d'accepter ma défaite et de rentrer.

Chez moi.

Où que ce soit.

Et puis, si ça n'est qu'un rêve comme je le crois, au fond, qu'est-ce que ça change ? Qu'est-ce que ça peut lui faire si je craque ?

J'inspire un bon coup. Le dépasse en le bousculant, le bout du pied frôlant la ligne blanche qui marque l'entrée, lorsqu'il plante ses yeux dans les miens et me barre de nouveau le passage.

– Ce n'est qu'un rêve ! je m'écrie totalement frustrée. Tu n'es qu'une illusion, un fantasme, exactement comme eux ! je dis en désignant les démons. Alors, rends-nous tous les deux service et laisse-moi sortir d'ici.

Il secoue lentement la tête en baissant les yeux, et en voyant sa mine subitement bouleversée, j'ai juste envie de retirer tout ce que je viens de dire, ne serait-ce que pour le voir sourire à nouveau.

– Je ne peux pas te laisser faire, dit-il. Tout ce qui se passe ici, que ce soit à l'état de rêve ou de conscience, fait partie intégrante de l'épreuve. Le moindre de tes actes est lourd de conséquences. Tu dois distinguer l'illusion de la réalité. C'est le seul chemin du succès.

– C'est toi, l'illusion ! je fulmine en essayant coûte que coûte de le contourner pour fuir. Tout ça n'est qu'un mirage ! Je veux juste être libre, pourquoi m'en empêcher ?

Il coupe court à ma tirade en posant un doigt sous mon menton et incline mon visage vers lui en me pressant d'approcher. Nos lèvres s'effleurent dans un premier baiser timide et mal assuré, mais bientôt il se fait plus intense, animé d'une promesse tacite, débordant d'espoir.

Aucun doute, ce baiser est réel.

Sa main glisse sur mon épaule, descend sur ma gorge, mon buste, contournant la petite bourse en peau près de mon cœur en disant :

– C'est exactement ce qu'ils veulent, ils n'attendent que ça, te voir rendre les armes.

Le regard intense, il me met en garde d'une voix douce :

– Ne les laisse pas gagner.

Attirée comme par un aimant, je me blottis contre lui, car je ne supporte pas le moindre centimètre entre nous. Mais ses mains qui agrippent mes épaules m'empêchent d'approcher plus, me forcent à reculer et repasser largement derrière la ligne blanche, jusqu'à ce qu'un large trou béant s'ouvre entre nous.

– Tu dois rester jusqu'à la fin. Vivre cette expérience jusqu'au bout. Ce n'est qu'une illusion, excepté ça…

Il se penche au-dessus de la bordure et m'embrasse encore, d'un baiser léger, fugitif, mais qui me laisse tout aussi fébrile.

Mon regard se perd dans l'obscurité, tandis que ses mots s'attardent sur le lieu de notre étreinte :

– On compte tous sur toi…

VINGT ET UN

Je me réveille de nouveau.

Pour la seconde fois. À moins que ce ne soit la troisième ? Je ne sais plus.

Le temps est impalpable, fugace, le jour laisse place à la nuit et la nuit se fait jour. Un insondable jeu d'ombres et de lumières finit par s'estomper derrière un feu d'artifice d'images provocantes, trompeuses et captivantes, jusqu'à ce que je ne sache plus différencier le vrai du faux.

Ni distinguer le rêve de la réalité, le bien du mal.

La seule certitude qu'il me reste, c'est que la grotte est à présent aussi sombre que glaciale, mais je suis trop affaiblie par la faim et la soif pour allumer la bougie ou faire quoi que ce soit pour m'apaiser.

Je me colle au mur, cherchant du bout des doigts mes ancêtres, lisant leurs noms comme du braille. Je me remémore ce que Paloma a écrit dans son mot, comme quoi je dois apprendre à voir la réalité qui se cache derrière le mirage, à m'orienter dans les ténèbres en écoutant mon cœur, mais je sais que je n'y parviendrai pas seule. J'ai besoin de leur aide.

Je me cramponne à ma petite bourse en cherchant un quelconque réconfort dans le contour dur et rond du bec du corbeau, mais ma détermination est si entamée que franchir la ligne blanche avant l'heure me paraît être un bien faible prix à payer pour une récompense aussi grande.

Je me relève en trébuchant, ma démarche si raide et hésitante que, d'un coup de pied involontaire, j'envoie valser le hochet dont les petites perles se mettent à vriller dans tous les sens pendant que je m'avance vers la sortie, impatiente de m'évader. Pressée de me libérer des ténèbres et du froid, de cette quête initiatique, de dire adieu à tout ça… Quand soudain quelqu'un tire d'un coup sec sur mon bras pour me ramener en arrière, et lorsque je me retourne, je découvre Valentina qui se tient derrière moi.

Je la reconnais au totem qui l'accompagne, un raton laveur aux yeux noirs, dressé sur ses pattes arrière, la tête rentrée dans les épaules. Laissant apparaître ses dents pointues, il fait les cent pas en prenant soin de ne jamais trop s'approcher de la ligne qui délimite l'entrée de la grotte.

Valentina est jeune et jolie. Avec ses longs cheveux bruns, ses yeux marron pétillants et ses pieds nus, elle me rappelle Paloma telle qu'elle devait être à son âge. Valentina m'agrippe fermement le bras en m'attirant vers elle. Elle me murmure un flot de paroles incompréhensibles, bien que le message soit clair : interdiction d'aller plus loin. Je ne dois pas bouger de là et rester coûte que coûte auprès d'elle.

Si au moins elle avait apporté de quoi manger et boire, ou ne serait-ce qu'une petite couverture, de quoi me réchauffer, je pourrais changer d'avis. Mais comme elle est venue les mains vides, ses arguments ne font pas le poids face à l'urgence qui m'anime.

D'un geste brusque, je me libère de sa poigne et repars vers la sortie, obsédée par l'épaisse ligne blanche et la liberté qui apparaît indistinctement derrière elle. Au fond, je me dis qu'il n'y a pas de honte à échouer, il n'y a pas de mal à rejeter ce monde. Leurs pratiques sont barbares, trop primitives pour fonctionner dans cette époque moderne.

À seulement un pas de tout ce dont j'ai tant besoin, une autre voix se fait entendre derrière moi :

– *Daire... ma petite chérie, tu ne veux pas le faire pour moi ?*

C'est Django.

Le Django de la photo en noir et blanc que je garde dans mon portefeuille.

Et tout comme Valentina, il est accompagné de son animal totem, un énorme grizzli qui grogne férocement en marchant de long en large derrière moi.

Un pas... rien qu'un pas, et je pourrais tourner le dos à tout ça. Rien ne m'oblige à finir comme lui et à mourir avant l'âge. Maintenant que je sais à qui j'ai affaire, je me débrouillerai pour être plus maligne qu'eux ; mais pour l'heure, j'ai juste besoin d'un peu de répit...

Pardon, Django.

Pardon, Valentina.

J'ai vraiment essayé, je vous assure. Mais je ne veux pas de cette vie.

Plus qu'un pas, ou plutôt une grande enjambée d'ailleurs, et à moi la liberté.

Alors que je lève le pied pour enjamber la ligne, le garçon réapparaît devant moi, la mine accablée et les bras levés en signe d'avertissement, tandis que Valentina pousse un cri à vous glacer le sang et que Django, juste derrière moi, m'incite d'un ton grave à reconsidérer la question, à ouvrir les yeux et réfléchir en faisant abstraction des apparences, de la faim et de mes besoins immédiats, et à écouter plutôt mon cœur afin de distinguer le rêve de la réalité.

Fixant le garçon et ses yeux bleu vif, je vois mon reflet débraillé revêtir une apparence lumineuse, rayonnante.

La promesse de celle que je peux être.

Celle que je deviendrai.

Mais uniquement si je mène cette quête à bonne fin.

J'avance quand même le pied, fatiguée d'être dominée par ces hallucinations et ces rêves, prête à franchir la ligne une bonne fois pour toutes et à balayer la lueur d'espoir dans ses yeux, quand soudain je sursaute en sentant ma petite bourse tambouriner contre ma poitrine.

Je vacille en arrière, loin du garçon et de Valentina qui continue de hurler à la mort, alors que Django se précipite pour me rattraper dans ses bras. Son regard sombre et pénétrant m'emplit de tout l'amour et le dévouement paternel dont j'ai manqué durant toutes ces années. L'instant s'éternise, s'intensifie et fait jaillir en moi un élan d'espoir immense, sublime, brusquement interrompu par une violente rafale d'air chaud, et un effroyable mugissement du vent qui se lève dans un déluge de plumes noires, pour annoncer l'arrivée d'un gigantesque corbeau aux yeux pourpres qui descend en piqué du ciel.

Je me débats.

Je hurle.

Je gesticule comme une folle pour tenter de me libérer.

Mais en vain. Django est trop fort. Et quand Valentina le rejoint et s'empare de mes pieds, la lutte devient désespérée.

Travaillant de concert contre moi, ils laissent le corbeau transpercer ma chair à coups de bec et me briser tous les os. Il m'arrache les entrailles, les organes, le cœur avant de me mettre littéralement en pièces.

Les autres esprits animaux ne tardent pas à se mettre de la partie. Le raton laveur de Valentina, la chauve-souris d'Esperanto, le cheval de Maria, le singe de Diego, le fauve de Mayra, l'écureuil de Gabriella, le renard roux de Piann, ainsi qu'un énorme jaguar déchaîné que je soupçonne d'appartenir à mon grand-père Alejandro. Même le loup blanc aux yeux bleus de Paloma est là ; et tous sont accompagnés de mes ancêtres. Plusieurs générations de Santos forment un cercle autour de moi et me regardent avec une morne fascination, tandis que je me fais déchiqueter.

J'ai beau supplier, crier et exiger qu'ils arrêtent, mes appels restent sans réponse. Le garçon disparaît, et ceux qui restent choisissent délibérément de m'ignorer.

Très vite, je me sens partir. Mon corps n'est plus qu'un tas de miettes qui jonchent le sol. Mes forces diminuent et s'étiolent, tandis qu'un ruisseau de sang imprègne la terre et s'y mêle pour ne faire qu'un avec la montagne.

Mon énergie s'allie à la sienne, jusqu'à ce que le peu qu'il reste de moi, mon âme, mon esprit, mon essence, soit gratifié du chant sacré de la montagne :

Fidèle et solide,
Éternelle, immuable,
Tu trouves en moi refuge et réconfort,
Force et lucidité,
Fie-toi à moi lorsque tu t'égares, je saurai te guider.

Ces paroles continuent de tourbillonner autour de moi, mais c'est trop tard, ça ne sert plus à rien.

Je ne suis plus qu'une petite volute d'énergie.

Aux yeux du monde, je suis déjà morte.

Vingt-deux

Un chatouillement léger mais insistant m'effleure le nez, tapote doucement sur sa pointe, glisse sur mes lèvres puis sous mon menton, jusqu'à ce que d'un geste vif je porte la main à mon cou, ouvre un œil et découvre à travers une fente de lumière crue une plume noire, celle d'un corbeau.

D'instinct je devine qu'elle appartient à *mon* corbeau, celui qui m'a mise en lambeaux, alors je me relève d'un bond en jetant des regards nerveux autour de moi, le cœur tambourinant au souvenir de l'effroyable dépècement qui embrase mon esprit.

J'ai mené une guerre.

Un combat que j'étais certaine d'avoir perdu.

Et pourtant, le seul élément qui détonne, la seule chose qui n'était pas là dès le début, c'est cette plume noire issue de la tempête qui a fait rage dans cette grotte.

Ma jambe est totalement remise, mon plâtre a disparu.

Quant à la bordure blanche, elle est toujours là, intacte, et mon petit sac noir est soigneusement calé contre la paroi dans un coin, exactement dans la position où je l'ai laissé. Et au centre, là où les esprits animaux m'ont arraché le cœur et démembrée, rien n'a changé, l'endroit est tel qu'à mon arrivée.

Pas une goutte de sang.

Pas un seul lambeau de chair ou de peau.

Pas même un fragment d'os.

Rien qui sorte de l'ordinaire, et pourtant je sais que je n'ai pas rêvé. Cette bataille a bien eu lieu, ça ne fait aucun doute dans mon esprit.

Je revis.

Je renais.

En faisant fusionner mon énergie avec celle de la Terre, j'ai été ressuscitée par un déferlement de forces tel que je n'en ai jamais connu, dont je ne soupçonnais même pas l'existence.

Mes compagnons de quête, ma famille, les Santos, ont accepté que je sois réduite en miettes afin que je puisse me reconstruire. Et grâce à ça, je suis maintenant une autre, plus grande et plus forte que je ne l'aurais jamais imaginé.

J'ai obtenu leur approbation, leur confiance.

Le droit de porter leur nom.

Et comme le chant de la montagne résonne encore dans ma mémoire, je comprends qu'elle aussi m'a acceptée. Mon expérience dans cette grotte touche à sa fin. Il est temps de partir.

Je fouille dans mon sac, trouve un morceau de craie, et ajoute le nom « Santos » juste à côté de « Daire ». Et puis juste au-dessus je comble l'espace vierge des mots « Django Santos », en prenant le temps de faire figurer le dessin d'un ours, l'animal totem qu'il n'a jamais eu la chance de reconnaître pour sien.

Mon père a peut-être manqué sa vocation, mais son esprit continue à vivre et il m'a aidée à embrasser la mienne. Sans lui, jamais je n'aurais survécu.

Passant la main dans mes cheveux, je constate avec étonnement que ma natte est plus ou moins intacte, mais vu que ça fait des jours que je suis ici, je suis presque certaine d'avoir le cuir chevelu tout gras. Comme je n'ai aucun moyen d'y remédier dans l'immédiat, je me couvre le crâne à l'aide du foulard rouge que Paloma a mis dans le sac. Je fais un nœud bien serré sur ma nuque, tout en me demandant si c'était l'usage qu'elle en avait prévu, quand elle a jugé bon de l'ajouter à son inventaire.

Puis, après avoir balancé mon sac sur mon épaule et fourré la plume dans ma bourse, consciente que c'est un talisman de plus, un présent du vent dont je ne dois jamais me séparer, je me dirige vers la ligne blanche. Je n'ai aucun moyen de savoir si le garçon s'est vraiment tenu là, de l'autre côté de la bordure, ou si la scène s'est uniquement jouée dans ma tête ; mais peu importe, n'y pensons plus. Tout ce qui compte à présent c'est que j'ai obtenu ce pour quoi j'étais venue, j'ai survécu à cette épreuve. Le reste, ce ne sont que des détails.

Je m'arrête un instant, prends le temps de parcourir une dernière fois la grotte du regard, car je sais que je n'y remettrai plus jamais les pieds, puis je sors de l'obscurité et m'avance dans la lumière du jour, prête à tout, quel que soit ce qui m'attend.

VINGT-TROIS

Je repars par le même chemin qu'à l'aller, et en arrivant au bas du sentier, je ne suis absolument pas surprise de voir que Kachina m'attend, une selle sur le dos.

Ce qui m'étonne, en revanche, c'est que contrairement à ce que j'aurais imaginé, je ne me précipite pas pour rentrer.

Au lieu de ça, j'y vais tranquillement. Sans me presser. J'ai envie de prendre mon temps, de prolonger cette expérience, de me raccrocher le plus longtemps possible à la magie de la montagne. De temps à autre, je m'arrête pour laisser Kachina brouter un peu et s'abreuver à un ruisseau d'eau vive et fraîche, pendant que je pars flâner au milieu d'un bosquet de peupliers de Virginie, de genévriers et de pins à pignons, en communiant avec une variété d'oiseaux qui se présentent comme étant des hirondelles noires et des faucons à queue rouge. Enthousiaste, je teste les nouveaux pouvoirs que j'ai acquis, de plus en plus ébahie par la magie que je détiens.

Au moment où je croise un prosopis grouillant d'abeilles, au lieu de l'éviter comme je l'aurais fait en temps normal, je m'avance juste en dessous. Fredonnant tout bas le chant de la montagne, j'agite doucement les deux plus basses branches, ce qui a pour effet de faire affluer tout un essaim d'abeilles excitées autour de moi, bien que pas une seule d'entre elles n'essaie de me piquer.

Puis peu après, en tombant sur un nid de scorpions, j'envoie valser mes chaussures et marche au beau milieu. Je continue de fredonner l'air que la montagne m'a appris et constate sans surprise que les scorpions n'ont que faire de moi.

Et bien que j'ignore totalement comment rentrer chez Paloma, Kachina et moi sommes désormais liées comme jamais. Notre compréhension mutuelle est innée. Nous avons découvert un nouveau moyen de communiquer, grâce auquel j'ai la certitude qu'elle me conduira là où je dois être.

Notre voyage se poursuit, Kachina avançant avec précaution à travers bois tandis que je continue de converser intimement avec tout ce qui m'entoure. Débordant d'énergie, les plantes, les ruisseaux, les montagnes et le vent me révèlent avec empressement leurs secrets.

Paloma avait raison. Tout est vibrant d'énergie, de lumière, de vie. Et maintenant que j'ai pris conscience de cette réalité, que je me suis unifiée aux forces de la nature, je n'arrive pas à concevoir comment j'ai pu vivre sans auparavant.

Accompagnant le claquement de ma langue d'un petit coup de talon sur son flanc, je pousse Kachina à accélérer toujours plus, jusqu'à ce qu'elle se mette à galoper la crinière au vent, les oreilles dressées, la queue bruissant dans son sillage, tandis que ses sabots martèlent le sol. Je ferme les yeux, lâche les rênes et joins les mains sur ma petite bourse, laissant mon corps osciller librement de haut en bas, tandis que j'ouvre grande la bouche pour chanter à tue-tête le chant de la montagne.

Et alors, je découvre que même le vent a son propre chant :

Nuageux et clair,
Orageux et ensoleillé,
Je suis le chaos et le silence qui occupe tes pensées,

Je suis le gardien du monde, vigilant et infaillible,
Fie-toi à moi lorsque le doute t'assaille.

Fonçant sur mon cheval, endurcie par l'épreuve et portée par le chant harmonieux des éléments, jamais je ne me suis sentie aussi libre, aussi forte, aussi vivante. Mais alors que les chants s'enchaînent les uns après les autres et que ma voix continue de s'élever toujours plus haut, soudain Kachina vire brusquement à droite, et se penche d'une façon totalement inattendue.

Je perds l'équilibre. Glisse complètement de travers sur la selle. Ahurie, je tâtonne comme une folle pour me rattraper au pommeau, aux rênes, à sa crinière – n'importe quoi, pourvu que j'arrive à me redresser.

Après s'être immobilisée en dérapant, elle se cabre et s'ébroue en signe de protestation, battant l'air de ses pattes antérieures. Et je suis tellement occupée à lutter pour ne pas dégringoler de la selle que je mets quelques secondes avant d'apercevoir la cause de son affolement : un gros quatre-quatre noir rutilant plein d'ados.

Les filles éclatent de rire – un ricanement affreux. Alors que les garçons me dévisagent tous, les yeux écarquillés, l'air hésitant, ne sachant pas trop comment réagir.

Je tire d'un coup sec sur les rênes pour essayer de les contourner. Je viens juste de m'écarter de l'arrière du véhicule, quand le conducteur en surgit et vient se planter devant moi en soulevant ses lunettes de soleil pour les poser sur son front.

– Tout va bien ?

Son regard bleu glacier se pose sur moi, mais, exactement comme dans mes rêves, aucune image ne s'y reflète.

Ma gorge se serre. J'essaie de manœuvrer pour l'éviter. En vain. Il me suit partout. Où que j'aille, il surgit devant moi, à tel point que je finis par crier de frustration.

– Va-t'en ! je lui balance rageusement, estimant inutile de perdre mon temps en fausses politesses.

– Je m'en irai quand je serai sûr que tu vas bien, réplique-t-il en tentant d'attraper la bride de Kachina.

Mais comme elle est de mon côté, elle relève brusquement le museau pour l'esquiver.

– Ton cheval a eu une belle frayeur, et j'ai peur que ce soit ma faute. Je n'aurais probablement pas dû me garer en travers du sentier comme ça. Tu es sûre que ça va ? insiste-t-il en affichant une inquiétude trompeuse.

Je râle à voix basse et détourne les yeux. Pas question que je lui réponde, j'en ai déjà assez dit.

– Allez, quoi... Mets-moi sur la voie au moins ! Réponds-moi juste par oui ou par non, ça suffira. C'est plus fort que moi, je m'inquiète pour toi, sourit-il, pas du tout découragé de voir que je refuse d'entrer dans son jeu. Chaque fois que je te croise, on dirait que tu as des ennuis, et je dois avouer que le côté damoiselle en détresse me fait complètement craquer. La faute aux films de Disney et aux contes de fées à mon avis, t'es pas d'accord ?

– Je n'ai pas besoin d'aide. Je me débrouille très bien toute seule, je rétorque sèchement en le fixant droit dans les yeux.

Son regard se fait plus intense, l'étendue mate de ses iris laissant apparaître un vide insondable totalement envoûtant – ou presque.

– Aïe, dur ! Dis-moi, tu sais torturer les hommes, toi, pas vrai ?

Il me lance un regard blessé que je ne gobe pas une seconde.

– Est-ce qu'il n'y aurait pas moyen d'oublier tout ça et de te convaincre de me donner une chance ?

Levant les yeux au ciel, je tire sur les rênes, prête à m'en aller, quand il tente une fois de plus d'attraper la bride de

Kachina ; alors, je plante un coup de talon si violent dans son flanc qu'elle finit par lui foncer droit dessus.

C'est seulement après qu'il a fait un bond de côté en l'évitant de justesse que je réalise que j'ai bien failli le tuer, ou tout au moins sérieusement l'estropier. Et cette prise de conscience me plonge dans l'incertitude.

Suis-je vraiment capable de distinguer le rêve de la réalité ?

De déceler la vérité qui se cache derrière le mirage ?

Chaque fois que je le croise, il se montre mielleux mais charmant. La seule fois qu'il s'est révélé malveillant, c'est dans mes périodes les plus sombres… et durant mon sommeil.

On échange un dernier regard, le mien horrifié, le sien ténébreux et impassible.

Et c'est ainsi que je le quitte.

Kachina et moi reprenons le sentier d'assaut aussi vite que possible, sans pour autant que j'arrive à me défaire de ce doute accablant qui me poursuit pendant tout le chemin du retour.

LE CHANT DU CORBEAU

Vingt-quatre

Chay se gare au bord du trottoir, devant un grand bâtiment à deux étages qui, en dépit de ses efforts pour imiter le style adobe très en vogue dans le coin, n'est rien de plus qu'un bloc de béton flanqué d'une façade de grès et protégé par une grande grille de fer. Un homme renfrogné monte la garde près d'un grand panneau peint d'un dessin humoristique représentant un magicien, qui annonce la couleur : Lycée Milagro – Patrie des mages.

Le lycée Milagro.

Alias la cour des Miracles.

De toute évidence, il porte aussi mal son nom que la ville où il se trouve.

La mine sombre, j'essaie de respirer profondément pour me stimuler, mais ça ne fait qu'accroître mon malaise. Pourtant, je me dis que si j'ai réussi à sortir indemne et même plus forte d'un dépècement intégral dans une grotte, je peux sûrement survivre à un premier jour de rentrée en classe de première dans un lycée aux allures de pénitencier.

Mais il n'y a rien à faire. En dépit de tous mes efforts, ce petit discours d'encouragement est un échec complet. Cette journée reste synonyme de grosse déception à plus d'un titre.

Après être ressortie triomphante de la grotte, j'étais impatiente d'affronter la suite de mon destin, excitée par ce monde tout nouveau qui s'ouvrait à moi, persuadée qu'être une Chasseuse serait bien plus héroïque que d'être lycéenne. Mais j'ai eu beau vanter les mérites des cyberécoles en expliquant que ce type d'enseignement avait amélioré mon vocabulaire et fait de moi un as des maths, Paloma n'a rien voulu savoir. D'après elle, maintenant que j'ai réussi la première étape de mon initiation et fait la lumière sur mon avenir, il est impératif que je m'intègre à la communauté, ce qui, malheureusement pour moi, implique d'aller au lycée.

– Ils ont besoin de toi, *nieta*, a-t-elle affirmé en me fixant dans les yeux. Ils ne le savent pas encore, mais c'est le cas, je t'assure. Toi seule réussiras à maintenir l'équilibre dans la communauté. Personne d'autre n'a tes facultés.

– Mais et toi ? je me suis inquiétée en la voyant se retourner pour essayer de dissimuler le mouchoir plein de sang qu'elle serrait entre ses doigts.

– Mes pouvoirs sont en train de s'affaiblir.

Son regard s'est perdu dans le vague, très loin.

– Il n'aurait jamais dû en être ainsi, les parents sont censés œuvrer en tandem avec leur enfant. Mais j'ai essayé pendant si longtemps de compenser à moi seule la mort de Django que malheureusement ça a sérieusement ébranlé mes forces. Alors maintenant, je dois me raccrocher au peu qu'il me reste afin de te les transmettre. Bientôt, tu seras plus puissante que tous les autres Chasseurs qui t'ont précédée. Sois sans crainte, *nieta*, tu es tout à fait prête pour ça.

Elle s'est retournée vers moi, et à son expression j'ai compris que le débat était clos.

La décision fut prise en dépit de toutes mes protestations, et voilà pourquoi je me retrouve à présent cramponnée à la portière du pick-up de Chay, à toiser mon nouveau lycée par un mercredi matin morose, ce que je trouve d'ailleurs parfaitement ridicule : quelle idée de programmer la rentrée en plein milieu de semaine !

– C'est mieux comme ça, explique Paloma, curieusement toujours aussi douée pour lire dans mes pensées.

Elle tapote mon genou en ajoutant :

– Tu vas profiter des jours qui viennent pour t'adapter, prendre tes marques et lier un peu connaissance, et d'ici lundi, tu seras prête à affronter une semaine entière de cours ainsi que toutes celles à venir.

Mais malgré ses encouragements, je ne peux m'empêcher d'être déçue. J'avais placé de grands espoirs dans cette école. C'est la première à laquelle je vais de toute ma vie, et j'espérais qu'elle serait plus jolie, plus accueillante. Qu'elle ressemblerait davantage aux lycées chics qu'on voit dans les séries télé, et moins au bâtiment lugubre et austère qui me fait face.

– N'oublie pas ce que je t'ai dit, *nieta*.

Nerveuse, je passe la langue sur mes lèvres et tourne les yeux vers elle.

– Cade sera là, alors tiens-toi sur tes gardes. Ne le laisse pas t'intimider. Ni te manipuler. Et surtout, ne va pas encore douter de sa véritable nature. Depuis le début, tes impressions à son égard sont exactes. C'est un puissant sorcier : tout son clan, les Richter, alias les Coyotes, est maître dans l'art de la manipulation mentale. Contrôler la perception des gens est précisément ce qui leur a permis de résister si longtemps. C'est une aptitude que les Chasseurs doivent encore acquérir, et qu'ils ont surmontée à force de résistance acharnée. Quoique, même si nous percions un jour leur secret, jamais nous n'en ferions le même usage. Eux ont choisi d'agir dans l'ombre alors que toi, ma *nieta*, tu es une Santos, une Chasseuse, et nous, quoi qu'il arrive, nous restons toujours ancrés dans la lumière. Tu es prête à l'affronter, n'en doute pas une seconde. Autrement, tu ne serais pas là, alors n'aie crainte.

Je déglutis nerveusement. Pose la paume sur la vitre. Paloma a beau dire, je ne me sens pas, mais alors pas prête du tout.

Mon ventre est un vrai paquet de nerfs, et pourtant j'ai on ne peut plus conscience que ça ne sert à rien de lutter. Paloma a raison. Il est temps de prendre le taureau par les cornes et d'affronter mon destin.

J'ouvre la portière et descends du pick-up en glissant de la banquette. Je fais de mon mieux pour étouffer mes peurs, mais je suis presque sûre que personne n'est dupe.

– Je repasserai te chercher à 15 heures, lance Chay. On se retrouve ici.

C'est gentil de sa part de le proposer, mais je ne peux pas accepter. Il a une vie, un métier important. Inutile qu'il perde son temps à jouer les chauffeurs pour moi.

– C'est pas la peine. Je me débrouillerai pour rentrer, je fais.

Le regard sceptique qu'ils me lancent me pousse alors à ajouter :

– Une Chasseuse doit être capable de rentrer toute seule chez elle, non ?

Avant qu'il n'ait le temps de réagir et Paloma, d'ajouter quoi que ce soit, je m'éloigne du véhicule et franchis la grille du lycée. Je traverse un espace de gravier et de terre qui fait office de pelouse, puis pousse la large porte à deux battants et prends un instant pour m'orienter. Mais de toute évidence l'instant est trop long, car une seconde plus tard, je manque de faire les frais d'un trio de filles qui fait irruption dans le hall.

C'est le genre de filles que j'identifie tout de suite comme étant de celles qui commandent.

De celles qui sont résolues à décrocher le premier rôle.

Des têtes d'affiche.

Tout le contraire de moi, en somme – moi l'humble gamine d'une maquilleuse de studio, habituée à rester bien sage dans son coin en évitant au maximum le feu des projecteurs.

C'est peut-être mon premier jour d'école de toute ma vie, mais j'ai passé assez de temps sur différents plateaux de tournage pour savoir reconnaître un système de castes sociales quand j'en vois.

Perçants et luisants, leurs regards partent dans tous les sens, calculant le nombre d'élèves en train de les mater, ce qui correspond à presque tout le monde dans un rayon de trois mètres. La plupart d'entre eux leur sourient, leur font signe et se démènent pour qu'elles les remarquent, ne demandant pas mieux que de rester en retrait, car ils savent qu'ils ont interdiction de les approcher à moins d'y être expressément appelés. Interdiction de franchir le cordon de velours rouge invisible qui sépare la clique des élèves populaires des autres.

Rentrant la tête dans les épaules, je les contourne et commence à m'éloigner dans le hall à la recherche du secrétariat, quand soudain les filles s'arrêtent. Étonnées, deux d'entre elles regardent leur copine au centre, celle aux longs cheveux bruns rehaussés de mèches blond cuivré, s'avancer vers moi.

– Salut, me dit-elle.

Je hoche la tête, esquisse un sourire forcé.

– Salut.

– C'est toi la fille que j'ai vue à cheval ?

Ses yeux foncés soulignés de khôl sont braqués sur moi.

Je reste plantée devant elles sans oser confirmer ou nier ; j'ai redouté ce genre de situation dès l'instant où Paloma m'a annoncé que j'allais devoir m'inscrire au lycée. Vu qu'il n'y avait qu'un seul établissement au choix, je savais que tôt ou tard j'allais retomber sur ces jeunes que j'avais croisés l'autre jour sur le sentier. Cela dit, je n'imaginais pas que j'allais me faire repérer dès mon arrivée.

– C'est bien toi, n'est-ce pas ?

Elle vérifie ce qu'en pensent ses copines en jetant d'abord un coup d'œil à la fille à sa droite, qui porte du gloss à lèvres rose visqueux, puis à celle à sa gauche, aux sourcils trop épilés et aux paupières fardées de violet irisé, et se retourne finalement vers moi.

– Même sans le foulard et le cheval, je te reconnais. Tu chantais aussi, non ? C'était quoi les paroles, déjà ? Ça parlait de « force », de « perception » et d'« orientation », je crois bien. Et si tu nous rechantais ça, pour voir ?

Ses petits yeux noirs me jettent des étincelles tandis que ses copines gloussent dans leurs mains, pliées de rire comme des hystériques.

Je commence à m'éloigner, mais elle s'interpose de nouveau face à moi.

– Sérieux, sourit-elle en opinant comme si elle était sincère. Ça nous ferait vraiment plaisir de l'entendre. Allez, vas-y... chante-la, ta chanson de cinglée !

Mes poings se serrent. Elle est en train de tourner le chant de la montagne en ridicule. Elle n'a pas idée des pouvoirs qu'il renferme, ni des miens. Je pourrais l'écraser d'une façon qui dépasse tout ce qu'elle serait capable d'imaginer. Ou tout au moins l'humilier à tel point qu'elle ne s'en remettrait jamais.

Mais je n'en ai pas le droit.

Et je ne le ferai pas.

Paloma me l'a formellement déconseillé : je dois mettre mon talent au service du plus grand nombre, et non gaspiller mon énergie à protéger mon orgueil.

J'essaie de les contourner, mais elles se déplacent en même temps que moi. Elles se tiennent par les bras comme un mur infranchissable de faux jeans de marque, de soutiens-gorge rembourrés et de parfums bon marché. N'empêche, j'ai beau me moquer d'elles intérieurement, en réalité l'effet produit est encore plus impressionnant que la grande grille en fer qui délimite l'enceinte du lycée. Sans l'aide de mes pouvoirs, je ne suis pas de taille face à elles. Je ne sais absolument pas comment réagir. Ni comment me tirer d'affaire.

– Tu es venue comment au lycée ? reprend celle sur la droite aux lèvres roses visqueuses. Tu as garé ton cheval dehors ?

Elle éclate de rire avant même d'avoir fini sa phrase, du coup sa vanne tombe un peu à plat. Néanmoins, elle glisse un coup d'œil à sa copine du milieu, en quête de son approbation, et je reste là à les fixer en me disant qu'elles sont juste bêtes et méchantes et ne valent pas la peine que je m'énerve. Mais même si je sais que je suis dans le vrai, l'attroupement d'élèves qui grossit autour de nous commence à avoir raison de moi.

Ils se rapprochent, se pressent, chacun cherchant à être au premier rang de ce qui s'apparente à un bizutage de nouvelle, car après tout ça n'arrive pas tous les jours, bien contents tous autant qu'ils sont de ne pas être à ma place. Boostée par l'ampleur même de l'auditoire, la fille au centre reprend la parole en élevant exprès la voix :

– Apparemment on a oublié de te dire que les cinglées n'étaient pas admises dans ce lycée. Alors, tu ferais mieux de retourner dans ton asile.

Ma gorge se noue. Je me dis de laisser tomber, de ne pas aggraver la situation… mais au final, je craque. Autant en finir tout de suite et leur faire comprendre que je ne suis pas du genre à me laisser marcher sur les pieds. Mon silence ne ferait que les inciter à me harceler jusqu'au bac.

Bien que toute ma vie on m'ait répété de rester discrète, dans ce cas précis, c'est déjà raté. On m'a repérée, isolée de la foule, alors ça ne sert à rien de jouer les soumises.

– Les cinglées ne sont pas admises, vraiment ? je lâche en les fusillant tour à tour du regard avant de fixer la meneuse et de faire un pas vers elle. Dans ce cas, qu'est-ce que tu fiches là ? Ils ont fait une entorse au règlement rien que pour toi ?

Elle me dévisage, les yeux exorbités, les joues rouges de rage. Ses copines, elles, restent muettes, trop choquées pour réagir, tout au moins dans l'immédiat.

Elle s'avance sous mon nez en grimaçant d'un air féroce, mais je ne bouge pas d'un orteil et continue de la toiser en gardant mon calme.

Elle n'a pas idée de qui je suis. Ni de ce dont je suis capable ou de la magie que j'exerce depuis que j'ai accompli ma quête de visions. C'est rien, une insulte, elle s'en tire bien.

Son visage est si près du mien, à quelques centimètres à peine, que je peux distinguer le petit cercle de peau rose encore à vif qui entoure son piercing Marilyn, à gauche au-dessus de sa lèvre supérieure ; elle essaie de m'attraper par l'épaule, sans doute pour me secouer un bon coup et déclencher une bagarre perdue d'avance, car je ne me laisserai pas faire, quand brusquement *il* débarque, interprétant une fois de plus son rôle fétiche de noble chevalier blanc envoyé à ma rescousse.

– Ces filles t'embêtent ? s'enquiert-il.

Il empêche l'autre d'aller plus loin en la prenant fermement par les épaules pour l'attirer contre lui, geste qui la réduit instantanément au silence.

Il me fixe d'un œil attentif en ajoutant :

– À moins que ce soit plutôt toi qui les embêtes ?

Renversant la tête en arrière, il s'esclaffe d'un rire aussi charmant que charmeur, si bien que les filles m'oublient complètement et reportent toute leur attention sur lui.

– Désolé pour cette entrée en matière un peu brutale, sourit-il en me tendant la main. Peut-être que je peux encore rattraper ça. On s'est déjà croisés plusieurs fois, je sais, mais jamais présentés officiellement, alors c'est maintenant l'occasion. Je m'appelle Cade. Cade Richter.

Sa main reste en suspens devant moi, mais je ne bronche pas, n'esquisse aucun geste pour la saisir.

– Je sais très bien qui tu es, je réplique, non sans remarquer son petit rictus de plaisir tandis qu'on se fixe d'un air entendu.

On se comprend à l'insu de tous, alors je ne me cache plus.

C'est moi contre lui.

Santos contre Richter.

Chasseurs contre Coyotes.

Le match peut commencer.

Je tourne les talons, préférant en rester là, du moins pour l'instant. Inutile de précipiter les choses, surtout que Paloma a encore beaucoup à m'apprendre.

Je fais de mon mieux pour l'ignorer, alors qu'il m'interpelle derrière mon dos :

– Laisse-moi être le premier à te souhaiter la bienvenue au lycée Milagro ! Si tu as besoin de quoi que ce soit, je suis à ton service !

Une avalanche de rires s'abat tout autour de lui à cette bonne parole.

Je presse le pas, accélérant presque au point de piquer un sprint. Ce n'est qu'après avoir tourné dans un couloir que je ralentis et m'arrête pour m'adosser contre un mur, retenant mon souffle tant bien que mal. Ce qui me soulage, c'est que je sais que ce n'est pas à cause de Cade si mon cœur s'est mis à battre au triple galop ; lui, je peux m'en charger et je le ferai. C'est cette histoire avec ces sales pestes qui m'a déstabilisée. Comme ça fait des années que j'échappe à l'école, je n'ai jamais eu à gérer ce genre de situation.

Sur les plateaux, les stars les plus snobs font toujours bande à part, vu qu'elles se croient trop bien pour frayer avec des acteurs de second ordre ou l'équipe de tournage. C'est la première fois que je me fais brimer. Je suis sûre que j'aurais pu mieux faire, mais d'un autre côté, j'imagine que ça aurait pu être pire.

Bien pire.

Elle y réfléchira à deux fois avant de revenir me provoquer.

Ou pas.

Si ça se trouve, elle est en train d'errer dans les couloirs en aiguisant ses talons et en rassemblant ses troupes, fin prête pour un second round impitoyable.

Super. Premier jour d'école, et je suis déjà fichée. L'ennemi se révélant être une fille contre laquelle Paloma ne m'a même pas mise en garde.

– Ça aurait pu être pire.

En relevant la tête, je découvre face à moi une fille svelte de petite taille, aux cheveux châtain clair, aux traits fins et au visage ravissant en forme de cœur, et dont les yeux gris clair regardent vers ma droite.

– C'est moins risqué d'être brune. Si t'étais blonde, elles n'auraient fait qu'une bouchée de toi, à tous les coups.

En la regardant plus attentivement, je m'aperçois que son regard glisse sur moi sans jamais croiser le mien et qu'elle serre dans sa main une canne blanche à embout rouge, ce qui me porte à croire qu'elle ne peut absolument pas savoir quelle est ma couleur de cheveux.

– La nouvelle avant toi a fait long feu, continue-t-elle. Principalement à cause du fait que c'était une vraie blonde aux yeux bleus, elle ne risquait pas vraiment de s'intégrer dans le coin. Elle a à peine tenu deux mois avant de renoncer et de s'inscrire dans une cyberécole.

Elle hausse les épaules.

– Dommage. Je l'aimais vraiment bien. Mais quelque chose me dit que tu t'en sortiras beaucoup mieux. Essaie de tenir bon. Cela dit, je ne vais pas te mentir, il y a peu de chances pour qu'elles se fassent à ta présence. Mais au moins, avec tes cheveux bruns et tes yeux verts, tu pourras te fondre dans la masse et passer entre les gouttes. Si tu les évites, elles finiront par se lasser et t'éviter aussi. En revanche,

Cade, lui, pourrait poser un problème. Il a l'air assez intrigué par toi, et ça, Lita, la meneuse, elle ne va pas l'apprécier. Ils sortent ensemble par intermittence depuis plusieurs années. Mais même si officiellement ils ne sont pas en couple, elle ne voit pas trop les choses de cette manière, et lorsqu'une fille tente de lui mettre le grappin dessus, elle finit toujours par le regretter.

Elle penche la tête de biais, comme si elle était en train de résoudre mentalement une grosse équation et de calculer quelle était la probabilité que je survive dans ce lycée.

Puis, reportant son regard sur moi, enfin non, pas son *regard* mais plutôt son attention, elle se présente :

– Moi, c'est Xotichl. Mon prénom se prononce « So-chee » mais s'écrit X-O-T-I-C-H-L, et pour information, ça veut dire « fleur ». Certains le prononcent en accentuant légèrement le T de la seconde syllabe, ou même en disant « ich » ou « icheul » au lieu de « chee », mais moi, on m'a appris à dire « Sochee », alors c'est comme ça que je le dis.

Elle hoche la tête pour ponctuer son explication, à mon grand soulagement, je l'avoue. J'en ai la tête qui tourne, de tout ce qu'elle vient de raconter.

– Et là, je parie que tu es en train de regarder comme une folle autour de toi à la recherche d'une échappatoire, car tu te dis que tu es passée d'un bande de pestes à une fille carrément cinglée au nom bizarre, et tu te demandes si c'est pas pire.

Elle éclate d'un rire léger, jovial et ravissant comme elle.

– Comment est-ce que tu peux savoir tout ça, alors que tu es… enfin que tu as l'air de…

Différentes formules me traversent l'esprit, mais j'ignore laquelle est politiquement correcte, alors je me contente bêtement de laisser ma phrase inachevée.

– Aveugle ? Malvoyante ? Atteinte de déficit visuel ?

Elle se penche vers moi en m'adressant un grand sourire qui laisse apparaître une rangée de dents parfaitement blanches et alignées.

– Eh bien, sache juste que la réponse est oui aux trois. C'est bien à ça que tu pensais, non ?

Elle frappe le carrelage gris de sa canne ; mes joues s'empourprent tant que je suis bien contente qu'elle ne puisse pas me voir. Pour autant, je n'en ai pas fini avec elle.

– OK, mais alors du coup, comment peux-tu savoir que je suis brune aux yeux verts ? je l'interroge en l'observant de nouveau attentivement.

Je me demande si elle fait semblant, s'il y a eu un genre de communiqué visant à prévenir tous les élèves de l'arrivée de la nouvelle.

Mais Xotichl se contente de sourire et d'ajouter :

– Certains disent que je suis perspicace.

– Et *toi*, tu dirais quoi ? j'insiste d'un ton légèrement à cran, fatiguée qu'on joue avec moi.

– Je dirais qu'ils ont raison, acquiesce-t-elle en baissant la tête pour essayer en vain de dissimuler le large sourire qui se dessine sur ses lèvres.

Je gigote sur place. Remonte mon sac à dos sur l'épaule tout en essayant de trouver quelque chose à répliquer. Mais avant que j'aie le temps de formuler quoi que ce soit, la sonnerie retentit et les élèves envahissent le hall en masse pendant que Xotichl reste immobile au beau milieu et qu'un essaim d'élèves zigzaguent comme des flèches autour d'elle.

– Tu as besoin d'aide ? je propose.

Je ne veux pas l'offenser, mais on dirait qu'ils ne la voient même pas, tant ils la frôlent à toute vitesse.

– Comme tout le monde, non ? plaisante-t-elle en tapotant le bout de ma botte avec sa canne. Mais en l'occurrence, quelque chose me dit que c'est toi qui as besoin d'aide, bien plus que moi. Alors, si tu cherches le secrétariat, c'est tout droit. À cinquante-deux pas d'où on se trouve en ce moment même. Quoique pour toi, ça n'en fera peut-être que quarante-cinq, quarante-sept maximum, vu que tu es bien plus grande que moi. Et tes jambes sont beaucoup plus longues aussi, veinarde ! plaisante-t-elle encore.

Je l'observe, les yeux mi-clos, curieuse de comprendre comment elle peut savoir tout ça. Est-ce qu'elle est en train de se moquer de moi ? Est-ce qu'elle est réellement aveugle ? Et au fond, y a-t-il une seule personne dans cette ville qui soit réellement celle qu'elle prétend ?

Je n'ai pas l'occasion de réagir que déjà elle s'en va. Agitant sa canne devant elle, elle part à l'autre bout du hall, la voie se dégageant sur son passage.

VINGT-CINQ

J'aurais dû anticiper.

Prendre le temps de me préparer un peu, passer le week-end à regarder des films sur le lycée.

Parce que là, cette école, ce théâtre social absurde, ça me paraît aussi étranger et déroutant que le jour où je me suis perdue dans la médina marocaine.

Tout tourne autour des sonneries. Ce sont elles qui font la loi ici, elles régissent tout. Elles décident de l'entrée en classe, rappellent les retardataires à l'ordre et nous incitent encore à nous activer quand vient l'heure. L'enchaînement se répète je ne sais combien de fois jusqu'à ce que, comme tout le monde, je finisse par réagir à ces appels stridents d'un air hébété.

Sauf que je ne suis pas comme tout le monde. Ni comme aucune des personnes croisées jusqu'ici. Et malgré mes efforts pour m'intégrer, je me distingue dorénavant, grâce à l'incident dans le hall avec Cade et sa bande de pestes.

Rien dans ma vie ne m'avait préparée à cela, rien du tout. J'ai l'impression d'être un rat de laboratoire livré à une horrible expérience pour tester sa capacité d'adaptation à des formes brutales d'étrangeté et d'isolement social. Et la mauvaise nouvelle, c'est que j'obtiens des résultats bien au-dessous de la moyenne.

À l'écart du réfectoire ou de la cantine, quel que soit le nom qu'ils donnent à cet endroit, je tiens mon sac de déjeuner végétarien, que Paloma m'a préparé avec beaucoup d'amour et de soin, serré entre mes doigts, bien que je n'aie aucune idée de l'endroit où je suis censée aller le manger.

Après mon crime odieux de m'être assise à la mauvaise table, je ne suis pas sûre d'être partante pour une nouvelle tentative, perturbée comme je le suis encore par la réaction de ces filles imbues d'elles-mêmes et de leur territoire, et que ma présence importune au bout de leur banc.

– C'est la table des terminales, me suis-je entendu dire.

Je n'ai pas le droit de m'y asseoir. Jamais. Et ça vaut pour les jours fériés et les week-ends.

– J'en prends bonne note, j'ai rétorqué en remballant mon déjeuner et en me relevant. Je ferai tout mon possible pour l'éviter à Noël, et à Pâques aussi. En revanche, pour la Saint-Valentin, joker, je peux rien promettre.

Sur le coup, ça m'a fait du bien, mais il est évident que cette réplique impudente n'a fait qu'aggraver mon cas.

Embrassant la salle du regard avec un gros soupir, je me demande comment Jennika aurait géré la situation à mon âge. Si ce n'est qu'elle était déjà enceinte de trois mois, elle se serait sans doute dirigée tout de go vers la table des rebelles de service et les aurait rendus fous amoureux en moins de temps qu'il n'en faut pour le dire.

Cette table n'est pas très difficile à repérer – il suffit de viser les garçons en blouson de cuir qui en font des tonnes pour avoir l'air de gros durs, et on est sûr de mettre dans le mille. Mais je ne suis pas Jennika, et j'en serais parfaitement incapable.

Et s'il n'existe qu'un seul méchant ici, c'est justement celui que personne ne soupçonne. Il est trop beau, trop populaire, trop charismatique, trop sportif et intelligent, trop charmant. Plébiscité par les professeurs autant que par ses camarades, il est le roi du monde. Sans doute délégué de classe, *quarterback* star de son équipe de foot et roi du bal couronné d'avance. Apparemment, je suis bien la seule que ça laisse de marbre.

Chaque table, dans cette salle, revêt un style systématiquement défini, il est facile de le remarquer. Celui des cow-boys, une bande de jeunes en jeans, chemises western et grosses bottes. Celui des babas cool, tee-shirts vintage aux motifs *flower power*, bandanas et jeans déchirés. Et plus loin, des Indiens revêtus pour la plupart de chemises de bûcheron sur jeans délavés. Tous, autant qu'ils sont, discutent et plaisantent, mais ils font de toute évidence bande à part. Je comprends enfin la véritable signification de ce dicton, « Qui se ressemble s'assemble », et de cet autre, « L'eau prend toujours la forme du vase ».

Ils parlent du lycée. Ou simplement, peut-être, de la vie en général. Pour trouver leur place, les gens se plient toujours aux règles du milieu ambiant.

Même la bande des marginaux, ceux qui donnent dans le genre bohème et se croient différents, à l'écart de la société : en s'efforçant de paraître anticonformistes à l'extrême, ils sont tous des copies conformes les uns des autres, un simple coup d'œil permet de s'en apercevoir. Sans même s'en rendre compte, ils sont cantonnés à leurs propres limites, celles qu'ils se sont eux-mêmes définies. Rien ne changera jamais, et bien que la journée soit déjà bien entamée, je n'ai encore croisé personne qui envisage de s'asseoir avec moi.

Excepté Cade, peut-être, à en juger par les sourires et les grands signes qu'il m'adresse pour que je me joigne à lui, même si je doute de sa sincérité. Tout ça, c'est de la comédie pour amuser la galerie et me mettre mal à l'aise.

Quant à Xotichl, je n'arrive pas trop à la cerner. Et de toute façon, elle a disparu je ne sais où, je ne l'ai pas revue depuis notre drôle de rencontre, ce matin.

Oubliant tout ça, je franchis la porte battante et remonte furtivement le couloir, à la recherche d'un coin tranquille pour déjeuner au calme, en attendant la énième sonnerie qui me commandera où aller.

Au bout d'une longue rangée de casiers, je me laisse tomber par terre, plonge la main dans mon sac et souris en découvrant le contenu du petit Tupperware que Paloma y a glissé : des enchiladas au fromage de chèvre, recouvertes de sa fabuleuse sauce maison aux tomatillos – un de mes plats préférés.

Armée de ma fourchette en plastique, je m'apprête à attaquer, quand un léger froissement à proximité retient mon attention. Ce ne peut être que le bruit d'un emballage de déjeuner. Curieuse de savoir qui peut bien être un paria comme moi, je tends discrètement le cou pour jeter un coup d'œil dans le renfoncement. Deux longues jambes apparaissent dans un jean foncé, terminées par une paire de rangers à semelles épaisses, si grande qu'il vaudrait mieux que ce soient celle d'un garçon. Alors, je me renfonce dans mon coin, contente de voir que je suis loin d'être aussi seule que je l'imaginais, que d'autres losers sans amis comme moi se sentent terriblement étrangers à ce lycée.

Vingt-six

C'est reparti pour une nouvelle sonnerie. Strident, atroce, le bruit retentit à travers le couloir, répercuté sur les affreux murs beiges et les casiers métalliques rouges, projetant un flot incontrôlable d'élèves dans une bousculade soudaine, tandis que je tente de trouver la salle de mon prochain cours.

Je m'arrête près de la porte, mon emploi du temps dans la main, prenant la peine de m'assurer que je suis au bon endroit, car je me passerais volontiers de commettre une nouvelle erreur.

Étude dirigée. C'est ça. Dernier cours de la journée – Dieu merci, alléluia et j'en passe...

J'entre dans la salle et me présente à l'homme sur l'estrade qui ouvre des petits yeux vicieux sur un rictus cruel, dans un tee-shirt trop petit d'une taille, tendu de force sur une bedaine qui le précédera à jamais. Sa coupe en brosse est tellement rase qu'il a presque la boule à zéro. Il coche mon nom d'un petit trait rouge et me dit d'aller m'asseoir où je veux.

Mais s'il y a bien une chose que j'ai apprise aujourd'hui, c'est que ce n'est sûrement pas aussi simple. Ce n'est peut-être pas flagrant, mais dans cette salle de classe d'une banalité trompeuse, des territoires ont été délimités, des frontières, tracées et un mur invisible, érigé, sur lequel une pancarte tout aussi invisible stipule que les paumées qui débarquent comme moi ne sont pas les bienvenues.

– Où vous voulez ! aboie-t-il en me décochant un regard éloquent, signe qu'il m'a déjà cataloguée comme une crétine de plus.

J'inspecte rapidement la salle des yeux et constate qu'au lieu des pupitres habituels, elle est aménagée de plusieurs tables hautes noires et carrées, pourvues de vieux tabourets en métal. La façon dont mes camarades guettent tous mes gestes ne m'échappe pas, pas plus que leurs ostensibles soupirs de soulagement lorsque je passe devant eux pour aller directement au fond, où je balance mon sac sur une table et tire un tabouret.

– La place est libre ?

Mon regard se pose sur son unique occupant, un brun aux longs cheveux brillants qui a le nez dans un bouquin.

– Elle est tout à toi, répond-il.

Et lorsqu'il relève la tête en souriant, mon cœur fait un bond fulgurant.

C'est le garçon de mes rêves.

Celui que j'ai croisé au Terrier du Lapin, à la station-service et à la grotte : il est là, assis en face de moi avec, comme chaque fois, ses yeux bleu glacier fascinants et ces lèvres sensuelles que j'ai déjà embrassées à plusieurs reprises, mais uniquement pendant mon sommeil – jamais dans la réalité.

J'ai beau fustiger mon cœur pour qu'il se calme, il n'en fait qu'à sa tête.

Je m'exhorte à m'installer et à agir normalement, comme si de rien n'était, mais c'est tout juste si j'y parviens.

Tout en fouillant dans mon sac à dos, je le scrute du coin de l'œil, avisant son menton carré, sa bouche charnue, son front volontaire, ses pommettes saillantes et sa peau lisse et hâlée : le portrait exact de Cade.

– C'est toi la nouvelle, non ?

Il interrompt sa lecture et penche la tête, de sorte que ses cheveux glissent en cascade sur son épaule, si brillants, si attirants que je dois me faire violence pour ne pas me pencher au-dessus de la table et les toucher.

Je fais oui de la tête, ou du moins je crois. Rien n'est moins sûr. Totalement absorbée par son regard et la façon dont il renvoie le mien, j'essaie de déterminer s'il me connaît, me reconnaît, s'il est surpris de me trouver ici. Paloma aurait dû mieux me préparer, s'intéresser davantage à lui qu'à son frère.

Je me force à détacher mes yeux des siens et me cogne violemment le genou contre la table en pivotant sur mon tabouret. Je me sens tellement bizarre et mal à l'aise que j'en viens à regretter de ne pas avoir choisi une autre place, même si de toute évidence aucune autre table ne veut de moi.

Il efface son sourire et se replonge dans son livre. Au bout de quelques minutes, à peine le temps pour moi de me remettre de mes émotions, il relève la tête et me dit :

– Dis, c'est parce que tu as vu mon sosie traîner dans les couloirs en se la jouant roi de la cantine que tu me fixes, ou parce que tu as besoin de m'emprunter un crayon mais que tu es trop timide pour demander ?

Je ravale la boule dans ma gorge et articule tant bien que mal une réponse :

– On ne m'a jamais reproché d'être timide.

Bien que foncièrement vraie, cette affirmation est en contradiction directe avec ce que je ressens à cet instant, assise tout près de lui.

– Alors, c'est vrai, c'est ton jumeau, enfin ton *sosie,* comme tu dis ?

Je garde un ton léger, comme si je n'étais absolument pas troublée par sa présence, mais la petite note flûtée à la fin de ma question me trahit. Je vibre de la tête aux pieds, électrisée par une intense montée d'adrénaline, comme si j'avais mis le doigt dans une prise. Et j'ai toutes les peines du monde à ne pas l'attraper par le col pour lui demander si, oui ou non, il fait les mêmes rêves que moi.

Il acquiesce et laisse un sourire décontracté se dessiner sur ses lèvres.

– Oui, et comme tu l'as sûrement remarqué, on est des vrais jumeaux, confirme-t-il. Mais c'est facile de nous distinguer. D'abord à cause de ses cheveux courts. Et aussi…

– Vos regards… je lâche étourdiment en le regrettant aussitôt.

Vu sa tête, il ne voit pas du tout de quoi je parle.

– Le tien est… plus doux.

J'ai tellement les joues en feu que je suis obligée de détourner les yeux, accablée par un torrent de reproches dans ma tête.

Qu'est-ce qui me prend d'être aussi gourde ? Pourquoi je m'obstine à me ridiculiser devant lui… et devant tout le monde ?

Il faut que je me ressaisisse. Je ne dois pas perdre de vue qui je suis, ni mes origines ni ma mission. Laquelle consiste en somme à les anéantir, lui et son clan, ou tout au moins à limiter les ravages qu'ils causent.

Il me lance un regard interloqué, puis enchaîne sans relever :

– Ce que j'allais dire, c'est qu'on se ressemble trait pour trait en apparence, mais que point de vue personnalité, c'est une autre histoire. Il est beaucoup plus sociable, toujours entouré d'une horde d'admiratrices à ses pieds, qui le suivent partout comme des groupies.

– Parce que tu n'en as pas, toi, des… groupies ?

Ça m'étonnerait. Entre sa gueule d'ange et son allure décontractée, il est bien plus attirant que son frère.

Je secoue la tête pour chasser cette idée. Il a beau être craquant et dégager une énergie en apparence très douce, il reste un Richter, un authentique membre du clan des Coyotes. Je dois le tenir à l'œil. Mais rien de plus.

Il se penche, son regard bleu si intense et perçant que j'ai bien du mal à le soutenir.

– Des groupies, moi ? s'amuse-t-il en dégageant son visage d'une main. On voit bien que c'est ton premier jour ici !

Il relâche son bras, laissant ses mèches retomber sur ses épaules, lorsqu'il ajoute :

– En tout cas, bienvenue à Milagro ! Vu que ce lycée n'est pas franchement réputé pour son accueil, je doute que quelqu'un ait pris le temps de te le dire.

– Si, ton frère.

Je le regarde au fond des yeux pour tenter de me faire une idée plus sérieuse et plus fiable de lui, mais ne perçois toujours que la même profusion de bonté et d'amour, alors je détourne le regard pour ne plus y penser.

– Sans blague ? Il faut croire que les bonnes manières sont de famille ! plaisante-t-il, avant d'ajouter : Ah ! au fait, avant que j'oublie, moi, c'est Dace.

Il me lance un regard plein d'attente, mais je me garde de répondre. Si c'est bien un Richter – et ça ne fait aucun doute –, il a été largement prévenu de mon arrivée. D'après Paloma, ils attendaient que je donne signe de vie depuis le décès de Django.

– Au cas où tu te demanderais comment fonctionne ce cours, dit-il sans relever mon silence, tu peux étudier la matière que tu veux, mais si tu choisis de te la couler douce, essaie au moins de faire semblant d'être occupée. Le coach Sanchez va bientôt s'en aller, mais tu vois cette caméra, là-bas ?

Je suis du regard la direction qu'il m'indique du pouce, vers l'estrade. Juste au-dessus du tableau noir, fixé en plein milieu du mur, un objectif nous surveille attentivement, mouchard omniprésent et impassible qui enregistre tous nos faits et gestes.

– Si tu sors du cadre, t'es grillée, commente-t-il en haussant un sourcil espiègle. C'était censé être un atelier artistique. En tout cas, c'est le cours auquel je m'étais inscrit à la base. Mais ils ont fait des coupes radicales dans le budget, et cet atelier et le prof qui le dirigeait ont été les premiers à en faire les frais. Dans ce patelin, tout le monde s'en fout, de l'art, il n'y a que le sport et les athlètes du coin qui les intéressent. Alors depuis, au lieu d'un cours de dessin et de peinture, on a étude dirigée en salle de permanence, un entraîneur revêche qui fait l'appel et une caméra pour scruter tout ce qu'on fait. Enfin, j'imagine que c'était un peu pareil dans ton ancien lycée, non ?

Je hausse les épaules sans confirmer ni nier, car je ne tiens pas à m'exposer davantage. Sa présence me perturbe trop et j'en veux à Paloma de ne pas m'avoir mieux préparée. Du bout des doigts, je palpe la petite bourse qui pend à mon cou, rassurée en devinant le contour de la plume et du corbeau, puis attrape le livre de poche tout abîmé que j'essaie tant bien que mal de finir depuis toute cette histoire au Maroc. Me plongeant dans l'univers magique que l'auteur a imaginé, je griffonne des notes dans les coins de page, souligne mes passages préférés et gribouille distraitement dans les marges jusqu'à ce que la sonnerie retentisse de nouveau et me libère.

La journée est terminée.

J'ai tenu le coup.

C'était loin d'être gagné. Par moments, j'ai bien cru que j'allais craquer.

Je fourre mon bouquin dans mon sac et me rue vers la sortie. À ma surprise, Dace, qui se tient juste à côté de moi, me tient la porte et me fait signe de passer.

Son geste est si gentil et sympa, eu égard à la journée que je viens de passer, que je ne peux m'empêcher de me radoucir. Et lorsque je le frôle sans le vouloir au moment de sortir, c'est plus fort que moi, mon cœur s'emballe et toutes mes terminaisons nerveuses semblent s'enflammer, tout ça à son seul contact.

– Tu ne m'as toujours pas dit ton nom, dit-il, de sa voix d'une familiarité si envoûtante qu'une bouffée de chaleur m'enveloppe brusquement la peau.

Je soupire en fixant le couloir d'un air absent.

– T'as le choix : « la Cinglée », ou « la Cinglée qui chante à cheval », je dis avec un haussement d'épaules. J'ai entendu les deux.

Il fronce les sourcils, esquisse un geste pour me prendre par l'épaule, mais renonce aussitôt devant mon air sombre.

– Écoute…

Je dois absolument couper court avant qu'il n'aille plus loin. Sa gentillesse ne fera que me distraire, le jour où je devrai rester concentrée.

– J'ai vraiment passé une sale journée. Et si mes calculs sont bons, il m'en reste trois cent huit de plus à tenir, que je le veuille ou non, avant d'obtenir mon diplôme et de me tirer d'ici. Alors franchement, appelle-moi comme ça te chante. Les autres ne se gênent pas. Et au fond, ça n'a pas vraiment d'importance…

Mes joues s'embrasent, des larmes me montent aux yeux, et j'ai conscience de divaguer comme une cinglée, mais je ne peux pas m'en empêcher, et au fond je m'en fiche. La Chasseuse la plus lourdingue de la planète, voilà ce que je suis.

– Ne les laisse pas te réduire à ça, souffle-t-il avec sérieux, d'un ton étonnamment sincère et insistant. Ce n'est pas à eux de définir qui tu es ou quelle est ta place ici. Et si un jour tu as besoin de parler à quelqu'un, je ne suis pas difficile à trouver : soit en cours, soit en train de bouquiner à la bibliothèque, soit en train de déjeuner dans le couloir nord.

Dès qu'il prononce ces mots, mon regard se braque sur lui, glisse de son tee-shirt gris à col en V à son jean foncé, pour se poser sans surprise sur ces rangers noirs à semelles épaisses que j'ai aperçus tout à l'heure.

Alors, sans lui laisser le temps d'ajouter autre chose, je m'en vais. Je m'en vais et tente d'ignorer le courant apaisant de douceur et de tendresse qui fourmille autour de moi.

Ces *impressions,* comme les appelle Paloma, se révéleront peut-être pratiques dans ma vie de Chasseuse, mais si je ne parviens pas à les dompter dans ma vie d'étudiante, elles finiront par me faire passer pour encore plus atteinte que je ne le suis déjà.

Non que je devrais me soucier de ce que mes camarades pensent de moi, ce n'est pas comme s'ils m'avaient laissé une excellente impression.

Je franchis la porte à double battant et retrouve la lumière du jour. Dehors règne une certaine agitation. Les élèves se serrent dans les bras les uns les autres pour se dire au revoir, à croire qu'ils ne se reverront plus jamais, puis filent attraper leur bus ou rejoindre une des voitures parmi la longue file garée le long du trottoir. Certains décadenassent leurs vélos, d'autres, plus rares, préfèrent encore marcher, et forcément, à cet instant je regrette d'avoir dit à Chay de ne pas venir me chercher.

En dépit de mes talents fraîchement affinés et de mes pouvoirs naissants, pour ce qui est de composer avec les règles de la vie scolaire, je me sens perdue et incompétente comme jamais.

Je suis capable de redescendre le chemin des esprits en gambadant joyeusement, de survivre à une violente épreuve initiatique, mais est-ce que je peux m'en sortir au lycée ? Non, loin de là. J'en ris tout seule, rien que d'y penser.

Mais malheureusement, mon rire n'était pas discret, et en un rien de temps les vannes fusent :

– Mais quelle cinglée !

Les pestes sont de retour. Lita se tient au centre, le port altier, flanquée de ses deux copines. Elle secoue la tête avec dédain pendant que les deux autres ricanent. « Cinglée. » Mais si elles sont résolues à me détester, les garçons, eux, restent indécis, m'observent de pied en cap. Prêts à s'exposer à la colère provoquée par leur intérêt pour moi, simplement parce que je suis nouvelle, dans un lycée où tout le monde se connaît.

Je prends une grande inspiration, avant un nouveau round contre Lita et sa clique, lorsque Cade s'approche derrière mon dos, d'un pas nonchalant :

– Navré que ta journée ait été si rude. On n'a pas l'habitude des nouveaux, à Milagro.

Puis il ajoute avec un clin d'œil :

– Rentre donc te reposer. Demain est un autre jour, comme on dit. Je me réjouis d'avance de te revoir, Daire Santos.

Il commence à tourner les talons, mais s'interrompt subitement, l'air songeur.

– C'est bien Santos, n'est-ce pas ? s'enquiert-il avec un rictus. Tu ne te fais plus appeler Lyons ?

Il s'arrête, attend que je confirme, mais je ne le fais pas. J'en suis incapable. Sa question m'a prise de court.

Répliquant à mon silence par un sourire ravageur tout ce qu'il y a de plus factice, il embarque sa troupe, tandis que je reste clouée sur place à me débattre avec ses paroles et le fait qu'il en sache plus à mon sujet qu'il ne le devrait.

Il en sait plus sur moi que moi sur lui, et il est temps que Paloma me mette au parfum, qu'elle me dise tout, cartes sur table.

Je le regarde disparaître au loin, sur le parking des élèves où je suppose qu'il a garé son quatre-quatre, puis m'apprête à me remettre en route, quand une voix féminine m'interpelle :

– Hé, Daire, tu veux que je te raccompagne ?

Je me retourne et découvre Xotichl, étonnée qu'elle connaisse mon prénom, puisque je ne le lui ai jamais dit, ni à elle ni à personne. En même temps, tout le monde s'en fiche, ils m'ont déjà surnommée « la Cinglée », et quelque chose me dit que ça va me rester.

– Alors, intéressée ? insiste-t-elle en s'arrêtant devant moi.

J'hésite.

Effectivement, j'aurais bien besoin d'un chauffeur, mais je ne suis pas sûre de vouloir accepter son offre. Elle semble savoir un tas de choses sur moi, y compris sur l'intérêt que Cade me porte – tout ça, sans rien voir au sens propre –, et à vrai dire, ça me fait un peu froid dans le dos.

– Je sais où tu habites, précise-t-elle, ce qui ajoute à mon malaise. Ça ne me fait pas un grand détour. Enfin si, un petit peu. Mais t'en fais pas, je conduis très bien, sourit-elle. Je suis peut-être malvoyante, mais mes autres sens compensent largement. En fait, si ça peut te rassurer, sache que je n'ai été tenue légalement responsable que d'un seul accident. Un sur cinq.

Elle opine.

– C'est plutôt une bonne moyenne, non ?

À cette dernière phrase, je comprends que je suis cuite. Je vois clair dans son jeu. Elle essaie de faire oublier le malaise que son handicap suscite chez les autres en le prenant à la légère, comme s'il y avait matière à en rire. Ça me fend tellement le cœur que je finis par me détendre.

– Avec plaisir, merci de le proposer, j'acquiesce, non sans remarquer le sourire qui illumine son visage, tandis que nous repartons côte à côte. En fait, je suis à la traîne par rapport à toi. Je n'ai pas encore mon permis, et n'ai même jamais pris un seul cours de ma vie.

– Je sais, dit-elle en se tournant plus ou moins vers moi pour ajouter : Paloma me l'a dit.

– Alors, c'est ça ! je ris. Tu connais Paloma ?

Songeuse, je me remémore ce jour où j'ai vu ma grand-mère aider une fille avec une canne blanche à monter dans un crossover poussiéreux, alors que je revenais de ma première balade à cheval avec Chay, et comprends enfin que c'était Xotichl.

– Ça explique tout.

– Disons que je sais que tu es sa petite-fille et qu'elle se réjouissait à l'idée que tu viennes vivre avec elle. Elle m'a tout raconté sur toi et t'a décrite dans les moindres détails. Tu as eu une vie très glamour ! siffle-t-elle tout bas. Alors, raconte, comment c'était de grandir sur tous ces plateaux de cinéma ? Est-ce que c'était aussi cool que ça en a l'air ?

J'hésite entre lui donner une réponse honnête ou celle qu'elle a le plus envie d'entendre. Les gens sont toujours tout excités par Hollywood et imaginent cet univers prestigieux, bien plus qu'il ne l'est réellement. J'opte finalement pour un semblant de vérité :

– C'était la seule vie que je connaissais. Je n'avais pas de point de comparaison.

Elle a eu sa réponse, mais elle ne va pas s'en tirer comme ça pour autant.

– Bon, mais alors, comment as-tu su que c'était moi ? Tu sais, ce matin, dans le hall ?

Elle se pince les lèvres, le temps de formuler sa réponse.

– Je déchiffre les énergies des gens. Autrement dit, je n'ai pas besoin de voir le visage de quelqu'un pour percevoir son état d'esprit. Certains parlent de perception intuitive ; d'autres, de vision aveugle. Et ça m'embête de te le dire, Daire, mais tu présentais tous les signes de nervosité typiques d'une nouvelle élève. Tu vibrais dans tous les sens !

Elle éclate d'un rire contagieux.

– Ça, je crois que je ne peux pas le nier ! Mais ça n'explique pas comment tu savais que Cade s'intéressait à moi.

Je l'observe attentivement, pensant que plus je pourrai collecter d'infos sur lui, mieux ce sera. Paloma a fait l'impasse sur tant de choses !

Le visage de Xotichl s'assombrit, elle se détourne et se dirige vers le grand portail de fer, balayant le sol de sa canne avec une soudaine urgence.

– Comme je t'ai dit, je déchiffre les énergies, répète-t-elle en s'éloignant avant de hocher la tête et d'ajouter : Dépêche, notre chauffeur est là.

VINGT-SEPT

Le chauffeur de Xotichl, en l'occurrence, est un garçon très mignon aux cheveux blond-roux et aux yeux noisette, qui se tient au volant d'un vieux break déglingué flanqué de panneaux de bois. Ce qui, en dépit de son mauvais état, me change agréablement des pick-up, Jeep et autres quatre-quatre que tous les gens du coin semblent conduire.

– Je te présente Daire, la fille dont je t'ai parlé, lui dit Xotichl tandis qu'il l'aide à s'installer sur le siège passager et que je me glisse sur la banquette arrière.

– Ah ! la fameuse *nieta* de Paloma ! s'exclame-t-il avec une prononciation parfaite, bien qu'il n'ait pas du tout l'air hispanique.

Remarquez, moi non plus, alors que pourtant ça constitue une bonne partie de mes origines.

– Moi, c'est Auden, comme le poète auquel je dois d'ailleurs mon nom. Alors, comment s'est passé ce premier jour ? Est-ce que Xotichl t'a fait visiter ?

– Visiter quoi ? Il y a des choses à voir ici ? je plaisante en sentant mon cœur se serrer lorsqu'il repousse la mèche devant ses yeux et se penche pour contempler la jeune fille, avec une admiration si sincère que je ne peux m'empêcher de détourner les yeux.

Dommage qu'elle ne puisse pas le voir ! C'est le genre de regard dont la plupart des filles ne peuvent que rêver. Mais au sourire qu'elle lui renvoie et à sa façon de se blottir contre lui, je comprends qu'elle était sérieuse au sujet de sa vision intuitive, rien ne lui échappe. Au contraire, elle perçoit très bien son regard, l'énergie de sa présence. Cette dernière est si palpable que je la sens jusqu'ici.

– Vous vous connaissez depuis combien de temps, tous les deux ? je demande pour essayer d'entretenir la conversation, tandis qu'Auden manœuvre son gros paquebot de break et s'éloigne du trottoir.

– Depuis toujours, répond-il. Je ne me souviens pas avoir passé une seule journée sans elle.

Xotichl glousse en lui donnant une grande tape enjouée sur l'épaule. Penchant la tête dans ma direction, elle ajoute :

– On s'est rencontrés l'an dernier. Ça a été le coup de foudre. Malheureusement, ma mère ne l'entend pas de cette oreille. Elle n'approuve pas.

J'observe rapidement Auden sans rien dire. Il est mignon, gentil et visiblement fou amoureux de Xotichl : qu'est-ce qui peut bien poser un problème ?

– Je joue dans un groupe… J'ai arrêté tôt le lycée et finalement laissé tomber mes études, explique-t-il avec un haussement d'épaules alors que nos regards se croisent dans le rétroviseur.

– Quel âge as-tu ? je m'étonne.

J'avais présumé que Xotichl était en première, comme moi, mais peut-être qu'elle est plus âgée. Et lui aussi, si ça se trouve. Décidément, les fausses impressions, ce n'est pas ce qui manque dans cette ville.

– Dix-sept.

– Et pour info, c'est un vrai prodige, intervient Xotichl avant qu'il ne poursuive. Il a quitté Milagro à quinze ans pour aller à l'université. Il est beaucoup trop modeste, c'est son gros défaut, s'amuse-t-elle en lui ébouriffant les cheveux.

– Au bout de six mois, j'ai compris que je n'étais pas fait pour ça. J'adore la musique, reprend-il en remuant sur son siège pour m'adresser un coup d'œil. Seulement, ce que je voulais, c'était pas l'étudier, mais la composer. Xotichl et la musique, c'est tout ce qui compte dans ma vie, je n'ai besoin de rien d'autre.

Il soulève une main du volant pour attirer la jeune fille contre lui jusqu'à ce que leurs épaules se cognent l'une contre l'autre.

– Tout est vrai, sauf la fin : il aime la musique plus que moi ! commente-t-elle en poussant un petit cri de plaisir alors qu'il se penche brusquement pour l'embrasser, ce qui a pour effet de faire légèrement dévier la voiture de sa trajectoire.

– N'importe quoi ! Ne dis pas ça, tu sais très bien que c'est faux.

Ils se mettent à se taquiner d'une manière si empressée que j'ai toutes les peines du monde à rester tranquille et à regarder fixement par la fenêtre. Je me sens de trop au milieu de tout cet amour. Enfin, dans cette voiture. Ce break. Bref. Tout ce que je sais, c'est que j'ai eu une rude journée, et même si ça me fait plaisir de constater que tout le monde n'est pas aussi malheureux que moi, je leur fausserais volontiers compagnie.

– Daire a passé une mauvaise journée, reprend Xotichl en repoussant Auden vers le volant. On devrait la mettre en sourdine et se montrer un peu plus solidaires. Elle a eu le malheur de croiser la bande des Vipères…

– Aïc. Le trio infernal, commente Auden en ajoutant d'un ton compatissant : ça craint. Tu leur as réglé leur compte au moins ? Tu m'as l'air d'être de taille.

Il m'observe dans le rétroviseur.

– Enfin, les deux larbins de Lita, sans problème, mais elle, peut-être pas. Tu es plutôt maigrichonne. Paloma t'a mise au même régime végétarien que ma douce ?

Je cligne des yeux, surprise que Paloma s'occupe de ce qu'il y a dans l'assiette de Xotichl. Je pensais que ce genre de diète m'était réservé.

– Ça fait un moment, maintenant, que je consulte Paloma, explique-t-elle, répondant à la question que je n'ai pourtant pas posée. Elle accomplit de vrais miracles. Tu as de la chance de l'avoir.

Je hoche la tête, sans approuver ni contester. J'adore Paloma. Elle m'a aidée, guérie de mes hallucinations, fait découvrir un monde dont j'ignorais totalement l'existence. Cela dit, il m'arrive encore de me demander si c'est vraiment une bonne chose. À vrai dire, j'étais plus heureuse avant d'avoir ces visions et de me retrouver impliquée dans tout ça. Ma vie était beaucoup moins compliquée.

Quelques instants plus tard, Auden se gare devant le grand portail bleu, et Xotichl se tourne vers moi.

– Épitaphe, le groupe d'Auden, joue ce soir au Terrier du Lapin, et j'aimerais bien – enfin, on aimerait bien – que tu viennes.

Le Terrier du Lapin.

Paloma avait bien dit qu'un jour ou l'autre je serais amenée à y retourner ; néanmoins, je ne suis pas certaine d'être prête pour l'instant. À en juger par la façon dont j'ai géré mon premier jour au lycée Milagro, j'ai encore du chemin à faire avant d'être capable d'affronter ce genre de situation.

Ils sont suspendus à mes lèvres. Et comme je sais qu'il faut que je dise quelque chose et que Xotichl ne s'en ira pas tant que je n'aurai pas répondu, je marmonne :

– J'sais pas… Il faut que je voie avec Paloma…

– Bien sûr, réplique Xotichl en se retournant déjà. La première partie commence à 20 heures. Rendez-vous là-bas.

Vingt-huit

Je pénètre dans la maison. M'efforçant de faire le moins de bruit possible, au cas où Paloma serait avec un patient. Je pose mon sac sur le bureau, puis m'affale sur le lit en me repassant le film de la journée. Au bout de quelques minutes j'y renonce. Tout bien réfléchi, ça a été un énorme fiasco, assez inattendu, même pour moi.

Paloma était confiante.

Chay se voulait rassurant.

Quant à moi, j'essayais de garder un espoir plus ou moins réaliste ou, disons, dans la limite du raisonnable.

Mais quand même, j'avais beau être sceptique, je pensais sincèrement passer inaperçue. J'étais loin d'imaginer qu'on me taxerait de cinglée d'entrée de jeu, et que j'allais le confirmer, face au seul garçon qui s'était montré sympa avec moi, celui qui m'avait même tenu compagnie au déjeuner (à son insu, certes)...

Enfin bon, peu importe.

Ce lien avec son frère, le fait qu'ils soient jumeaux – et des vrais, par-dessus le marché – le place automatiquement en zone d'exclusion aérienne, aussi craquant soit-il.

J'envoie valser mes chaussures, une paire de bottines noires en cuir souple que j'ai dénichées en Espagne, consciente que je dois m'atteler à mes devoirs, mais repoussant cette idée sans hésiter. J'ai déjà lu le livre demandé pour le cours d'anglais, et résolu les équations de maths bien avant la fin du cours. Quant à l'histoire et aux sciences, je devrais pouvoir improviser. En fin de compte, les cyberécoles sont plus instructives que je le pensais. Ou alors, c'est que mon nouveau lycée est vraiment minable.

Je me redresse, me cale contre la tête de lit et décide de travailler sur quelque chose de plus utile. La magie, par exemple. Unissant mon énergie au capteur de rêves suspendu au-dessus de la fenêtre, je me concentre de toutes mes forces, jusqu'à percevoir le balancement harmonieux de ses plumes et la légère oscillation de sa frange, et le voir se soulever de son crochet, planer un instant dans le vide, puis se diriger vers moi…

– *Nieta* ? dit Paloma en frappant un coup avant d'ouvrir et de passer la tête dans l'embrasure de la porte.

Son irruption soudaine me pousse à attraper brusquement le capteur, et à vite le fourrer sous mon oreiller avant qu'elle ne le voie.

Ma respiration s'accélère et mes joues s'empourprent ; je n'ai aucune raison de lui faire des cachotteries, mais c'est plus fort que moi.

Cependant, j'aurais mieux fait de m'abstenir, car Paloma voit tout. Elle jette un coup d'œil au crochet vide au-dessus de la fenêtre et me dit :

– Alors, raconte-moi, comment était cette rentrée ?

– Atroce, je soupire, me disant que ça ne sert à rien de mentir ou d'édulcorer ma réponse.

Toutefois, juste après l'avoir prononcé, je me rends compte que le mot est peut-être un peu fort. Il n'y a pas *que* des ombres au tableau. Xotichl et Auden ont été un peu lourds dans la série retrouvailles de tourtereaux, c'est vrai, mais ma rencontre avec eux a quand même été un des deux rayons de soleil dans cette journée noire.

Le second étant Dace. Mais ça, je ne suis pas tout à fait prête à l'admettre, du moins pas en ces termes.

Paloma s'assoit à côté de moi, et le matelas remue à peine sous le poids de son corps menu.

– Cette journée a été si atroce que tu as donc décidé de réconforter ton amour-propre avec une petite séance de magie ?

Elle avance les mains vers moi pour m'inviter à lui rendre le capteur de rêves, que nous savons toutes les deux caché sous l'oreiller. Et bien que sa question semble empreinte de reproche, la lueur de compassion qui brille dans ses yeux me fait dire qu'elle me comprend parfaitement.

Je glisse les doigts sous l'oreiller pour lui rendre son bien, puis la regarde se diriger vers la fenêtre et remettre le capteur à sa place.

– J'ai encore croisé Cade.

Elle opine, puis donne une petite chiquenaude à la frange du capteur en le regardant osciller.

– Et ? dit-elle en se retournant vers moi.

– Eh bien… si je ne le connaissais pas, je dirais qu'il est beau comme un dieu, absolument charmant, et que j'ai une chance inouïe qu'un garçon comme lui me remarque. Mais comme je ne suis pas idiote, je me contenterais de dire qu'il me donne la chair de poule.

– Bien, acquiesce-t-elle. Quoi qu'il arrive, ne l'oublie jamais.

Je baisse les yeux et me mets à tirer sur un petit fil de la couverture.

– J'ai croisé Dace, aussi ; il est exactement comme dans mes rêves. Mais chaque fois que j'essaie de me faire une idée de lui…

Paloma revient s'asseoir au pied du lit.

– … mes impressions à son sujet sont toujours… positives. Tout le contraire de Cade. Il faut que tu m'en dises plus sur lui. On a un cours en commun, donc il n'y a pas moyen que je l'évite, mais je ne sais pas trop comment m'y prendre avec lui.

Elle hoche la tête, joint les mains sur ses genoux, le regard pétillant.

– Dace n'est pas ton ennemi, affirme-t-elle en marquant une pause pour me laisser le temps de bien comprendre. Si je t'ai mise en garde contre Cade et non Dace, c'est parce que c'est Cade que tu dois avoir à l'œil. Ne l'oublie jamais, *nieta*. Et surtout, ne les confonds jamais.

Elle lisse sa robe du plat des mains, tripote nerveusement l'ourlet, puis se relève et se dirige vers la commode, s'arrêtant devant la photo de Django en murmurant :

– Si je ne t'en ai pas parlé plus tôt…

J'empoigne mon oreiller, impatiente d'entendre la suite, persuadée qu'elle va me faire une grosse révélation. Mais dans l'immédiat, je n'ai droit qu'à une vue imprenable sur son dos.

– … c'est parce qu'ils se ressemblent uniquement en apparence, explique-t-elle en poussant un gros soupir qui semble renfermer un lourd secret qu'elle hésite encore à me révéler. Ils ont été élevés séparément, et ne se sont connus qu'au cours de leur première année de lycée. Cade a grandi auprès de son père, Leandro… alors que Dace a été élevé par sa mère, Chepi. Ils ont reçu une éducation très différente, qui leur vaut à chacun une conception très différente du monde.

– Mais pourquoi ont-ils été élevés séparément ? Comment se fait-il qu'ils ne se connaissaient même pas ? Ça me paraît improbable, dans une ville aussi minuscule, je fais, consciente qu'elle me cache quelque chose, bien que j'ignore pourquoi, et surtout *quoi*.

Serrant et desserrant les mains, elle hésite un instant et finit par répondre, après une grande inspiration :

– Dace a grandi dans la réserve avec sa mère, et ils en sortaient rarement, alors que Cade vivait en ville. Les Richter, la branche paternelle, sont assez fortunés. Ils possèdent la plupart des commerces du coin et sont à la tête de toutes les administrations, sans compter que le père est maire depuis de nombreuses années. Chepi n'avait rien à voir avec cet univers. À l'époque où elle s'est retrouvée enceinte des jumeaux, elle était la ravissante fille d'un sorcier très respecté, nommé Jolon, un guérisseur apprécié et très prisé, qui avait la réputation d'accomplir des miracles et d'être en relation directe avec le divin.

– OK, donc si je comprends bien – je récapitule en la regardant dans les yeux –, Chepi la gentille fille décide de sortir avec Leandro, le méchant. S'ensuivent des problèmes, elle se fait engrosser, et quand son père, qui plaçait beaucoup d'espoirs en elle, l'apprend, c'est un véritable coup de massue...

Je fronce les sourcils en essayant de ne pas porter de jugement, même si ça m'a tout l'air de ressembler à l'histoire de Jennika et Django. Sauf que la gentillesse n'a jamais été la qualité première de Jennika, et que Django n'était pas si méchant ; n'empêche, ces deux histoires ne manquent pas de similitudes.

Mais je n'ai pas le temps de finir mon résumé que Paloma m'interrompt :

– Non, *nieta*, c'est loin d'être aussi simple. Chepi était très jeune, parfaitement innocente et entièrement dévouée à Jolon, vois-tu. Jamais elle ne serait partie d'elle-même avec Leandro. Elle étudiait en tant qu'apprentie de son père, et était considérée comme très talentueuse. Tout le monde pensait qu'un jour elle prendrait sa suite. Mais Leandro s'en est mêlé et s'est débrouillé pour faire capoter tous leurs projets.

Elle lève les yeux vers moi, le regard assombri de souvenirs.

– Leandro est tout le contraire de Jolon. C'est un sorcier dangereux, à l'instar de sa longue lignée d'ancêtres. Cela fait des années... ou plutôt des siècles que les Santos se battent contre les Richter, et pas seulement ici. Bien que, pendant très longtemps, nous ayons réussi à les dominer et à les obliger à se tenir tranquilles, ces dernières années la situation s'est nettement détériorée, avec l'arrivée de Leandro. Amasser des fortunes ne les satisfait plus, leur ambition va désormais bien plus loin, ils sont en train de modifier le visage de cette ville. Enchantment était une bourgade prospère, autrefois, elle portait bien son nom, même si je me doute que tu auras du mal à le croire. Ces dernières décennies, les Richter sont devenus de plus en plus difficiles à contenir. Ils ont manipulé de nombreux esprits, si bien que les habitants se sentent tantôt intimidés, tantôt redevables face à eux. Et sans l'aide de Django, j'ai bien peur de ne plus être de taille à les affronter toute seule, leur clan est trop puissant.

Elle prend une grande inspiration, lisse le plat de sa robe des deux mains.

– Bref, Leandro était déterminé à se servir de Chepi à des fins personnelles sordides, c'est pourquoi, le soir du *Día de los Muertos*, il est parti à sa recherche, et dès lors la vie de Chepi a basculé.

Lisant la confusion dans mon regard, elle ajoute :

– Le jour des Morts, *nieta*. C'est un rituel célébré depuis des milliers d'années, qui remonte aux Aztèques. Durant cette période, le voile entre les vivants et les morts est levé, et on profite de l'occasion pour honorer tous les défunts. Ici, à Enchantment, nous célébrons cette fête à la place de Halloween, et toute la ville participe. Les gens revêtent des masques de têtes de mort et vont décorer les tombes de leurs proches avec des fleurs de soucis, des colliers de perles et des vieilles photos. Ils restent là toute la nuit à danser, boire et communier avec leurs défunts. Mais au cours des dernières années, nombreux sont ceux qui ont déserté le cimetière pour se retrouver au Terrier du Lapin. Qui, comme tu le sais, appartient aux Richter.

Suspendue à ses lèvres, les yeux écarquillés, je l'incite du regard à poursuivre. C'est la première fois que j'entends parler de ce rite, et le concept me fascine totalement.

– Fut une époque où la mort n'était pas tant considérée comme la fin de l'existence que comme sa continuité. On estimait que la vie était un rêve fugace, et que la mort, à l'inverse, permettait de s'ouvrir au réel. La Gardienne des ossuaires préside la cérémonie. Elle règne sur le niveau le plus bas du Monde Souterrain, où elle garde jalousement les ossements. On dit qu'elle a une tête de mort à la place du visage, porte un jupon grouillant de serpents et se nourrit d'étoiles durant le jour, grâce à son énorme bouche. Malgré mes nombreux voyages vers le Monde Souterrain, je ne l'ai encore jamais vue. Mais qui sait, toi tu la croiseras peut-être, *nieta* ?

– Une dévoreuse d'étoiles avec une tête de mort et une robe en serpents ? je résume en grimaçant. Non merci, je préférerais l'éviter, si ça t'embête pas.

– On ne peut pas toujours avoir ce qu'on veut, *nieta*. En revanche, on obtient parfois ce dont on a besoin, déclare-t-elle.

Une sage parole de plus, parmi tout un recueil de son cru.

– Depuis quand tu cites Mick Jagger ? je plaisante.

C'est bon de rire, ça atténue le côté sinistre de son récit.

Paloma affiche un grand sourire, mais très vite, elle replie une jambe sous elle et retrouve son sérieux.

– Bon, revenons-en à Chepi : elle ne s'intéressait pas du tout à Leandro, pas plus qu'aux autres *méchants,* pour reprendre tes termes, reprend-elle avec un clin d'œil. Seulement, elle ne faisait pas le poids face à lui, dont les compétences en magie noire sont sans égal. Les Richter ont détourné le pouvoir du jour des Morts depuis des siècles. Ils ne se contentent pas d'honorer leurs proches et de communier avec eux, ils les *ressuscitent.*

Je me penche brusquement vers elle, le menton entre les genoux, les yeux presque exorbités.

– Oh, rassure-toi, *nieta*, pas pour longtemps, et pas au sens physique. Ce ne sont pas des nécromanciens, du moins pas encore, en tout cas. Disons plutôt qu'ils font appel à l'énergie des morts pour s'imprégner des pouvoirs maléfiques de leurs ancêtres ; l'effet dure quelques jours, tout au plus. Mais ce jour-là, en l'occurrence, s'est révélé suffisant pour Leandro. Ajoute à cela sa faculté d'altérer la perception, et il n'a eu aucun mal à séduire Chepi. Il savait qu'une magie très puissante coulait dans ses veines, et voulait à tout prix s'en emparer pour la fusionner avec la sienne. Les pouvoirs des Richter commençaient à s'affaiblir. Bien qu'ils n'aient jamais eu accès au Monde Supérieur, ils ont réussi à de rares occasions à ouvrir une brèche dans le Monde Souterrain, qu'ils se sont empressés de corrompre, ainsi que les esprits animaux ; cela a engendré le chaos que l'on connaît dans le Monde Intermédiaire. Les hommes se sont retrouvés vulnérables, facilement induits en erreur, et sont devenus à la fois victimes et sympathisants de dictateurs fous. L'avènement d'Attila, de Vlad l'Empaleur, Staline, Robespierre, Idi Amin Dada, Pol Pot, Hitler…

Elle tourne la tête vers moi, mais son regard reste perdu dans le vague.

– Tout cela est imputable à l'influence néfaste des Richter sur le Monde Souterrain, et il a fallu de nombreux sacrifices de la part des Chasseurs et des chamans, partout dans le monde, pour les évincer. Le Monde Souterrain, tout comme le Monde Supérieur, est peuplé d'êtres compatissants et affectueux, qui nous guident et nous aident sans même que nous n'en ayons conscience. Nous dépendons de leur bien-être et de leur sagesse à plus d'un titre. Seul le Monde Intermédiaire abrite des êtres qui nous veulent autant de bien que de mal.

Alors qu'elle s'interrompt, je me rends compte que, depuis le début, je retiens mon souffle pour m'efforcer de ne pas en perdre une miette et de bien tout saisir.

– Ainsi, prêt à tout pour grossir leurs rangs, Leandro a volontairement entrepris d'avoir un fils dont le sang serait imprégné de la magie des deux camps, dans l'espoir de pouvoir enfin pénétrer les autres mondes. Chepi n'avait aucune chance d'y échapper. Il l'a gardée en captivité durant toute la cérémonie, et à son réveil, elle était nue, meurtrie, et son corps, recouvert de symboles de magie noire.

Je suis sans voix, hantée par les images qui jaillissent dans ma tête. Je me remémore le soir où j'ai rencontré Leandro dans son bureau au Terrier du Lapin, et la détestable impression que j'ai eue quand il a saisi mon poignet dans sa main.

– Mais par-dessus tout, Leandro voulait avoir un fils dont l'âme serait encore plus noire que la sienne. Sachant que l'âme est constituée d'ombre et de lumière à parts égales, que les aléas de la vie et le type d'éducation reçue déterminent souvent quelle tendance prendra le pas chez quelqu'un, il a entrepris de disséquer l'âme de son enfant dès sa conception. Il a fait appel à l'aide de ses plus vieux ancêtres et accompli d'effroyables rituels, pour scinder cette âme et nourrir son côté obscur au détriment de l'autre. Mais au final, les choses ne se sont pas passées exactement comme prévu. Au lieu de donner naissance à un fils malfaisant unique, Chepi a eu des jumeaux, dont un a l'âme mauvaise et l'autre, l'âme pure.

J'ai la tête qui tourne de tout ce que je viens d'apprendre, et pas une seule réponse sensée ne me vient à l'esprit.

Des jumeaux.

L'un maléfique. L'autre bon.

Le mythe par excellence, sauf que dans ce cas, c'est réel.

– D'accord... je fais, luttant pour tout assimiler. Mais puisque Jolon, le père de Chepi, était si puissant, pourquoi est-ce qu'il n'est pas intervenu ?

Paloma acquiesce comme si elle s'attendait à cette question, et s'empresse d'y répondre :

– Quand Chepi est rentrée, toute débraillée et désorientée, Jolon a été bouleversé de voir que sa fille adorée avait été violentée et abusée de cette manière. Mais il était loin de se douter que Leandro l'attendait au tournant. Et ce dernier a profité de ce moment de faiblesse pour faire irruption et altérer la perception de Jolon, chose qu'il n'avait jamais réussi à accomplir auparavant. On dit que Leandro aurait terrorisé Jolon par des images prémonitoires des ravages que causerait son petit-fils. Tout ce que je sais, pour ma part, c'est que Jolon n'a pas survécu. Il est mort sur le coup d'une crise cardiaque, laissant la pauvre Chepi orpheline. Par la suite, quand Leandro a appris la naissance des jumeaux, évidemment, il a tout de suite choisi son préféré. Il a pris Cade sous sa garde, avertissant Chepi que si elle tentait à tout prix de le récupérer, il lui prendrait aussi Dace. Alors, elle s'est consacrée entièrement à ce dernier, tirant un trait sur les guérisons, la magie et tout ce que Jolon lui avait appris. Elle affirmait avoir perdu son don, et sa foi aussi, qu'elle n'était plus utile à personne, mais qu'elle essaierait de l'être à son fils. Pour gagner sa vie, elle s'est mise à fabriquer de magnifiques bijoux de turquoises, qu'elle vend sur la place. Son histoire est très triste, *nieta*. Elle refuse de se pardonner quelque chose dont elle n'est absolument pas responsable.

– Mais alors, comment se fait-il que les garçons ne se soient jamais rencontrés ? je demande, totalement absorbée par son récit.

– Dace n'a quitté la réserve qu'à l'adolescence, quand il a décidé qu'il voulait aller au lycée Milagro ; Chepi en avait assez de se bagarrer avec lui, et elle savait qu'elle ne pourrait pas le protéger éternellement. Alors elle a fini par céder. La veille de son départ, elle lui a parlé de ce frère qu'il n'avait jamais connu. Cela dit, je doute qu'elle lui ait dit toute la vérité.

Déjà qu'elle a elle-même du mal à l'admettre... De toute façon je ne vois pas à quoi cela servirait que Dace connaisse ses véritables origines.

Je ne dis plus rien, faute de vraiment savoir comment réagir. En me remémorant ce jour à la station-service, cette femme d'un certain âge qui, empreinte d'une profonde tristesse, portait une superbe parure de turquoises, je comprends sans l'ombre d'un doute que c'était la mère de Dace, Chepi.

– Maintenant que tu sais tout, garde-le pour toi. N'en parle à personne, surtout pas à Dace. Un jour, peut-être, il découvrira la vérité par lui-même, mais ce n'est pas à nous d'intervenir. Ce garçon est vraiment une belle personne, une âme pure. Il ne représente pas une menace pour toi. Je ne lui souhaite que du bien.

Une belle personne : ce n'est pas moi qui dirais le contraire.

– Je te le répète, surtout, ne les confonds jamais. Ne laisse jamais Cade te faire croire qu'il est son frère, et inversement. Il faut absolument que tu trouves le moyen de les distinguer – tu avais parlé de leurs yeux, je crois ?

Je hoche la tête tout en visualisant leurs regards.

– Ils sont quasiment identiques, à cette différence que ceux de Cade absorbent la lumière, alors que ceux de Dace la réfléchissent.

Paloma joint les mains sur sa poitrine, le visage brillant d'optimisme.

– Tu es la seule à avoir jamais remarqué ce détail, *nieta*. Maintenant que tu en as conscience, ne l'oublie jamais. Et en cas de doute, sonde leurs yeux. Quelle que soit l'apparence qu'ils revêtent, leur véritable nature demeure. Ils ne pourront jamais t'induire en erreur.

Lentement, je pousse un soupir, encore étourdie par ces révélations.

– Maintenant, *nieta* chérie, conclut Paloma en posant la main sur mon genou, puisque tu as réussi à apprendre la télékinésie toute seule, sans aucune instruction de ma part, je crois qu'il est temps pour toi de passer à un apprentissage bien plus excitant. Et à mon sens, il est inutile d'attendre plus longtemps. Alors, es-tu prête à t'envoler ?

VINGT-NEUF

Paloma m'emmène dans le patio caché à l'arrière de la maison, où je n'ai mis qu'une seule fois les pieds depuis le temps que j'habite ici, et encore, je ne faisais que passer. Mais maintenant que nous remontons la petite allée pavée, je ne peux m'empêcher d'être admirative, ne serait-ce que de sa superficie et de son envergure, sans parler des plantes parfumées et luxuriantes, bien que l'automne soit déjà bien entamé.

D'une étendue apparemment anarchique et sans fin, le patio se compose de zones soigneusement délimitées, consacrées d'un côté aux plantes médicinales que Paloma utilise pour traiter ses patients, et de l'autre aux légumes bio qu'elle nous sert aux repas. Il y a même un massif débordant de splendides grosses fleurs bourgeonnantes, juste à côté d'un autre carré spécialement réservé à ses cultures hybrides, où toutes sortes de curieuses plantes difformes surgissent de terre.

D'une voix douce et mélodieuse, elle fredonne en espagnol en effleurant chaque feuille sur son passage. Cet air, je l'ai déjà entendue le chanter à d'autres occasions, mais je comprends maintenant que c'est une chanson spécifique à son jardin, qui doit favoriser la bonne pousse des plantes et les aider à tendre vers la lumière, même quand celle-ci semble manquer.

Toutefois, elle seule en connaît les paroles ; pour moi, elles restent encore obscures. Sans doute car je n'ai jamais eu la main verte, et ce n'est rien de le dire. Cela fait partie des choses auxquelles Paloma m'a promis de remédier, non sans son bémol usuel : « Mais une chose après l'autre, *nieta* ! Le temps presse, or j'ai encore beaucoup à t'apprendre. »

« Le temps presse » : cette partie de la phrase me tracasse énormément.

Non qu'elle soit très vieille. Statistiquement parlant, elle devrait avoir encore plusieurs dizaines d'années au moins devant elle. Mais entre le fait qu'elle saigne constamment du nez et qu'elle crache du sang quand elle tousse, je suis bien obligée d'être un peu préoccupée par son état de santé. Pourtant, chaque fois que je l'interroge à ce sujet, elle se borne à rejeter la question et à m'assurer qu'elle va très bien, avant de passer à autre chose.

– J'ai fait la connaissance de Xotichl, je dis, tout en observant sa démarche gracile tandis qu'elle avance devant moi, sa longue tresse brune oscillant dans son dos.

Paloma se retourne, le visage illuminé par un grand sourire.

– Ah… Xotichl. Une fille adorable, malicieuse et très sensée pour son âge. Laquelle de ces facettes de sa personnalité t'a-t-elle montrée, *nieta* ?

Je réfléchis un instant.

– Les trois, je dirais. Elle dit être une de tes patientes. Elle n'est pas malade, au moins ?

En voyant Paloma faire non de la tête, je suis surprise par l'immense soulagement qui m'envahit.

– Bien que la teneur de nos séances soit confidentielle, je peux toutefois te dire que Xotichl possède la rare faculté de voir ce qui échappe à la plupart des voyants. Cette vision du monde extérieure qui lui fait défaut, elle la compense par une perception intime des choses, sa perspicacité est sans égale.

Paloma hoche le menton, puis se penche pour admirer un bourgeon particulièrement odorant, que je sens jusqu'ici.

– Elle est indifférente aux futilités habituelles qui accaparent la plupart des gens et les empêchent de voir au-delà des apparences. Grâce à cette absence de distraction, elle peut entrer directement dans le vif du sujet, déchiffrer la véritable énergie à l'origine d'un acte ou d'une parole. Ce qui explique en partie pourquoi elle ne s'est jamais laissé influencer par les Richter. Ils ne peuvent pas l'atteindre, ni altérer sa perception. C'est vraiment une fille unique, et avec un grand sens de l'humour, qui plus est ! Je suis sûre qu'elle s'est pas mal amusée à tes dépens. Quoique, je dois l'admettre, je lui avais donné toutes les informations dont elle avait besoin. Je sais que ta journée n'a pas été facile, j'espère que tu ne lui en voudras pas ?

Je repense à notre étrange rencontre dans le hall du lycée, et rassure tout de suite Paloma d'un geste.

– Son petit ami, Auden, m'a raccompagnée. Ils m'ont invitée à les retrouver au Terrier du Lapin ce soir, pour écouter son groupe jouer sur scène mais… je sais pas trop. Je suis pas sûre d'en avoir envie, et encore moins d'être prête à retourner dans cet endroit, en tout cas pas dans l'immédiat.

Paloma me fait signe de m'asseoir sur le banc en mosaïque qui jouxte la vasque pour les oiseaux.

– C'est vrai, *nieta*. Tu n'es pas encore tout à fait prête. Mais à la fin de notre leçon, tu le seras.

Intriguée, je la scrute, curieuse de savoir ce qu'elle pourrait bien m'enseigner en quelques heures pour que je me sente prête à retourner dans ce bar où j'ai bien failli perdre la tête, et qui plus est la vie. C'était forcément une métaphore, quand elle m'a demandé si j'étais prête à m'envoler, non ?

– Je vais t'apprendre à sauter comme un lapin, onduler comme un serpent, galoper comme un cheval, ramper comme un scorpion et voler comme un corbeau. Ça va te surprendre, mais crois-moi, c'est beaucoup plus facile que tu ne le crois.

Mon regard s'arrête sur elle sans que je sache trop que croire, si tant est que son discours soit crédible. Ça m'a tout l'air d'un exploit impossible, et je doute sérieusement d'y arriver.

– Tout comme tu as fusionné ton énergie avec celle du capteur de rêves pour le décrocher du mur et le faire venir à toi, tu vas maintenant t'entraîner à unir ton énergie à celle d'esprits vivants, des créatures de chair et d'os, afin de te glisser dans leur peau.

– Tu veux dire comme une… *métamorphose* ? je panique, déjà farouchement opposée à cette idée.

Qui me dit que je ne vais pas rester coincée ? Et si je m'emmêlais les pinceaux et que je n'arrivais jamais à revenir en arrière ? Ça me plaît d'être une fille, moi. Je n'ai aucune envie de passer le restant de mes jours dans la peau d'un lézard, d'un scorpion, ou que sais-je encore.

Paloma rit, puis me rassure d'une voix douce :

– Non, *nieta*. Tu ne vas pas te transformer, mais plutôt ressentir les choses à leur place. Tu vas apprendre à voir avec leurs yeux, à vivre dans leur peau. C'est une aptitude très ancrée dans la magie et la mystique, qui s'acquiert normalement bien plus tard au cours de l'initiation, mais tu es fin prête, je le sens. Le moment est venu pour toi de t'y essayer.

Je ne dis rien. J'ai tellement de questions en tête que je ne sais pas par laquelle commencer.

Paloma se retourne ; son regard parcourt le patio sans s'arrêter sur le box vide qui attend l'arrivée de Kachina, et se pose sur le premier animal qu'il voit, lequel se trouve être un chat blanc galeux avançant avec précaution au sommet de l'épais mur d'adobe.

Elle me le montre d'un geste et se met à chuchoter tout doucement.

– Concentre-toi. Observe-le bien. Visualise-le pour ce qu'il est *réellement* : non pas un simple félin affamé au pelage blanc hirsute, mais plutôt une masse d'énergie vibrante qui s'est assemblée pour prendre cette forme. Il est constitué d'énergie tout autant que toi, tout comme tes pensées et tes paroles le sont.

Elle m'observe du coin de l'œil et poursuit :

– Allez, concentre-toi davantage. Fais abstraction de tout ce qui t'entoure, jusqu'à ce qu'il n'y ait plus que toi et le chat, sans rien entre vous, pas le moindre obstacle. Fonds-toi dans le flux de son énergie, sonde son ressenti. Vas-y, *nieta*, tu n'as rien à craindre. Laisse ton énergie se mêler, s'unir et fusionner. Laisse ton âme faire corps avec la sienne.

Je m'exécute à la lettre. Je fixe le chat si longtemps que tout le reste autour de moi finit par s'évanouir. Je le regarde s'arrêter, s'asseoir, soulever délicatement sa patte et se nettoyer le museau de sa langue râpeuse… Et d'un seul coup, je me retrouve *dans sa peau*. Comme si j'avais pris sa place. Mon énergie fusionne avec la sienne, jusqu'à ce que je ressente les choses de l'intérieur.

Je suis légère.

Pleine d'aisance.

Gracieuse et leste, comme jamais je ne l'ai été ou n'aurais pu l'imaginer.

Avançant sur le mur, la queue droite comme un I, je me fige à mi-chemin, alertée d'un vague changement, consciente qu'une intrusion a eu lieu, et me rends très vite compte que l'intruse n'est autre que moi-même.

Hissée sur mes quatre pattes, je fais le gros dos, m'étirant avec plaisir et tenant la pose quelques secondes, avant de me remettre en route. Ma démarche est si légère et raffinée que la sensation me grise totalement.

Puis, sans crier gare, son corps bondit en avant pour sauter du mur et atterrir derrière, hors de vue. Notre lien se rompt si subitement que je m'effondre comme une masse sur le banc.

Paloma se tient debout devant moi, les mains serrées sur la poitrine.

– C'est merveilleux, *nieta* ! Vos âmes ont fusionné, je l'ai vu sur ton visage. Tu ne faisais plus qu'un avec lui ! Raconte-moi, qu'as-tu ressenti ?

Je prends un instant pour remettre de l'ordre dans mes idées et trouver les mots.

– Je me sentais sereine… légère… heureuse de vivre… J'ai ressenti tous les instincts profondément ancrés qui dictaient ses actions… et j'étais douloureusement consciente de la faim qui lui tenaillait le ventre.

Je lui lance un regard en repoussant une mèche devant mes yeux.

– Je crois qu'on devrait lui laisser un peu de nourriture pour qu'il ne soit pas toujours obligé de chasser dans les champs et de se débrouiller tout seul.

Paloma se rassoit à côté de moi et glisse un bras sur mes épaules.

– Tu as bon cœur, *nieta*. Considère que c'est chose faite. Mais je te préviens, dès lors que tu auras pris l'habitude de lui donner à manger, il ne va plus te lâcher.

Je hausse les épaules. Ça ne me dérange pas. Pour quelqu'un qui a toujours eu interdiction d'avoir un animal de compagnie, je commence à avoir une vraie ménagerie maintenant, avec mon cheval et mon chat.

Après la fusion de mon énergie avec celle d'une araignée, d'un lézard et d'un autre chat – gris et assez gros, pour le coup –, j'ai ainsi couvert à peu près toute la diversité de la faune trouvée dans le patio de Paloma, et il est temps pour moi de voler comme un oiseau.

– Au fond, le principe est le même, explique-t-elle. Mais comme tu vas bientôt t'en apercevoir, c'est très grisant, c'est pourquoi on garde toujours cette étape pour la fin. Il faut gravir les échelons un à un avant de vivre une telle expérience. Mais puisque tu es une Danseuse du vent, puisque le vent est ton élément et le corbeau, ton guide, il y a de fortes chances pour que tu atteignes des sommets. C'est pourquoi je voulais être sûre que tu sois bien préparée avant de passer à cette étape. Alors, te sens-tu prête ?

Je hoche la tête, sûre de moi. J'ai hâte de prendre mon envol et de monter en flèche à travers les nuages, ou tout au moins de voltiger d'arbre en arbre…

Paloma plisse les yeux pour un rapide tour d'horizon de la campagne alentour. Levant le bras, elle m'indique un gros corbeau noir luisant, perché sur une branche à proximité.

– Sa présence n'est pas un hasard, opine-t-elle en se tournant vers moi. S'il est là, c'est pour une raison. Il pressent qui tu es, il sait qu'il appartient à la famille de ton animal totem et n'attend plus que toi pour créer le lien. Cependant, ne le confonds pas avec ton véritable animal totem – ce corbeau que tu as rencontré dans le Monde Souterrain et dans la grotte – ; considère-le simplement comme un frère, tout comme l'ensemble des corbeaux qui peuple le Monde Intermédiaire. Les corneilles font aussi partie de la famille, ce sont elles qui ont annoncé ton arrivée. Outre tout ce que je t'ai déjà expliqué, le corbeau est un messager du royaume des esprits. Les choses qu'il te montrera peuvent faire basculer ta vie de façon prodigieuse. Il t'apprendra à t'aventurer dans les ténèbres, pour en faire rejaillir la lumière. Certaines légendes racontent même qu'il aurait dérobé la lumière du soleil aux coyotes, qui étaient déterminés à laisser le monde plongé dans l'obscurité. Légende qui se révèle authentique, puisque c'était durant l'époque de Valentina, et qu'elle a veillé à la consigner dans des écrits que je te montrerai un jour. Mais comme tu le sais, *nieta*, tout est cyclique, les coyotes n'ont pas tardé à rassembler leurs troupes et à revenir plus forts que jamais…

Elle joue avec l'ourlet de sa robe, tandis que son regard se perd dans un voyage au long cours, au gré de ses pensées. Puis, secouant la tête, elle revient à nos moutons en disant :

– Bref, assez parlé de ça ; il est temps pour toi de rejoindre ce corbeau et de t'élever dans les airs avec lui.

Exactement comme avec les chats, le lézard et l'araignée, je me concentre sur lui, jusqu'à ce que tout le reste s'estompe. Et l'instant d'après, la magie opère. Nous fusionnons, avec un minimum d'efforts, et quand le corbeau bondit de son perchoir pour s'élancer au-dessus de nos têtes, je me retrouve à voltiger avec lui. L'expérience est une véritable délivrance, totalement grisante, comme si chaque cellule de mon corps vibrait de la seule force vitale de son énergie.

Le spectacle est fascinant, des cimes d'arbres, en bas, aux toits de mes voisins, qui m'apparaissent comme vus d'avion (mais sans l'avion !). J'ai une vision d'ensemble imprenable sur tout. Rien n'échappe à mon regard. Suivant la trace du chat blanc dont je ferai bientôt mon animal de compagnie, je le regarde traquer sa proie, un petit mulot gris, puis poursuis ma trajectoire bien avant qu'il ne se jette sur lui.

Je sillonne le ciel au-dessus de sentiers de terre battue, de patios abritant des voitures toutes rouillées. J'aurais aimé planer jusqu'au Sangre de Cristo, la chaîne de montagnes qui apparaît indistinctement au loin, mais le corbeau a une autre idée en tête. Et bien que je sois à peu près certaine que je pourrais facilement lui passer devant et l'obliger à changer de cap, voire le convaincre de me suivre, il tient à me montrer quelque chose de bien précis.

Nous virons à gauche en décrivant un arc, piquons vers le sol en rasant les câbles téléphoniques avant de nous arrêter sur l'abri de bus, juste en face du Terrier du Lapin. Et c'est à cet instant que je comprends ce qui se passe réellement : en unissant mon énergie à celle du corbeau, bien que physiquement je sois toujours avec Paloma, je peux surveiller à travers lui ce qui se trame à différents endroits, quelle que soit la distance.

Le corbeau et moi nous rapprochons d'un bref battement d'ailes, et nous posons sur un réverbère surplombant la ruelle. Le vieux break d'Auden est garé près de la porte de derrière où je le vois décharger du matériel avec les musiciens de son groupe, et le porter à l'intérieur du bar.

Mon intérêt est davantage piqué lorsque Dace sort par cette même porte en traînant un gros sac-poubelle plein dans chaque main, s'arrête pour laisser passer les musiciens d'Auden, puis se dirige vers le fond de la ruelle. Les bras fléchis sous le poids des sacs, le pas assuré et vif, il donne l'impression par sa démarche que la lumière du soleil déclinant chatoie autour de lui.

Je note chaque détail, épie le moindre de ses gestes, à la fois excitée et honteuse de l'espionner de cette façon. Je me répète tout bas les paroles de Paloma :

– Contrairement aux autres membres de la famille Richter, il n'est pas mon ennemi, son âme est belle et pure.

Il se tient devant la benne, prend le temps d'inspecter rapidement les alentours pour s'assurer qu'il est seul, puis ferme les yeux et lâche les sacs. Et c'est d'un œil médusé que je vois ces derniers lui glisser des mains et plonger directement dans la grande benne en métal.

Il faut croire je ne suis pas la seule dans le coin à aimer les petites séances de télékinésie.

Il s'essuie les mains sur les pans de son tablier et se dirige vers un bâtiment en briques rouges devant lequel il sort son portable, enfonce des écouteurs dans ses oreilles et ferme les yeux en s'adossant au mur, pour écouter une chanson qui lui donne l'air si paisible et rêveur que je suis tentée d'aller me poser sur son épaule pour l'entendre moi aussi.

Je quitte mon perchoir en voltigeant à la recherche d'une meilleure vue. À travers les yeux du corbeau, je contemple la posture désinvolte de ses épaules, l'éclat de ses cheveux qui balaient le devant de son tee-shirt, sa silhouette longiligne, la façon dont son tablier lui retombe sur le bas des hanches et lui effleure les cuisses. Je ne demanderais pas mieux que de rester là à le regarder, et c'est avec regret que je le vois finalement soupirer, s'écarter du mur et rebrousser chemin.

J'en fais autant, prenant soin de raser les murs, de rester discrète, invisible. Je le suis tout du long jusqu'à la porte de service, où Auden et ses musiciens ont été remplacés par la serveuse qui s'était occupée de moi la dernière fois que j'étais là.

Elle se tient sur le seuil, le dos voûté, les bras croisés, pendant que Cade se dresse menaçant devant elle et l'accable de reproches qui la font grimacer de honte.

Je m'approche sans un bruit, hésitant à intervenir – par exemple en crevant ses effrayants yeux bleus d'un coup de bec – quand soudain Dace s'interpose et s'en charge d'une manière moins violente.

Il glisse un bras autour des épaules de la serveuse pour lui murmurer quelques mots de réconfort, tout en dévisageant durement son frère.

– Ça suffit, Cade.

Son frère lui lance un regard furieux et le rembarre d'un geste méprisant.

– Te mêle pas de ça, Whitefeather. Ça te regarde pas, lâche-t-il en se retournant vers la fille pour reprendre là où il s'était arrêté.

Mais Dace ne se laisse pas démonter.

– Si, ça me regarde, justement.

Il fait signe à la serveuse de rentrer à l'intérieur.

À son départ soudain, Cade entre dans une rage folle.

– De quel droit est-ce que tu oses te mêler de mes affaires ?

Dace hausse les épaules et plonge les mains dans ses poches.

– Elle bosse dur, fiche-lui un peu la paix.

– Mais pour qui tu te prends, à me donner des ordres comme ça ? fulmine Cade, indigné. À moins que tu aies décidé de changer de nom de famille pour t'appeler Richter, je ne vois pas en quoi tu as ton mot à dire. Tu n'es qu'un employé, ici. Ne l'oublie jamais.

Dace reste planté devant lui, pas le moins du monde intimidé.

– Tu obtiendrais bien plus de tes employés si tu leur montrais un peu de respect, ajoute-t-il sans broncher en voyant son frère s'avancer le visage totalement empourpré.

– Qu'est-ce qui te permet de me dire comment gérer mon club ?

Les poings serrés, Cade lève le bras, l'air menaçant, mais au même moment Leandro surgit sur le pas de la porte, emplissant tout l'espace de son imposante silhouette.

– *Ton* club ? répète-t-il en fixant son fils préféré, cet enfant conçu en fonction de ses critères personnels bien précis. Tu ne crois pas que tu t'emballes un peu ?

Il lui agrippe l'épaule et l'écarte brutalement de Dace.

– Arrête de faire des histoires et laisse ton frère tranquille. Je suis sérieux, Cade, ne m'oblige pas à le répéter.

D'un signe de tête, il indique à Dace de rentrer, puis se retourne vers Cade, pour ajouter à voix basse :

– Je ne l'apprécie pas plus que toi, mais ta façon d'agir prouve que tu es loin d'être prêt à prendre la relève dans cette entreprise, ou n'importe quelle autre, d'ailleurs. Il est temps que tu apprennes à être un peu plus diplomate.

Il rentre à l'intérieur, laissant Cade remâcher son sermon, dans une colère si visiblement intense qu'elle en vient à le défigurer et faire ressurgir la face cachée que je lui connais. Celle d'un garçon démoniaque, au regard incendiaire et à la langue de serpent.

L'effet ne dure qu'un instant. Assez longtemps, cependant, pour me déstabiliser et finir par altérer mon fragile équilibre d'énergie. Alors, le corbeau reprend son envol depuis le toit, et s'élance vers le ciel… mais sans moi. Je me retrouve inerte, le regard perdu, déboussolée, avachie sur le banc du patio de Paloma.

TRENTE

– Tu ne trouves pas ça un peu bizarre ? je fais en lançant un coup d'œil à Paloma dans le miroir de la salle de bains. Tu sais, la grand-mère qui incite sa petite-fille à sortir en boîte, et qui propose même de l'y conduire ?

Paloma esquisse un sourire forcé, l'air de saisir la blague, mais son regard, lui, reste impassible, ce qui me fait dire que son esprit est ailleurs, accaparé par un lot de nouveaux soucis.

– Qu'est-ce qu'il y a ?

Je prends le temps de me retourner face à elle, mon bâton de mascara en suspens devant moi.

– Malheureusement il ne s'agit pas seulement de sortir en boîte avec tes amis, *nieta*, soupire-t-elle en posant sur moi un regard désolé. Bien sûr, je veux que tu profites de ta soirée avec Xotichl et Auden, mais sache cependant que l'enjeu est bien plus considérable que d'écouter de la musique et t'amuser.

J'acquiesce et attends qu'elle m'annonce la couleur. Mais Paloma étant ce qu'elle est, quelqu'un qui aime se dévoiler au compte-gouttes, elle s'affaire à tripoter distraitement son cardigan bleu ciel. Elle prend tout son temps pour l'ajuster bien comme il faut sur ses épaules, bien qu'elle le porte rarement à l'intérieur. C'est une tactique pour gagner du temps, évidemment, mais je préfère ne pas la brusquer et me remets à maquiller mes cils comme Jennika m'a appris à le faire, en appliquant la brosse bien à plat à la base et en remontant d'un geste appuyé jusqu'aux pointes.

– Comme je te l'ai déjà expliqué, Enchantment abrite de nombreux vortex qui fournissent des portails d'accès aux différents mondes, reprend Paloma d'une voix sèche et tendue. Mais ce que je ne t'ai pas dit, c'est que le Terrier du Lapin en abrite un, lui aussi. Ce club renferme de nombreux secrets, dont un portail difficile à trouver et solidement gardé. Seuls les Chasseurs les plus talentueux ont été à même de le repérer… Mais aucun n'a jamais réussi à le franchir.

Je lui décoche un regard anxieux, me demandant si c'est précisément ce qu'elle attend de moi : que non seulement je le trouve, mais aussi que je m'y introduise. Si c'est ça son plan, alors là, désolée, mais ce genre d'espionnage dépasse largement mes compétences !

– Ne te méprends pas, *nieta*. Je ne te demande pas de t'y introduire dès ce soir. En fait, je te l'interdis même strictement, dit-elle les mains serrées, tandis que ses yeux se plantent dans les miens. Même si tu parviens à le trouver, en aucun cas tu ne dois y pénétrer. Tu n'es pas prête, et on aura tout le temps plus tard. Pour l'instant, tout ce que je te demande c'est d'essayer de le localiser, et de me tenir informée quand ce sera fait.

Je respire un bon coup et me retourne face à la glace. Mes cheveux sont raides et ternes, mais ils sont très bien comme ça ; les Brushing ou les bouclettes, très peu pour moi. Alors, après avoir souligné mes yeux d'un trait d'eye-liner noir et d'une troisième couche de mascara, j'ajoute un soupçon de blush rosé sur mes joues et complète mon look d'une touche habituelle de baume à lèvres. Inutile d'en rajouter. Sinon, j'aurais l'air d'en faire trop, de chercher à en mettre plein la vue.

Je me retourne face à Paloma, appuyée contre le plan de travail.

– OK, alors comment suggères-tu que je m'y prenne ? Comment je saurai que c'est ça ? À quoi ça ressemble, un portail, d'ailleurs ? Et tu n'as pas dit qu'il était solidement gardé, au fait ? Alors, comment je suis censée m'en approcher, au juste ?

À peine ai-je fini ma phrase que mes yeux s'écarquillent d'horreur, car je prends conscience qu'à balancer tout un flot de questions sans reprendre une seule fois mon souffle, on croirait entendre exactement Jennika. Autant dire que ce n'est pas vraiment le trait dont j'avais espéré hériter.

– À mon avis, on peut supposer sans trop s'avancer que quand tu le verras, tu le sauras. Malheureusement, il n'existe aucune norme établie pour décrire un vortex. Parfois, on le repère à la façon dont l'air devient subitement vaporeux et chatoyant – comme ce que tu as vu au Maroc. À d'autres moments, son aspect est plus dense, plus huileux et trouble. Parfois encore, ça tient plus de la sensation, un afflux perceptible d'énergie, comme si les vibrations de l'endroit en question étaient plus fortes et plus vives que nulle part ailleurs. Dans ce cas, tu remarqueras souvent que toute la zone alentour est touchée aussi. Un signe qui ne trompe jamais, ce sont les branches de genévrier tordues, explique-t-elle.

Ça me rappelle ce jour où j'ai aperçu un genévrier tout tordu dans la réserve, avec Chay. Il n'avait pas voulu aller plus loin, sous prétexte que je n'étais pas encore prête ; mais je me garde bien d'en parler à Paloma, et lui fais juste signe de continuer.

– Dis-toi bien qu'à moins d'être très concentrée et attentive, tu ne percevras et ne verras rien.

Elle marque une courte pause, mon air déconcerté l'incitant à s'expliquer.

– Au moment où l'on parle, tu es focalisée sur moi. Tu m'observes, tu m'écoutes, tu t'efforces de comprendre ce que je veux dire, commente-t-elle avec un sourire. Et cet effort est couronné de succès, car je suis déjà solidement ancrée dans ta conscience. Je fais partie intégrante de tout un ensemble de choses que tu connais, et auxquelles tu t'attends dans ce monde. Mais maintenant que tu as pris conscience que ce monde était plus complexe que tu ne le croyais, maintenant que tu sais que ce Monde Intermédiaire n'est qu'une dimension parmi tant d'autres, et qu'il existe des vortex et des portails menant à d'autres dimensions, dans peu de temps tu seras devenue assez compétente pour les repérer au premier coup d'œil. Mais pour l'instant, ce soir, tout ce que je te demande c'est de bien examiner les lieux, de rester vigilante, et si jamais tu remarques quelque chose qui te paraît anormal, prends-en note, observe bien ce qui t'entoure, puis éclipse-toi sans tarder.

Je tripote le bracelet de ma montre en me remémorant mon premier et unique passage au Terrier du Lapin. Tout, dans cet endroit, paraissait bizarre, louche, clairement anormal : des clients aux yeux vitreux du bar, en passant par les barmen, les videurs et les serveurs qui y travaillaient. Mais maintenant, je comprends mieux, ils sont tous sous l'emprise des Richter.

– L'endroit est truffé de caméras de surveillance, je rétorque en regardant Paloma dans les yeux. Juste avant de partir, je suis allée dans un bureau où j'ai vu Cade surveiller tout le bâtiment, dedans comme dehors, depuis un grand mur d'écrans. Ça ne va pas être facile de fouiner. Où que j'aille, ils pourront me surveiller. Et crois-moi, dès qu'ils se seront aperçus que je suis dans les murs, ils m'auront à l'œil. Je n'aurai pas le moyen de les esquiver.

Cependant, en dépit de tout ce que j'ai dit, Paloma réfute mes arguments d'un simple sourire.

– Et pourtant, tu *vas* les esquiver, *nieta*. Et assez aisément, comme tu vas bientôt t'en apercevoir. Ils ne remarqueront même pas ta présence, je te le promets.

Je la dévisage sans comprendre où elle veut en venir, et pas certaine de le vouloir.

– C'est-à-dire ?… Tu veux me faire porter une cape d'invisibilité ? je fais, espérant que la blague me détende un peu.

Et c'est le cas. Du moins, jusqu'à ce qu'elle plonge la main dans la poche de sa robe, et en ressorte un petit bocal fermé d'un couvercle plein de petits trous, avec un cafard mécontent à l'intérieur.

– De la même façon que tu as fusionné ton énergie avec celle des chats, du lézard, de l'araignée et du corbeau, quand tu seras au club, tu iras aux toilettes, tu t'isoleras dans une cabine vide et tu fusionneras avec ce cafard, qui te permettra d'inspecter les lieux, ni vu ni connu.

– Un cafard ? je fais en scrutant tour à tour le bocal et Paloma.

Alors là, sûrement pas ! Rien que d'y penser, j'en ai la chair de poule.

– Sérieusement ? *Una cucaracha ?* j'insiste en utilisant tout ce que je sais d'espagnol.

– Absolument, *nieta*, sourit-elle. À mon avis, ce n'est pas ce qui manque au Terrier du Lapin, mais dans le cas présent, on ne peut pas prendre le risque que l'établissement soit beaucoup mieux entretenu que je ne l'imagine. Tu vas donc devoir apporter ton propre équipement.

Elle me tend le bocal, et bien que j'aie du mal à me faire à l'idée de ce qu'elle attend de moi, je me surprends à le saisir sans vraiment hésiter, en tout cas bien moins que je ne l'aurais cru. Après avoir vérifié que le couvercle est bien fermé, je le fourre au fond de mon sac et hisse ce dernier sur mon épaule.

– Bon, mais alors, par rapport à tous les vortex et les portails qui existent à Enchantment, pourquoi celui-ci est-il si important ?

Paloma se tourne face au miroir, contemple son reflet en resserrant son cardigan sur sa poitrine, puis se retourne sans avoir eu le temps d'apercevoir la petite mare de sang qui se forme au coin de son nez.

– Celui-ci renferme le secret de leur force. Si tu parviens à le trouver, et au final à t'y introduire, tu pourras les mettre définitivement hors d'état de nuire.

Trente et un

Après avoir passé le même slim noir que celui que je porte au lycée – à savoir, le seul qui ait échappé au sort réservé par les ciseaux de Paloma, qui voulait absolument l'élargir pour mon plâtre –, j'enfile un débardeur noir moulant qui tombe sur mes hanches, mes bottines noires préférées, une grosse paire de créoles en argent et, bien entendu, ma veste militaire kaki. Au moment où je quitte ma chambre et remonte le couloir en calant ma petite bourse sous mes vêtements bien contre ma peau, Paloma apparaît.

– Tiens, *nieta*, tu en auras besoin, dit-elle en me tendant deux billets de vingt dollars tout usés et chiffonnés.

Je m'empresse de refuser d'un geste. Je ne peux pas accepter son argent. Pour autant que je sache, elle n'en a pas beaucoup, et ça ne me paraît pas correct.

Elle pousse un soupir, range les billets dans sa poche et me conduit à sa Jeep. Malgré toutes les discussions et les émotions qu'on a eues depuis que je suis rentrée du lycée, je m'étonne de voir à quel point nous sommes silencieuses durant presque tout le trajet jusqu'en ville. Ce n'est que lorsqu'elle freine à un feu, à quelques rues à peine du Terrier du Lapin, et attrape un mouchoir pour tamponner les gouttes de sang luisantes qui perlent sous son nez, que je finis par dire quelque chose :

– Paloma, ces saignements…

Mais comme chaque fois que j'aborde le sujet, elle y coupe court.

– Quand tu seras prête à rentrer, Chay et moi nous ferons un plaisir de venir te chercher, il suffit de nous passer un coup de fil, dit-elle en plaçant son pied sur la pédale d'accélérateur. Et si tu ne parviens pas à trouver le portail, mais que tu as envie de rester un peu pour t'amuser, tu peux aussi. Auden et Xotichl sont gentils, je suis sûre qu'ils trouveront quelqu'un pour te raccompagner.

Elle se gare devant le club, mais je reste rivée à mon siège. Je ne partirai pas tant qu'elle ne m'aura pas expliqué une bonne fois pour toutes ce qui lui arrive.

Mais comme d'habitude, elle lit dans mes pensées et se tourne vers moi, en posant une main sur la mienne pour la serrer d'un geste rassurant.

– File, *nieta*.

Tout indique, dans son ton comme dans son regard, qu'elle n'a aucune intention de répondre à mes questions, alors je ferais aussi bien d'obéir.

Elle se radoucit un peu en ajoutant :

– Et essaie de t'amuser un peu, tu l'as bien mérité.

Je pousse un soupir, j'aurais tellement aimé qu'elle se confie à moi ! Mais je sais que ça ne sert à rien d'insister avec elle, alors je saute de la Jeep et m'engouffre dans la ruelle en direction de l'entrée, tout en songeant que par comparaison avec les fois précédentes, l'endroit paraît bien différent. À mon premier passage, j'étais une vraie loque, totalement paumée et terrifiée par mes hallucinations, grâce à quoi j'avais tout vu sous un angle noir, menaçant, sinistre et flippant. Et la deuxième, il y a quelques heures à peine, à travers les yeux du corbeau, il m'a semblé presque ordinaire, banal, voire sans intérêt. Mais ça, c'est ce que les Richter veulent montrer. Comme l'a dit Paloma, maintenant que je suis initiée en tant que Chasseuse et sais quelle réalité entoure l'univers, j'ai la nette impression que quelque chose de bien plus menaçant se cache derrière les apparences.

Je me dirige vers la porte en remontant discrètement la file de clients, sans pouvoir réprimer un rictus lorsque le videur m'assène un coup de tampon identique à celui de la dernière fois : un coyote caricatural aux petits yeux rouges luisants.

Chers Coyotes, le moment est venu pour vous de faire face à une nouvelle génération de Chasseurs.

Mon audace doit bien durer dix secondes, jusqu'à ce que je pénètre à l'intérieur et que mon regard se pose d'emblée sur Lita et sa bande de Vipères, comme les appelle Xotichl, qui rôdent à quelques pas de la porte.

Cependant, au lieu des ricanements habituels auxquels je m'attends, je suis accueillie par trois paires d'yeux mi-clos et attentifs qui me suivent à la trace, tandis que je leur passe devant, contourne le bar et traverse un dédale de tables et de chaises bondées jusqu'au pied de la scène. Xotichl se tient là, paupières closes, les paumes à plat sur l'un des haut-parleurs, tandis qu'Auden règle la sono.

– Tu es venue, finalement, dit-elle avec un sourire, en tournant la tête vers moi sans ouvrir les yeux.

– Eh oui, je fais en me demandant ce qu'elle trafique, mais elle me l'explique avant même que je ne pose la question.

– Je peux voir les vibrations de la musique.

Elle rouvre les yeux, bien que son regard reste lointain, dans le vague.

– Comment ça, les *voir* ? je répète en scrutant sa mini-jupe en jean et son tee-shirt noir imprimé du mot ÉPITAPHE en lettres argentées sur le devant. Comment tu fais ? Je n'ai jamais entendu un truc pareil.

– Génial, pas vrai ?

Elle m'adresse un grand sourire qui illumine tout son visage.

– Ce n'est sans doute pas ce que tu imagines. Je ne vois pas vraiment des images. Ça ressemble plus à des jets de couleur vifs et intenses. La musique est une forme d'énergie – mais ça tu le sais, n'est-ce pas ? Enfin, à vrai dire, tout est une forme d'énergie, c'est scientifiquement prouvé. Mais bref, revenons-en à la musique : chaque note dégage sa propre dynamique, sa propre vibration, laquelle correspond aussi à une couleur précise, tu saisis ? Je ne sais pas si Paloma te l'a raconté, mais c'est comme ça qu'on s'est connus avec Auden. Je veux dire, pas ici au Terrier du Lapin, mais à cause de toute cette histoire de liens entre l'énergie, la musique et les couleurs. Au fond, quand on y réfléchit bien, tout est la faute de Paloma ! plaisante-t-elle. Ça fait environ deux ans qu'on travaille là-dessus ; c'est elle qui m'a permis de faire cette découverte. Par la suite, quand Auden a accepté de m'aider à affiner ma perception, elle nous a présentés, et ça a été le coup de foudre ! La musique qu'il joue est fascinante ! s'exclame-t-elle d'un air doux et rêveur. Si tu voyais comme elle déborde de couleurs ! Elle est aussi rayonnante que lui.

Je reste immobile à côté d'elle sans savoir quoi répondre. Jamais je n'aurais imaginé que je pourrais être jalouse d'une aveugle – ni même d'une autre fille d'ailleurs. J'ai toujours été plus ou moins contente d'être ce que je suis, tout simplement, pour le meilleur et pour le pire. Mais la gaieté de Xotichl est tellement contagieuse que je ne peux m'empêcher de me demander quel effet cela peut bien faire d'être elle. De vivre dans sa peau. D'avoir du bonheur et de l'amour à revendre.

De n'avoir jamais eu la charge de fusionner son énergie avec celle d'un cafard, pour partir à la chasse au vortex.

Je me demande si elle se rend seulement compte de la chance qu'elle a. Quoique, à bien la regarder, je suis presque sûre que oui.

– Au fait, juste pour info, ajoute-t-elle en se mettant à chuchoter avec un air de conspiratrice : la rumeur sur ton passé hollywoodien a circulé.

Je la fixe, sidérée, le souffle littéralement coupé.

– Tu m'as l'air assez médiatisée, fait-elle en hochant la tête.

Je n'arrive pas à dire s'il y avait une pointe de jubilation dans sa voix ou si c'est juste moi qui suis folle et parano – ce qui serait tout à fait probable – ; du coup, je décide de lui laisser le bénéfice du doute et de ne pas relever.

– Ils ont vu la couverture du magazine.

Je ferme les yeux, pétrifiée. Mais comment c'est possible ? C'est un hebdomadaire. Ça fait un moment qu'ils l'ont retiré des rayons, maintenant.

– Il paraît qu'il y en a un exemplaire chez le coiffeur, explique-t-elle en devinant ma question. Et un autre qui traînait à la laverie aussi. Ah ! Et au cas où tu ne serais pas au courant, il y a ce nouveau truc qu'on appelle Google : apparemment, tu es dessus aussi.

– Génial. Il manquait plus que ça… je fais en fixant mes pieds. Rien de tel que de passer de la galère à la cata en moins de vingt-quatre heures.

– Peut-être… commente Xotichl en se penchant vers moi. Ou peut-être pas. Pour la première fois depuis longtemps – pour ne pas dire jamais – ils sont confrontés à un dilemme inhabituel pour eux. Les voilà partagés entre l'idée de te détester et celle de t'admirer, alors qu'avant ils te détestaient, point. Tu devrais voir ça comme un progrès.

Je parcours la salle du regard, et bingo, croise trois paires d'yeux en train d'ausculter tous mes faits et gestes. Alors, je me retourne vers Xotichl et dis :

– Oui, enfin pour info, cette couverture n'était pas franchement flatteuse et l'article était bidon. Mais ça, les gens s'en fichent pas mal. Plus c'est scabreux, mieux c'est. Pourquoi saboter un numéro qui pourrait exploser les ventes en s'en tenant aux faits ? j'ironise, dépitée.

Quoi qu'en dise Paloma, je suis déterminée non seulement à trouver ce portail, mais aussi à me débrouiller pour m'y introduire. Plus vite je localiserai la source du pouvoir des Coyotes, plus vite je pourrai le détruire, achever ma mission de Chasseuse et reprendre le cours normal de ma vie.

– Justement, c'est ça que tu captes pas, insiste Xotichl. Lita et sa bande de Vipères – alias Crickett et Jacy –, elles s'en fichent que ce soit flatteur. Tout ce qui compte pour elles, c'est que tu as approché Vane Wick. D'ailleurs puisqu'on en parle, c'était comment ?

Pas toi, Xotichl ! Tu ne vas pas t'y mettre ! je me dis en la dévisageant. Mais en jetant un œil derrière mon dos, je me rends compte qu'à peu près tout le monde dans la salle me scrute, les filles comme les garçons, sans doute en se posant la même question, alors autant que je m'habitue à me justifier.

– C'était loin d'être aussi dément que ce que la plupart des gens s'imaginent, je lui explique, consciente que c'est presque aussi mensonger que les titres en une du magazine.

Dans mon souvenir, Vane embrassait hyper bien. Si bien, même, que j'ai été à deux doigts de commettre un acte que j'aurais regretté. Mais puisqu'il ne s'est pas gêné pour trahir ma confiance, dorénavant je m'en tiendrai à cette version des faits.

Xotichl glousse, puis se tourne vers la scène en commentant :

– C'est bien ce que je me disais.

L'instant d'après, les lumières baissent et Auden s'avance devant nous, guitare en bandoulière.

– Je dédicace cette chanson à Xotichl, annonce-t-il. Et toutes les suivantes, d'ailleurs.

Du bout des doigts, il entame des accords, répandant *crescendo* la musique à travers la salle.

– Je vais faire un petit tour, je glisse à l'oreille de Xotichl. On se retrouve plus tard, d'accord ?

Je suis déjà en train de tourner les talons qu'elle me retient par le poignet, la mine sombre, rivalisant pour se faire entendre avec les raclements de guitare d'Auden et leurs sonorités plaintives.

– Je ne sais pas où tu vas, mais sois prudente, Cade est là.

Trente-deux

Une foule d'ados déferle vers la scène. Ils sont si nombreux que je suis obligée de jouer des coudes pour me faufiler, en marmonnant « pardon, pardon… » je ne sais combien de fois, jusqu'à ce que je finisse par émerger brusquement de la cohue, et percute Dace de plein fouet.

Le choc entre nos deux corps est si violent qu'il en perd l'équilibre. Il esquisse un geste pour se rattraper à mon bras et essayer de nous remettre tous les deux d'aplomb.

– Ça va ? s'inquiète-t-il.

Je fais oui de la tête. Et détourne les yeux. Je suis incapable d'articuler une réponse ou de le regarder en face. Dans l'immédiat, mon attention est focalisée sur l'endroit précis où sa main agrippe mon bras et réduit le monde extérieur à des formes indistinctes, à un bruit de fond.

– C'est la deuxième fois que tu me rentres dedans… ça doit être un signe, sourit-il, les yeux pétillants et plissés d'amusement.

L'espace d'un court instant, nous restons tous les deux figés à nous regarder droit dans les yeux, jusqu'à ce que je libère mon bras, rompe le charme et replonge dans le tourbillon de musique et de gens qui se bouscule autour de nous.

– La dernière fois, tu avais l'air un peu dans les vapes… un peu pressée, ajoute-t-il, visiblement déçu que je ne réagisse pas. Alors, tu as sans doute oublié.

– Non, je m'en souviens.

J'aimerais surtout lui dire que je me souviens de tout dans les moindres détails : la question est de savoir si lui-même s'en souvient. Mais au lieu de ça, je fixe mes pieds en souriant bêtement. J'ai toujours l'air idiote quand il est dans les parages. Vous parlez d'une Chasseuse ! Pour essayer de me rattraper, de relancer normalement la conversation, sans avouer que je sais déjà qu'il travaille ici – merci, le corbeau qui m'a permis de l'espionner tout à l'heure –, je dis :

– Alors, tu viens souvent ici ?

Passant la main dans ses cheveux, il promène ses yeux bleu glacier sur moi. Et leur trajectoire est irrésistible, je la sens. C'est comme si une pluie de miel chaud en fusion ruisselait du sommet de mon front jusqu'à mes pieds.

– On peut dire ça, répond-il d'une voix feutrée. Plus que la majorité des gens, en tout cas.

Il agite un torchon humide, tire sur le cordon de son tablier, et je rougis pour toute réponse. Sa tenue me rappelle la scène de la ruelle : lui, adossé contre le mur, le visage si doux et rêveur que je mourais d'envie de le caresser, de l'embrasser, comme dans mon rêve.

Sondant son regard, je cherche un indice prouvant qu'il me reconnaît, se souvient, un petit signe qui me confirme que ce baiser dans la grotte, aussi étrange que ça paraisse, était bien réel, pas une simple impression. Mais au final, rien.

– Donc, tu bosses ici. Mais depuis combien de temps ? je demande pour revenir au concret.

Je laisse mon regard vagabonder sur son tee-shirt noir à col en V qui effleure la ligne sinueuse de son corps, me persuadant que ça fait partie intégrante de mes repérages, car je dois rassembler un maximum d'informations sur lui et sa famille. Mais au fond, bien sûr, je sais que ce n'est qu'un prétexte. La vérité, c'est que j'aime le regarder, et que j'aime sa compagnie.

– Je dirais à la fois trop longtemps et pas assez… en fonction de l'état de mes finances !

Son rire est bon enfant et décontracté, le genre de rire qui part du ventre et remonte avec légèreté jusqu'à la gorge.

– C'est un peu le seul boulot correct dans le coin, explique-t-il en haussant les épaules. De toute façon, ici, on finit toujours par travailler pour les Richter, et crois-moi, ce job n'est pas le pire.

Songeuse, je repense à ce que Cade a dit lorsque j'étais là par l'intermédiaire du corbeau. Il l'a appelé par un autre nom.

– Tu n'es pas de la famille Richter ? je fais mine de m'étonner en retenant mon souffle.

Malgré les mises en garde de Paloma, j'ai besoin de l'entendre de sa bouche, d'avoir la certitude qu'il ne se considère pas comme un membre de leur clan.

– Je porte le nom de Whitefeather, dit-il, le regard calme et sérieux. Ma mère m'a élevé seule, je ne savais même pas qui étaient les Richter quand j'étais gosse.

Bien que ce soit la réponse que j'attendais, je me renfrogne, contrariée. Tant que c'était un Richter, j'avais une bonne raison de l'éviter ; maintenant, je n'ai plus d'excuses.

– C'est pas grave au moins ? s'inquiète-t-il en baissant la tête vers moi avec une petite grimace au coin des lèvres. Tu as l'air un peu déçue…

Je secoue énergiquement la tête pour me tirer de mes rêveries.

– Non… non, au contraire. Je t'assure, je suis plutôt soulagée.

Nos regards se croisent ; le sien se plisse d'un air interrogateur.

– Disons que je ne suis pas très fan de ton frère, je précise.

Il éclate de rire, la tête renversée en arrière ; ce splendide cou offert me fait fondre, alors je détourne une fois de plus les yeux, à contrecœur.

– Si ça peut te rassurer, je dois dire que dans l'ensemble, moi non plus.

Il pose de nouveau les yeux sur moi, la chaleur de son regard déclenchant à elle seule la sensation fulgurante de bien-être qui m'envahit.

Mais elle ne dure pas, car très vite la situation change du tout au tout. Il devient subitement plus réservé, sur ses gardes, tout en fixant quelque chose au loin derrière moi.

– En parlant de lui…

Les sourcils froncés, c'est à peine s'il me regarde quand il ajoute :

– Il faut que je me remette au boulot… On se voit plus tard ?

Je le regarde se faufiler à travers la foule, et quelques secondes après, Cade prend sa place.

– Salut Santos.

Sa voix s'élève au-dessus du brouhaha, tandis qu'il me dévore des yeux, mais contrairement à son frère, son regard me laisse de marbre.

– Salut Coyote, je lâche d'un air narquois, car je ne vois pas l'intérêt de faire semblant.

On sait tous les deux dans quel camp on joue.

Il s'esclaffe pour toute réponse, d'un rire franc et sincère auquel je ne m'attendais pas.

– Bien entendu, je ne vois pas du tout de quoi tu parles, réplique-t-il, le regard malicieux, comme si on était juste deux gentils conspirateurs échangeant une plaisanterie. Mais décidément, j'avoue que tu commences à me plaire…

Il se rapproche, un peu trop à mon goût. Mais même si j'aimerais reculer d'un pas de géant, je m'efforce de ne pas bouger. Il ne réussira pas à m'intimider, en dépit de tous les efforts qu'il déploie.

– Tu ne vas peut-être pas le croire, mais je suis vraiment très content de te voir. Tu es pile celle qu'il nous faut pour que les choses bougent un peu par ici.

Le sourcil arqué, je contemple sa peau lisse sans défaut et la dentition parfaite que révèle son sourire éclatant, sans comprendre à quoi il joue ni où il veut en venir.

– Comprends-moi bien : cette ville est super, je ne dis pas le contraire, et mon père, Leandro, est pour ainsi dire responsable de tout ce qui s'y passe – tu es au courant que c'est notre famille qui dirige tout ici, n'est-ce pas ? Mon père est le maire, mon oncle, le chef de la police, mon cousin, juge…

Je lève les yeux au ciel pour bien lui faire comprendre que la longue liste d'exploits fictifs des Richter ne m'impressionne pas une seule seconde.

– Bref, réplique-t-il avec un geste dédaigneux, même si j'adore cette ville, ces derniers temps, la situation commençait un peu à stagner. Toi, tu es une globe-trotteuse, tu comprends…

Il marque une pause, attendant que je confirme qu'effectivement j'ai beaucoup voyagé, mais comme je ne bronche pas, il enchaîne :

– Avec ce genre d'expériences, entre ton tour du monde et ta vie de bohème, tu as sans doute les idées bien plus larges que la plupart des gens du coin. Malheureusement, il faut bien avouer que ma famille attache peu d'importance aux voyages. Ils sont devenus aisés, suffisants, et à une époque, j'étouffais tellement ici que je les ai même menacés de partir. J'avais envie d'élargir mes horizons, de connaître autre chose. Tu l'ignores sans doute, puisque tu viens d'arriver, mais il est rare que les habitants d'Enchantment quittent la ville. Et quand ils le font, en général, ça finit mal.

Je le fixe les yeux mi-clos, consciente que c'était une allusion à mon père, mais pressentant aussi une menace bien plus sourde derrière ses paroles.

– En tout cas, depuis ton arrivée, j'ai l'impression de me sentir revivre, d'avoir trouvé un second souffle… tout ça.

Il incline la tête, laissant ses cheveux lui tomber devant les yeux ; une manœuvre typique censée me séduire, mais, dommage pour lui, ça ne me fait absolument ni chaud ni froid.

– Alors voilà, j'ai une proposition à te faire qui, à mon avis, va t'étonner…

Il se passe la langue sur les lèvres et se rapproche si près que je peux sentir son souffle déferler sur ma joue.

– Je sais qu'on est censés être des ennemis jurés. Destinés à se battre jusqu'à la mort. Mais très franchement, je n'en vois pas l'intérêt. Ça va peut-être te paraître étrange et aller à l'encontre de tout ce que tu as entendu sur moi, mais je ne vois pas ce qui nous empêcherait de coopérer. À quoi bon se battre, alors qu'on gagnerait tous les deux à faire la paix, plutôt que la guerre ?

– C'est une blague ? je lâche sèchement, sans pouvoir masquer mon effarement.

– Pas du tout, réplique-t-il du tac au tac, les yeux brillants d'excitation. Je suis on ne peut plus sérieux. Mes objectifs dépassent de loin ceux de ma famille, et tu es exactement celle qu'il me faut pour me permettre de les atteindre. Bien entendu, tu en tireras une belle compensation, très belle, même.

Sa façon de me lorgner me fait horreur.

– Toi et moi avons bien plus en commun que tu ne crois, Daire. Et je suis certain que nous pourrions beaucoup apprendre l'un de l'autre. Imagine, toi et moi unis, conjuguant nos talents, pour soumettre les autres mondes et chacune de leurs dimensions à notre autorité ? Ça, c'est de l'ouverture d'esprit, pas vrai ?

Je reste figée, complètement sonnée et à court de reparties, mis à part « jamais de la vie ! » ou encore « tu es un grand malade ! ».

– Bref, rien ne t'oblige à t'engager tout de suite. Je me doute qu'il va te falloir un peu de temps pour te faire à cette idée, mais j'espère toutefois que tu y réfléchiras sérieusement.

Je hoche la tête, à défaut de savoir quoi dire ou quoi faire. Paloma ne m'avait pas préparée à ça.

– Alors, dis-moi, il te voulait quoi, mon frère ?

Sa proximité commence à me mettre sérieusement à cran.

– Il n'est pas vraiment l'un des nôtres, tu sais. C'est un peu le mouton noir. Il y en a dans toutes les familles. Un peu comme ton père, Django, j'imagine…

Ma gorge se serre. Je lutte de toutes mes forces pour ne pas réagir. Il essaie de me pousser à bout. Il fait exprès d'appuyer là où ça fait mal pour trouver mon point faible, celui qui transformera l'apprentie Chasseuse totalement maîtresse d'elle-même que je suis en adolescente susceptible qui perd son sang-froid. Mais il peut toujours dire ce qu'il veut, je ne craquerai pas.

– Bref… reprend-il en haussant les épaules et en dégainant à nouveau son sourire hypocrite. C'est sympa, de la part de Paloma, de t'autoriser à t'amuser un peu.

Il me coule un regard mielleux, mais bien qu'il soit le portrait craché de son frère, leur ressemblance s'arrête là. Pour ceux qui n'ont jamais réussi à voir au-delà des apparences, il fait figure d'idole. Moi, il me fiche juste les jetons.

– Alors, tu veux que je te fasse visiter ? Que je t'apporte quelque chose ? Un truc à boire, peut-être ? Après tout, c'est moi le patron, ici.

Je lui lance un regard dubitatif en repensant à la scène de la ruelle, quand il s'est fait remettre à sa place par son père devant Dace pour s'être permis la même insinuation.

Il éclate de rire en voyant ma tête.

– Bon, c'est vrai, en théorie, ce club appartient à mon père, mais je suis le premier sur la liste des héritiers. Au cas où tu ne l'aurais pas remarqué, les gens de cette ville voient en moi un très bon parti.

– Ce genre d'argument prend sans doute mieux avec Lita qu'avec moi, je réplique en jubilant de voir son air désinvolte et suffisant se durcir, méchamment vexé, même si on est encore bien loin du visage démoniaque que je lui connais.

– Lita… répète-t-il d'un ton méprisant. C'est une fille trop facile. Moi, je suis plutôt du genre à relever des défis. Cela dit, j'ai entendu dire que tu avais un faible pour les beaux gosses hollywoodiens ?

– Eh bien, tu ne devrais pas croire tout ce qui se dit.

Sur ce, je tourne les talons.

Je l'ai assez vu pour ce soir.

Mais je n'ai pas fait trois pas que je sens ses doigts agripper mon poignet.

– Tu cherches quoi, au juste, Daire ? siffle-t-il à voix basse en me ramenant de force vers lui.

Il resserre sa poigne.

– Les toilettes, si tu veux tout savoir. Mais t'inquiète pas, je devrais pouvoir les trouver toute seule.

Je tente de dégager mon bras, mais il a une force phénoménale. Je suis sûre que je pourrais y arriver si j'y mettais vraiment du mien, mais au fond, je n'ai pas trop envie de me donner en spectacle.

Le ton maintenant affranchi de tout simulacre de séduction, il me lance :

– Et avant, je parie que tu comptes faire plusieurs détours, pas vrai ?

Le contact de son doigt qui glisse, menaçant, sur ma joue me coupe le souffle, et je cède malgré moi à un brusque mouvement de recul.

– Histoire de nous épargner tout embarras et de préserver notre amitié naissante, permets-moi de t'orienter vers l'autre côté de la salle : elles se trouvent juste en face de la piste de danse, très exactement. Tu ne pourras pas les rater.

La gorge nouée, je tente une nouvelle fois de me libérer d'un coup sec, mais il en profite pour m'attirer encore plus près, la bouche au creux de mon oreille quand il ajoute :

– Tout ce que je t'ai dit, je le pensais. Je veux qu'on unisse nos forces. Alors, ne me déçois pas en allant fourrer ta jolie petite tête là où elle n'a rien à faire. L'avenir nous appartient. Tâche de ne pas tout gâcher.

Cette fois, je m'écarte d'un coup, empoigne ses doigts et les tords violemment pour les détacher de mon poignet, sans éprouver le moindre remords en entendant ses phalanges craquer.

– Ne me touche pas. Plus… jamais. C'est clair ? je lâche en le foudroyant du regard.

– Limpide, acquiesce-t-il calmement. Mais juste pour info, je t'ai à l'œil, Santos. Il y a des caméras partout. Tu ne seras tranquille nulle part. Excepté aux toilettes, peut-être – on a quand même nos valeurs ! ironise-t-il en me lançant un sourire aussi éclatant que factice, et un regard glacial sans expression. Tâche de ne pas faire de bêtise. Sinon, tu pourrais le regretter jusqu'à la fin de tes jours.

Tournant le dos à ces menaces, je me faufile sur la piste de danse, en suivant la direction qu'il m'a indiquée.

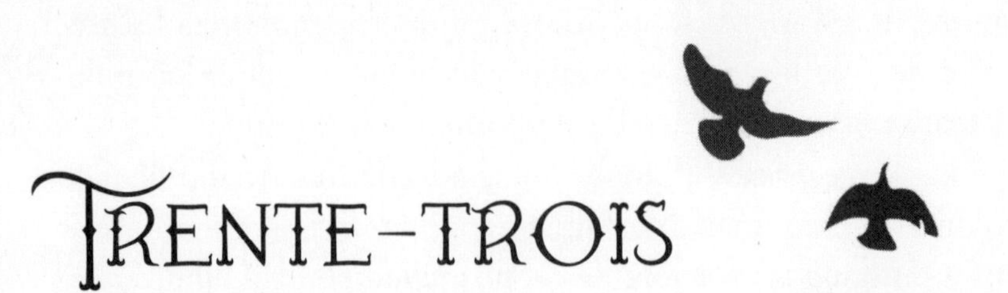

Trente-trois

Poussant violemment la porte de la main, je m'engouffre dans les toilettes. Je me précipite sur la rangée de lavabos blancs fixés au mur bleu carrelé et me passe les mains sous un gros jet d'eau froide pour essayer de me rafraîchir et me calmer, en fin de compte bien plus chamboulée que je ne le pensais par cette rencontre inattendue avec Cade.

Croisant mon reflet dans le miroir, j'aperçois un visage soucieux qui me fixe. Juste derrière moi, sur ma droite, la barmaid qui m'avait servie lors de ma première visite, celle que Dace a consolée dans la ruelle, sort d'une cabine, ajuste son tablier, me contourne à distance respectable et se dirige vers le lavabo voisin. Elle se lave les mains, les essuie à l'aide d'une poignée de serviettes rêches en papier marron, puis se penche vers le miroir pour effacer une traînée de mascara du bout du doigt.

– On a raté son bus ?

Elle continue de se scruter en vérifiant sa tenue, bien que la question me soit adressée.

Je tourne la tête, étonnée. Quelle mémoire ! Remarquez, Enchantment n'est pas une ville très prisée des touristes, les étrangers se comptent sur les doigts d'une main.

– On peut dire ça.

Je me concentre pour déchiffrer le badge qui vacille sur sa poitrine : MARLIZ ! Oui, ça me revient. C'est juste que dans le miroir, le mot apparaît à l'envers.

– Ils partent toutes les deux ou trois heures, tu devrais retenter le coup.

Elle s'écarte du lavabo et me regarde droit dans les yeux.

– Pourquoi tiens-tu autant à te débarrasser de moi ? je demande, fouillant dans mon sac pour trouver mon baume à lèvres et m'en appliquer une fine couche.

– Disons que je veux t'aider.

– Et pourquoi ça ? je rétorque en la voyant soupirer et se remettre face au miroir pour réexaminer sa tête.

Tandis qu'elle ajuste sa frange des doigts en l'alignant bien sur son front, je remarque à son annulaire gauche un gros solitaire, que, j'en suis sûre, elle ne portait pas la dernière fois.

– J'ai bon cœur, que veux-tu que je te dise ?

Le sourire qu'elle me lance me rappelle Cade, insensible, hypocrite.

– Une fois par jour, je fais ma BA, et aujourd'hui, visiblement, ça tombe sur toi. Alors, suis mon conseil, tire-toi tant que tu peux.

Je m'appuie contre le bord du lavabo en prenant soin de ne laisser transparaître aucune émotion.

– Et jamais tu ne penses à suivre tes propres conseils ?

Elle remonte la bretelle de son soutien-gorge noir, pour bien la caler sous son débardeur.

– Bien sûr que si.

Elle s'attaque ensuite à l'autre bretelle.

– Tout le temps.

– Et donc… comment se fait-il que tu ne sois pas partie d'ici ?

– Qui te dit que je n'ai pas essayé ?

Elle me lance un regard allusif que je ne saisis pas vraiment.

– Dans ce cas, pourquoi t'es revenue ?

Elle plonge la main dans la poche de son tablier, et pousse un soupir en agitant une petite pile de monnaie au creux de sa paume, la bousculade des pièces engendrant un tintement sourd.

– Je suis née et j'ai grandi ici. Je crois que plus on prend racine quelque part, plus on peut facilement perdre le sens des réalités. Je croyais être la seule fille en route pour L.A. avec des mèches décolorées et des rêves plein la tête, mais évidemment… j'avais tout faux. Alors, je me suis inscrite dans une école d'esthétique, mais c'était très dur de percer. Et au bout d'un temps, ça m'a semblé plus simple de rentrer.

Elle part vers la sortie, pose le plat de sa main contre la porte, le nouveau diamant à son doigt accrochant vivement la lumière.

– J'ai vu comme ils te regardent.

– Qui ça, ils ? je m'étonne en la dévisageant.

– Eux tous… mais, surtout, Cade et Dace. Les deux frères se détestent, ou du moins Cade déteste Dace. À mon avis, Dace est incapable de détester qui que ce soit.

Son regard s'attendrit, se disperse, sans doute car elle repense au moment où Dace est intervenu pour que Cade cesse de la harceler.

– Bref… fais bien gaffe à toi.

Cette dernière phrase est à peine audible, tout juste un murmure.

– Hé ! je m'écrie. Pourquoi tu dis ça ?

Mais ma voix se perd dans le sifflement de la porte qui se referme derrière elle, et ma question reste sans réponse.

Trente-quatre

Je choisis une cabine vide, vérifie à deux reprises que le verrou est bien fermé, rabats la lunette des toilettes, m'assois dessus et fouille dans mon sac à main pour trouver le bocal avec son couvercle plein de trous contenant le cafard de trois centimètres de long. Aussi dégoûtée qu'excitée à l'idée de ce que je m'apprête à faire, je dévisse le couvercle, pose le bocal par terre et me concentre de toutes mes forces sur la bestiole.

Je la fixe jusqu'à ce que tout s'estompe, hormis ses trois paires de pattes, sa carapace rouge tirant sur le brun, ses longues antennes et les ailes qui lui permettent plus de voleter que de vraiment voler.

Agitant ses antennes devant lui quand il comprend que le couvercle a désormais disparu, le cafard avance un peu… puis se carapate hors du bocal, bien avant que nous ayons eu le temps de fusionner correctement.

Horrifiée, je le regarde accélérer, bifurquer et filer vers la cabine voisine, au moment même où quelqu'un entre pour s'y installer.

Je glisse le pied sous la cloison pour essayer de le faire revenir vers moi, mais la fille d'à côté rouspète en se voyant envahie :

– Oh, ça va, je te dérange pas ?

Elle me flanque un coup de pied avec bien plus de force que nécessaire, si bien que ma botte dérape en plein sur le cafard, si brutalement que je lâche malgré moi un petit cri étouffé. Ignorant la bordée de remarques odieuses qui se fait entendre dans la cabine voisine, je soulève prudemment le pied, terrifiée à l'idée de l'avoir écrasé et tué par mégarde, avant même d'avoir pu le mettre au travail.

Mais les cafards sont bien plus coriaces que ça. Ce n'est pas pour rien s'ils sont l'un des plus vieux groupes d'insectes vivant sur la planète. Hormis le fait qu'il a roulé sur le dos, il a l'air en pleine forme. Alors je prends une grande inspiration, me concentre sur lui, qui se contorsionne frénétiquement, et ses six petites pattes qui font des moulinets pour essayer de se redresser ; tout en étant bien consciente que dès l'instant où je fusionnerai avec lui, je prendrai part à sa lutte acharnée. Mais tant pis, je ne peux pas prendre le risque de le remettre à l'endroit avant d'avoir pu m'associer à lui.

La fille d'à côté tire la chasse et quitte la cabine, en claquant si violemment la porte que la cloison bleu métallisé oscille sous le choc. Je suis contrainte d'attendre encore un peu alors qu'elle s'affaire au lavabo, mais le bruit de la porte qui se referme derrière elle me donne finalement le feu vert pour me concentrer de nouveau. Et très vite, je me retrouve dans la peau du cafard.

Je suis vivante.

Gonflée d'adrénaline.

Un instinct de survie primaire enflamme toutes mes terminaisons nerveuses. Il me suffit – nous suffit – de nous redresser et le tour sera joué.

Plus on restera les quatre fers en l'air, plus ce sentiment de panique extrême que je ressens prendra le dessus. Consciente que ça ne fera que gaspiller des forces dont j'ai grand besoin, je me projette en lui de plus belle, pour allier ma volonté de vivre à son instinct de survie. Comme un cafard sous stéroïde, il agite ses pattes encore plus vite, jusqu'à ce que j'arrive à le faire basculer en douceur sur le ventre. Remuant ses antennes pour évaluer l'étendue des lieux, il repère la paroi du bocal, l'assimile à un danger et fonce vers le mur opposé. Instinctivement, il cherche le recoin le plus sombre, et c'est là que je me rappelle que les cafards sont de véritables créatures de la nuit : ils y vivent, ils y chassent, fuyant à tout prix la lumière pour passer inaperçus.

Paloma savait exactement ce qu'elle faisait en le choisissant.

Pour une bestiole aussi exécrée, aussi haïe, maudite et même crainte, je suis stupéfaite de l'intense sentiment de puissance que j'éprouve, maintenant que je suis dans sa peau. J'ai l'impression d'être aux commandes d'un tank miniature cheminant sur une immense étendue de carrelage gris qui, sous cet angle, semble s'étendre à perte de vue.

Prudente, je contourne une serviette en papier chiffonnée qui a manqué de peu la poubelle, et m'arrête dans l'angle de la pièce, le corps immobile, les antennes déployées, essayant d'évaluer si je peux me faufiler sous la porte ou si je dois attendre que quelqu'un l'ouvre. Estimant que l'écart avec le sol est trop mince pour courir le risque, je suis finalement obligée d'attendre. Alors je me recroqueville dans un coin en espérant que quelqu'un arrivera bientôt, et que je pourrai en profiter pour m'éclipser.

La porte s'ouvre en claquant si violemment contre le mur que je me ratatine derrière, remerciant tout bas la petite butée en caoutchouc qui l'empêche de causer de réels dégâts. Guettant le bon moment pour passer à l'action tandis qu'une paire de bottes noires, une de ballerines rouges à bouts pointus et une d'escarpins argentés aux talons vertigineux font leur entrée, je comprends subitement que ces chaussures sont celles de Lita et de sa bande de Vipères. Et d'après ce que j'entends, elles sont en train de parler de moi.

– Non, mais vous avez vu la veste qu'elle porte ? balance la fille aux lèvres rose vif qui, d'après Xotichl, doit s'appeler Jacy ou Crickett, bien que j'ignore qui est qui.

– C'est clair, balance l'autre, celle qui a les plus belles mèches décolorées de la clique. Et y a pas que la veste, d'ailleurs, hein ? ricane-t-elle en se tournant vers Lita pour avoir son approbation, tout comme sa copine.

Mon regard oscille entre elles et la porte : elle est en train de se refermer, mais l'entrebâillement offre encore suffisamment d'espace pour une sortie sans encombre. Si je pique un sprint sur-le-champ, aucune chance pour qu'elles me remarquent, ou alors, au pire, je serai déjà loin.

Je m'apprête à suivre cette idée, quand Lita s'avance et se plante devant la glace.

– Je sais pas...

La porte va bientôt se refermer ; une seconde de plus, et je serai obligée d'attendre qu'elles ressortent.

Je pivote et m'élance, propulsée plus vite que je ne l'aurais jamais imaginé par mes petites pattes grêles et malgré tout puissantes. Mais au moment où j'atteins la porte, Bouche rose se dirige vers ma cabine – celle que j'occupe en ce moment même dans la réalité – au lieu de viser celle visiblement inoccupée qui se trouve juste à côté et dont la porte est grande ouverte.

Je me fige. Je ne dois surtout pas prendre ce risque. Si jamais elle réussit à s'introduire dans la cabine, si pour une quelconque raison le verrou que j'ai vérifié deux fois lâche, elle va me trouver écroulée sur la lunette des W-C, physiquement présente, mais la tête dans les vapes, et je n'aurai pas fini d'en entendre parler.

Je retourne discrètement dans mon coin, je n'ai pas le choix. Alors que mes antennes remuent avec agacement, je la vois finalement renoncer et s'engouffrer dans une cabine vide, au moment même où la porte se referme pour de bon, me privant désormais d'une occasion idéale de filer.

Quoique, peut-être pas.

Pas tout à fait.

Pas quand on est de la taille d'un cafard.

Cette serviette en papier que j'ai évitée tout à l'heure a dû se faire dégager par inadvertance par un de leurs talons, car elle est à présent coincée entre le chambranle et la porte. Ce qui me laisse un interstice juste assez large pour me glisser de l'autre côté et m'atteler à la mission que Paloma m'a confiée.

Je m'en approche sans un bruit, tout en surveillant Lita de près ; elle est toujours devant le miroir, une main sous chaque sein, qu'elle remonte en souriant d'un air enjôleur à son propre reflet.

– Vise un peu ça, Cade Richter, susurre-t-elle.

Elle se pince les lèvres, fait bouffer ses cheveux, et en la voyant tourner la tête de gauche à droite pour s'assurer qu'elle est jolie sous tous les angles, je suis bien obligée d'admettre qu'elle l'est. Je veux dire, sûr que Jennika pourrait lui apprendre un ou deux trucs sur la façon d'appliquer correctement un trait d'eye-liner et que ses mèches laissent franchement à désirer, mais n'empêche, elle est jolie. Et même si elle a été infecte avec moi, ça me fend le cœur qu'elle tienne autant à Cade : elle est trop belle pour lui.

Absorbée dans mes pensées, je mets un instant à reprendre mes esprits en l'entendant revenir à un sujet que je croyais clos depuis longtemps :

– En tout cas… je trouve que ses bottes sont plutôt cool.

Sa réflexion fait toussoter Bouche rose, isolée dans sa cabine, tandis que l'autre, médusée devant le lavabo voisin, s'efforce de s'adapter à ce nouveau point de vue.

– C'est vrai. Et son jean est pas mal non plus, s'empresse-t-elle de renchérir, une fois remise.

Elle glisse un regard entendu à Lita, prête à tout pour raviver leur complicité avant que l'autre n'ait le temps de ressurgir de sa cabine.

Lita lève les yeux au ciel, visiblement agacée d'être entourée de lèche-bottes, même s'il est évident qu'elle ne pourrait pas se passer d'elles.

– Je parlais des bottes, dit-elle en soufflant bruyamment. Son jean est quelconque. Alors que ses bottes…

Quelconque quand on achète toutes ses fringues en Europe ! je commence à répliquer ; mais je me rends compte aussitôt que je ne peux pas.

Je suis un cafard.

Un cafard en mission.

Je n'ai pas de temps à perdre avec ce genre d'idioties.

– Je suis bien contente de te l'entendre dire, enchaîne Bouche rose qui réapparaît en prenant position de l'autre côté de Lita. Depuis le début je disais rien, mais je les trouvais canon !

Oh, purée.

Je m'élance, pressée de me tirer avant que ça n'empire.

Du coin de l'œil, je vois Lita lever encore les yeux au ciel, l'air affligée.

– Franchement, Jacy… arrête…

– Quoi ? Mais c'est vrai, je t'assure ! se défend Bouche rose.

– Si tu le dis, soupire Lita. C'est juste que… vous vous sentez vraiment obligées d'être toujours d'accord avec tout ce que je dis ?

Elle referme son sac d'un geste brusque, le hisse sur le haut de son épaule et part vers la sortie.

Sauf qu'il faut que je passe la première ! J'ai bien compris les rouages internes de leur petite clique, mais maintenant, il est temps que je m'en aille avant qu'il ne soit trop tard.

Je rampe à toute vitesse vers la porte. Comme je ne veux pas me servir de mes ailes, au risque, sinon, d'attirer leur attention, je me mets à escalader la serviette en papier chiffonnée qui maintient la porte légèrement entrebâillée, et qui, de mon nouveau point de vue en rase-mottes, a des allures d'Everest.

Je viens d'arriver au sommet quand Lita, agacée de sentir Jacy la talonner, pousse un gros soupir et ouvre énergiquement la porte.

– Après toi, je t'en prie, fait-elle d'un ton on ne peut plus sarcastique.

L'agitation de leurs talons ainsi qu'un coup de pied involontaire de Jacy avec ses chaussures rouges pointues dans mon derrière suffisent à m'éjecter de ma montagne de papier, et hors des toilettes.

Un nombre incalculable de jambes de fêtards me frôlent de toutes parts. Perdant le contrôle, je me déporte, ballotée dans tous les sens, mais j'essaie de ne pas paniquer, car la panique ne me mènerait qu'à perdre le lien. Je finis par retomber par terre avec un bruit sourd inattendu qui résonne dans tout mon corps.

Déboussolée, je regarde un bataillon de chaussures battre le sol tout autour de moi, et comme je sais que la cible haïe de tous que j'incarne ne peut pas rester là, je me remets en route. J'avance lentement, prudemment, jusqu'à ce que le groupe qui joue décide de prendre une pause. La traversée devient alors de plus en plus périlleuse à mesure que la foule agglutinée au pied de la scène se déplace subitement en masse et se met en quête des toilettes, du bar ou d'un ami.

Les talons claquent autour de moi, à tel point qu'en fin de compte je ne sais pas ce qui m'effraie le plus, le bout pointu d'un escarpin ou la grosse semelle en caoutchouc d'une botte.

Dans un élan de survie désespéré, je déploie mes ailes et me propulse d'une chaussure à l'autre et d'un revers de pantalon à un ourlet de jupe, jusqu'à ce que je sois hors de danger. Puis je me faufile vers le mur en me cramponnant aux zones d'ombre jusqu'à ce que j'aie réussi à m'éloigner de la partie la plus animée de la boîte et me retrouve dans cette étrange galerie de couloirs, où je fonce directement vers le fameux bureau du fond.

Je m'arrête près de la porte et regarde Cade perché sur le bord d'une table, une batte de base-ball dans une main, qu'il martèle mécaniquement contre l'autre avec un bruit sourd et continu. Pendant qu'un autre homme, un type plus âgé et très certainement de sa famille, lui tient des propos qui, bien que je ne discerne pas grand-chose, semblent particulièrement l'intéresser.

Je me rapproche discrètement en tendant le cou pour écouter, mais avant que j'aie le temps de glaner quoi que ce soit, Marliz fait son entrée. Dès qu'il la voit, Cade abandonne la batte et s'éclipse, tandis que la jeune femme s'approche du bureau. Les traits relâchés, le regard résigné, elle desserre le cordon de son tablier alors que l'homme assis au bureau bascule en arrière dans son fauteuil et grogne :

– Ferme la porte.

Je me cuirasse contre la violence de la porte qui claque, tandis que Cade part dans le couloir, puis s'arrête un instant pour allumer une cigarette dont il ne tire qu'une bouffée. Il se contente d'en agiter dans tous les sens le bout luisant et enflammé, alors qu'une tempête de cendres virevolte jusqu'à terre. Sans le savoir, il me conduit le long d'une enfilade de couloirs déroutante qui m'incite à mémoriser toutes sortes de repères pour retrouver mon chemin.

Il y a un papier de chewing-gum par terre, juste devant la porte dont la peinture écaillée en bas forme un cœur. Pas les cœurs qu'on voit sur les cartes postales, non, un vrai cœur : avec des aortes, des ventricules et des artères.

Un mégot écrasé gît dans l'angle où le mur est gondolé et boursouflé comme s'il avait subi un dégât des eaux.

Mais même si je suis plutôt bien partie, très vite les portes, les couloirs et les petits bouts de débris deviennent si nombreux que je perds le fil. Tant pis, je me dis que l'avenir de ce cafard, quand j'en aurai fini avec lui, n'est pas mon problème. De ce que j'en vois, je lui ai déjà fait une immense faveur en l'amenant dans cette zone où la moquette est couverte d'un large assortiment de ses gourmandises préférées. Des cheveux, des pellicules, une réserve illimitée de petits trucs gras non identifiables, dont l'idée seule réveille brusquement ses instincts. Cela lui donne tellement faim qu'il tente de faire demi-tour pour partir à la chasse à ces machins par terre, et j'ai toutes les peines du monde à le convaincre d'y renoncer et de se remettre au boulot.

J'accélère le pas et me faufile sur les talons de Cade, manœuvre dangereuse, mais dont je me sens plutôt fière… Enfin jusqu'à ce qu'il s'arrête sans prévenir, et que je me heurte à sa grosse botte marron, avec une violence telle que je mets un moment à retrouver mes repères.

Je m'apprête à reculer fissa pour laisser une plus grande distance de sécurité entre nous, quand je m'aperçois qu'on est arrivés.

Cade agite le bout fumant de sa cigarette devant ce qui s'apparente à première vue à un grand mur blanc ; mais je repense alors aux conseils de Paloma, fixant mon attention sur l'invisible, l'inconnu, pour l'amener à entrer dans mon champ de conscience immédiate. Au bout de quelques instants, le mur de brique prend une tout autre apparence.

Je le fixe, les yeux écarquillés. Paloma avait raison.

Le portail ne ressemble pas du tout à ce que j'aurais imaginé.

TRENTE-CINQ

Cade s'immobilise. Il se raidit, se redresse, la tête inclinée comme s'il percevait quelque chose de bizarre, d'anormal.

Se pourrait-il que ce soit moi ?

Lentement il pivote sur lui-même, tourne la tête de gauche à droite pour examiner le couloir sous tous ses angles. Et lorsqu'il baisse les yeux vers le sol où je suis tapie, je saute sur l'occasion pour déployer mes petites ailes et voltiger vers la jambe de son pantalon. Je me persuade que je pourrai facilement m'éclipser si besoin est : il me suffira de rompre le lien pour me retrouver instantanément dans les toilettes, comme si de rien n'était.

Mais au fond, je n'en suis pas si certaine.

Le lien est très fort.

Trop, peut-être.

C'est comme si le cafard et moi ne faisions plus qu'un.

Je me cramponne à l'ourlet du jean, silencieuse et immobile, tandis que Cade secoue la tête, marmonne quelque chose tout bas et fait un pas de plus vers le mur. Alors je remonte le long de sa jambe à toute allure, m'arrête à sa ceinture et me faufile à moitié dans la boucle, dans l'espoir d'y être plus en sécurité et d'avoir une meilleure vue.

Je jette des coups d'œil furtifs autour de moi et prends note du moindre détail : une vilaine moquette industrielle gris verdâtre, au pied d'affreux murs blancs, maculés de traînées sombres jaune-marron à force d'avoir subi la fumée de tabac. Je cherche à tout prix un détail qui distingue ce couloir des précédents, mais en vain.

Pas étonnant que la plupart de mes ancêtres n'aient pas réussi à mettre la main sur ce portail : ce lieu extraordinaire est au fin fond de tout ce qu'il y a de plus ordinaire.

Cade se tient devant le mur, ou du moins à l'endroit où ce dernier se trouvait avant de se transformer en un tourbillon d'énergie de nuance grisâtre, souple et vaporeux, qui n'est ni accueillant ni hostile, mais absolument fascinant.

La mise en garde de Paloma tourne en boucle dans ma tête : « En aucun cas tu ne dois y pénétrer. Tu n'es pas prête... »

Mais c'est trop tard, on est déjà à l'intérieur.

La première chose qui me frappe, c'est l'obscurité.

La seconde, les démons qu'elle abrite : deux énormes créatures malveillantes, pourvues des indispensables queues, sabots et cornes de rigueur, et de figures d'un grotesque aussi répugnant que si elles étaient le résultat d'un croisement entre un animal, un humain et une bête non identifiable venue d'ailleurs, que je préfère ne pas évoquer.

Cade s'avance vers eux, et les salue dans un dialecte qui m'est étranger. Présentant sa cigarette comme une sorte d'offrande, il la lance au plus gros qui s'empresse de la fourrer dans sa gueule et de l'engloutir tout entière sans même prendre la peine de l'éteindre, tandis que l'autre créature le regarde faire avec une jalousie non dissimulée. La faim qui le tenaille visiblement me pousse à me renfoncer derrière la boucle de ceinture, car j'imagine que s'ils peuvent se nourrir de cigarettes allumées, ils n'auront aucun scrupule à croquer un cafard.

Cade prend la parole. Je ne le comprends toujours pas, mais selon toute apparence, ça fait bien rire les démons. Si tant est qu'on puisse qualifier ainsi le rictus de deux affreuses gueules s'ouvrant et se refermant d'un coup sec en claquant des crocs. Après avoir échangé encore quelques mots avec eux, il hoche la tête et prend congé. Son pas résonne si bruyamment qu'on croirait marcher dans un tambour métallique, ce dont je ne tarde pas à avoir confirmation, lorsque je me risque à ressortir un peu de ma cachette pour observer ce qui se passe.

Nous traversons un long tube creux, dans le genre de ceux qui servent de conduites d'égouts. Le claquement de ses talons de bottes sur le sol est si perturbant et désagréable qu'un immense soulagement m'envahit quand il émerge du tunnel et monte sur un terre-plein délimitant l'entrée d'une caverne.

Mais contrairement à la petite grotte spartiate de mon initiation, celle-ci est grande et semble dissimuler de nombreux coins et recoins. Elle se compose de plusieurs espaces délimités, visiblement très bien aménagés. Celui où nous nous trouvons actuellement fait office d'entrée d'honneur.

Cade glisse deux doigts dans sa bouche et émet un long sifflement assourdi. Puis il attend. Il guette… quelque chose. Je ne vois pas trop ce qu'il espère trouver ici, mais je m'attends à faire face à d'autres démons.

Et finalement, c'est sans réelle surprise que je vois un coyote aux yeux rouges et au long museau accourir vers lui.

L'animal se jette sur lui et pose lourdement ses longues pattes effilées sur ses épaules en fourrant son museau dans son cou. Il le renifle comme un fou à petits coups de truffe, et soudain, flairant une odeur inattendue, avance brusquement sa gueule vers moi en grognant et montrant les crocs.

Sans aucun moyen de me défendre, je me réfugie derrière la boucle de ceinture, sachant pertinemment qu'il ne fera qu'une bouchée substantielle de ce semblant de carapace, une fois qu'il m'aura débusquée.

– Salut mon grand ! Comment ça va ?

Cade repose les pattes du coyote par terre, lui grattant la tête en ébouriffant son pelage comme s'il s'agissait d'une mascotte familiale. Puis il se redresse et tapote le côté de sa jambe, enjoignant l'animal à le suivre. Tous deux s'élancent plus avant dans la caverne, jusqu'à un antre bien meublé où Cade se sert de son briquet argenté et turquoise pour allumer les torches sur le mur.

– Elle est là, annonce Cade en s'installant sur un sofa en velours rouge à l'assise très basse.

Il attire le coyote plus près, lui caressant le sommet de la tête.

– Daire Santos, celle qu'on attendait, est enfin arrivée.

Le coyote grogne en montrant les dents comme s'il comprenait, à moins que ce ne soit moi qui interprète trop, ce n'est peut-être qu'une coïncidence. Mais j'en doute : en tant qu'animal totem, il est étroitement lié à Cade.

Ma seule certitude, c'est que lorsqu'il fourre de nouveau son long museau vers moi et se met à remuer la truffe et pousser des grognements plus menaçants, je suis soulagée de voir Cade se méprendre sur sa réaction.

– Ne t'en fais pas, tu sais que je peux me charger d'elle.

Il baisse la tête vers celle du coyote, le poussant du nez avec affection.

– Je finirai par la convaincre de s'allier à moi, de faire la paix plutôt que la guerre, ce n'est qu'une question de temps. Cela dit, elle est plus coriace que je ne le pensais. Et plus jolie, aussi. Ça ne va pas être facile de la persuader, mais remarque, la facilité, c'est surfait. Le profit est bien plus exquis quand il exige quelques manigances – et ça, pour être exquise, crois-moi qu'elle l'est. Exactement comme je l'espérais.

Le coyote renverse sa gueule en arrière pour pousser un hurlement, puis tourne plusieurs fois sur lui-même avant de se coucher aux pieds du jeune homme, sa queue fouettant le sol avec impatience. Tel un rituel soigneusement répété, cette manœuvre experte incite Cade à se diriger vers une grosse glacière que je n'avais pas remarquée jusqu'ici.

Le couvercle ouvert, il en sort une grande coupe de cristal remplie de petits trucs sombres spongieux et sanguinolents. Leur vue et leur odeur mettent le coyote dans un état de surexcitation folle.

Déterminée à comprendre de quoi il s'agit, je jette un coup d'œil furtif depuis l'arrière de la boucle. Le relent particulièrement fétide qui me prend à la gorge réveille les instincts les plus primaires du cafard et le met en ébullition, lorsque ce dernier comprend ce qui se trouve sous son nez : des petits lambeaux de chair informes – d'origine animale ou humaine – qui me répugnent autant qu'ils le rendent fou de désir.

Cade repart vers le canapé, pose la coupe sur la table en verre disposée devant, et plonge ses doigts dans la charpie. La main tendue en offrande, il appâte le coyote avec quelques morceaux sanglants en décomposition, et le regarde, les yeux luisants de fierté, lui laper la paume à grands coups de langue, mais avec une étonnante délicatesse.

L'animal se lèche les bajoues, émet un son qui tient du grognement et de l'aboiement, puis recommence son numéro de pirouette bien orchestrée, comme pour demander du rab.

Cade s'esclaffe à son cinéma.

– Tu sais ce que tu as à faire. Rameute tes troupes, et je t'en redonnerai.

Le coyote s'exécute et part comme une flèche d'un bout à l'autre de la caverne, jusqu'à ce que je perde sa trace. Je me retrouve seule avec Cade, qui se cale confortablement dans le canapé et s'apprête à son tour à manger un morceau.

Plongeant la main dans la coupe, il en ressort un long truc filandreux immonde qu'il gobe rapidement. Il prend le temps de fermer les yeux pour en apprécier la saveur, avant de lécher tranquillement ses doigts poisseux couverts de sang, et de se resservir.

TRENTE-SIX

Je me glisse sous le tee-shirt de Cade en faisant extrêmement attention à m'accrocher au tissu, et non à sa peau. Il ne s'agirait surtout pas de lui mettre… la puce à l'oreille, car si j'en crois ce que je viens de voir, il me considérerait peut-être moins comme une nuisance que comme une sympathique petite friandise à se glisser sous la dent.

Cette proximité est dangereuse, mais malgré tout, je suis prête à courir le risque. Je ne vais pas attendre que les instincts du cafard prennent le dessus et qu'il fonce tête baissée vers la bouillie sanglante, en quête d'un petit ravitaillement nocturne.

Si ça arrivait en ma présence, je ne m'en remettrais jamais. Aucun dentifrice ni aucun bain de bouche ne réussirait à me faire oublier un truc pareil.

L'attente paraît bien plus longue, là-dessous. Sans doute parce qu'il n'y a pas grand-chose à voir, hormis la lueur dansante des flambeaux qui filtre à travers le fin tissage du tee-shirt, et souligne l'élastique Calvin Klein du boxer noir comme un panneau publicitaire de Times Square. Je décèle aussi le parfum envahissant d'un déodorant pour hommes aux notes musquées, et bien qu'au début je l'aie trouvé infect, au bout d'un moment, je dois admettre que ça masque considérablement la puanteur émise par la coupe pleine d'horreurs.

J'attends. Je m'ennuie tellement que je serais bien tentée de piquer un roupillon. Mais il ne vaut mieux pas ; alors, je prends patience en écoutant Cade fredonner des airs que je ne connais pas, mais qui ressemblent à d'anciens chants tribaux. Et quand enfin je me risque à jeter un rapide coup d'œil au-dehors parce que vraiment je m'ennuie ferme, je le découvre en train de se faire une manucure au pied levé et de se ronger entièrement l'ongle du pouce.

Je m'apprête à repasser sous le tee-shirt, quand il se lève d'un bond.

– Ah, te revoilà ! Bien joué, mon beau, félicite-t-il le coyote.

Je me glisse par la boucle de la ceinture pour essayer de mieux voir. Heureusement que je suis là sous la forme d'un cafard, et non pas en chair et en os : ça m'évite de pousser un hurlement d'horreur quand mon regard s'arrête sur le troupeau massé derrière le coyote, qu'on ne peut décrire que comme… une armée de zombies.

Une cohorte de créatures absolument monstrueuses, aux visages partiellement décomposés et dont les os sortent de la peau. Chez certains, une partie importante du corps a disparu. Ça me rappelle les maquillages d'effets spéciaux particulièrement convaincants que Jennika réalisait à une époque pour des films d'horreur.

Sauf que là, c'est pire.

C'est réel.

D'un air d'attendre quelque chose, ils s'attroupent face à Cade, les yeux globuleux, la langue pendue avec impatience – enfin, ceux qui en ont encore une – pendant qu'il se dirige vers la glacière et revient avec un coffret métallique, qu'il pose sur la table de verre.

– Reculez ! lâche-t-il en lançant un regard mauvais, en particulier à l'un d'eux qui essaie de se faufiler plus près.

Il attend qu'il retourne à sa place aux côtés des autres phénomènes de foire, puis plonge la main dans sa poche et en extirpe une petite clé argentée qu'il utilise pour déverrouiller le coffret.

Le groupe se presse en avant, leurs faces épouvantables mues par une convoitise visible à l'œil nu, tandis que je me prépare à voir apparaître un magma sordide de matière grise ramollie. À mon avis, il y a de fortes chances pour que ce soit de la cervelle humaine, puisque d'après la légende, les zombies, les démons et les monstres en raffolent.

Mais au lieu de la bouillie à laquelle je m'attendais, lorsque Cade soulève le couvercle, un jet de lumière incandescente absolument sublime abreuve la salle. Le spectacle suscite un concert de « ahhhh » étouffés, suivis de glapissements, de grognements et de rugissements, tandis que Cade joint les mains en coupe, les plonge dans le coffret et en ressort avec une poignée de magnifiques sphères blanches scintillantes qu'il admire un bref instant, avant de les balancer aux créatures comme s'il lançait des miettes de pain à des pigeons.

Les macchabées se jettent dessus dans la bousculade, et se démènent comme des fous pour s'en tailler une grosse part. Visiblement, le spectacle procure un plaisir jubilatoire à Cade qui prend tout son temps pour distribuer les sphères au compte-gouttes. Il prend un malin plaisir à les voir se battre, même s'il semble y en avoir largement assez pour tout le monde.

– Ça suffit, déclare-t-il en s'essuyant les mains sur son jean, ses paumes repliées planant dangereusement près de moi. La fête est finie. Vous vous sentez mieux ?

Il les passe rapidement en revue et éclate de rire.

– On dirait bien, en tout cas !

Et là, l'évidence me saute aux yeux.

Les zombies ont changé d'apparence et sont loin d'être aussi hideux qu'ils ne l'étaient quelques instants plus tôt.

Une partie de leur chair en décomposition est à présent redevenue intacte.

Certains os cassés sont réparés.

Certains membres manquants se sont régénérés.

Régénérés.

Bon sang mais qu'est-ce qu'il leur donne à manger, au juste ?

Je les observe à nouveau, avisant leurs cheveux bruns, leurs traits sombres, leurs yeux clairs… et là, je percute.

Ce n'est pas une simple coïncidence.

Quand Paloma a parlé du fait que les Richter communiaient avec leurs défunts lors du *Día de los Muertos*, et prétendu qu'il ne s'agissait pas tant pour eux d'honorer leur mémoire que de les ressusciter, elle s'était aussi empressée de m'assurer que ce n'était pas ce que j'imaginais. Que ce n'étaient pas leurs corps qu'ils faisaient renaître, mais plutôt leurs âmes. « Ce ne sont pas des nécromanciens, du moins pas encore, en tout cas… Ils font appel à l'énergie des morts pour s'imprégner des pouvoirs maléfiques de leurs ancêtres ; l'effet dure quelques jours, tout au plus », avait-elle dit.

Mais en les contemplant, je comprends que Paloma se trompe. Cade les a bel et bien ressuscités. J'ai toute une armée de Richter enterrés depuis des lustres alignés face à moi.

– Leandro va avoir une belle frayeur en vous voyant, claironne Cade d'une voix qui me ramène au présent. Et une fois que Daire sera des nôtres… on aura le monde entier à nos pieds…

Je pivote face à lui et le dévisage furieusement, le regard braqué sur sa tête de psychopathe dégustateur de cadavres à ses heures, et qui croit sérieusement pouvoir me convaincre de rallier son camp.

J'ai beau avoir été prévenue, la situation se révèle bien plus grave que prévu.

Je ferme les yeux et m'efforce de rompre le lien avec le cafard, mais me déconcentre presque aussitôt en entendant

Cade rabattre violemment le couvercle du coffret métallique. Refoulant sa famille de monstres, il leur hurle de ficher le camp, et ces derniers obéissent. Leur départ n'est pas forcément des plus ordonnés, mais à les voir si dociles, on comprend sans hésiter qui est aux commandes ici.

– Bon, et maintenant ? dit Cade en jetant un coup d'œil à sa montre et au coyote. On va se dégourdir les jambes ?

Le coyote pousse un hurlement, excité par cette idée, mais Cade hésite.

– Je ne sais pas, ajoute-t-il en grimaçant. Je devrais peut-être retourner surveiller ce qui se passe au club.

Penaud, le coyote baisse la tête et le regarde tristement de ses yeux rougeoyants. Cade glousse et lui caresse le menton.

– D'accord, mais vite fait alors. Il ne faut pas que je perde trop longtemps cette Santos de vue.

Ils traversent la caverne en se dirigeant vers un mur tout au fond. Mais tout comme celui qui nous a conduits jusqu'ici, ce mur est une illusion : il nous permet de passer au travers et de ressortir de l'autre côté, face à une étendue désertique apparemment infinie, au sable tassé et foulé de multiples traces de pas.

Cade envoie valser sa botte gauche pendant que le coyote cavale comme un dératé autour de lui et que je m'accroche pour rester en vie, persuadée que je ne pourrai jamais réchapper à leur course sans tomber et me perdre ici pour toujours. Même si, en théorie, ce n'est pas moi qui serai perdue, mais plutôt le cafard, ce n'est quand même pas ce que je lui souhaite. Il m'a été bien utile et mérite mieux.

Je me cramponne. Bien obligée de poursuivre le périple, je fais tout mon possible pour tenir bon, en attendant de pouvoir enfin retourner au club et déposer le cafard dans un chouette petit coin sombre et humide où, avec un peu de chance, il pourra passer le restant de ses jours sans garder le moindre souvenir de tous les trucs tordus que je l'ai obligé à voir. Mais soudain, Cade déboutonne son pantalon.

Ce coup-là, je ne l'ai pas vu venir.

Alors que son jean tombe à ses pieds, je me jette d'un bond sur le bord de son tee-shirt et m'y cramponne de toutes mes forces. À peine soulagée d'avoir atteint ma cible, je le vois commencer à ôter le haut aussi et me retrouve à valdinguer sur son torse, son aisselle (*beurk*), et là…

– Qu'est-ce que ?…

Il pousse un cri.

À moins que ce ne soit moi qui aie crié dans ma tête ? Je ne saurais trop dire.

Quoi qu'il en soit, juste après qu'il ait braillé « Saleté !… Dégoûtant !… », le temps semble s'arrêter sous les regards furieux qu'on se lance mutuellement.

On reste figés, silencieux, et alors que je m'apprête à prendre mes jambes à mon cou, fou de rage il flanque le tee-shirt par terre d'un geste si violent que je perds le contrôle et lâche prise. Projetée en l'air à toute vitesse, je pars en vol plané dans le ciel, trop surprise, affolée et impuissante pour utiliser mes ailes et me propulser où que ce soit.

Et puis d'un coup, je me retrouve les quatre fers en l'air sur le sable. Au-dessus de moi, deux yeux bleu glacier opaques et cruels me fixent, tandis que Cade lève sa botte bien haut et la frappe si fort par terre que je m'encastre dans le talon.

Trente-sept

– Hé… Ohé ! Ça va ?

La voix semble masculine. Inquiète. *Un homme qui s'inquiète pour moi ?*

C'est forcément le fantôme de Django ou bien Chay qui est venu me chercher : ce sont les seuls hommes qui se feraient du souci pour moi.

– Tu veux que j'appelle un médecin ? Allez, s'il te plaît, ouvre les yeux et regarde-moi !

J'obéis. Je n'ai pas de raison de résister. Et là, je me retrouve nez à nez avec deux iris bleu glacier.

Je tressaille, recule, mal à l'aise, tente de m'enfuir. Mais ensuite, en apercevant mon reflet qui luit dans ses yeux, mon corps tout entier se ramollit une fois de plus.

– Holà, attention, dit-il en me réinstallant délicatement sur le siège.

Le siège… *des W-C* ?

Je me redresse davantage en jetant des regards éperdus autour de moi, sans comprendre ce que je fabrique ici, dans cette cabine des toilettes, ni pourquoi Dace est là.

Je vais pour me lever, mais j'ai tellement la tête qui tourne que mon corps refuse de suivre le mouvement, et au bout d'à peine une seconde je suis de nouveau sur les fesses. Je retombe d'une façon si maladroite que mon pied percute quelque chose qui roule en travers du carrelage.

Un bocal.

Un bocal vide.

Et alors, d'un coup, je me souviens. Tout me revient.

– Je dois y aller… je fais en le poussant de toutes mes forces, autrement dit, vu mon état affaibli, sans forces du tout.

Des images du coyote, de démons et de zombies submergent mon esprit. Et lorsque j'en arrive au moment où son frère jumeau lèche ses doigts couverts de sang visqueux, je répète à Dace que je dois absolument partir, en le repoussant plus fort, cette fois. Mais pour l'instant, je ne fais pas le poids.

– Du calme, souffle-t-il d'une voix douce et mélodieuse. Il n'y a pas le feu. Prends le temps de rassembler tes forces et de te réorienter.

– Non. Je t'assure… il faut que je…

Je le regarde, sans savoir comment me justifier.

– Il faut que j'aille voir Xotichl, je dis.

C'est le premier prétexte valable qui me vient à l'esprit.

– Xotichl est partie, dit-il en m'observant les yeux mi-clos. Le club a fermé depuis un moment. J'étais en train de faire un dernier tour du proprio, quand je t'ai trouvée. Qu'est-ce qui t'est arrivé ? demande-t-il d'une voix nouée d'inquiétude.

– Je…

J'ai fusionné avec un cafard, suis partie en balade à bord de l'étiquette Calvin Klein du slip de ton frère, et ensuite je l'ai regardé jouer avec un coyote démoniaque et grignoter des petites bouchées sanglantes qui étaient peut-être d'origine soit animale soit humaine, puis il a donné des sphères blanches luisantes à manger à des zombies et m'a laminée d'un coup de talon…

– Je ne sais pas trop, je bredouille en m'efforçant de retrouver mes esprits et de dissiper mes vertiges.

Très vite, je commence à me sentir mieux.

– Je crois que je suis tombée dans les pommes, quelque chose comme ça…

Je m'en veux de lui mentir, mais en aucun cas je ne peux lui dire la vérité.

Je commence à me lever en faisant mine de ne pas voir la main qu'il tend pour m'aider.

– Il faut que j'appelle quelqu'un pour venir me chercher.

Je fouille dans ma poche pour trouver mon téléphone, réticente à l'idée de déranger Paloma et Chay à cette heure, mais à part eux, je ne vois vraiment pas qui d'autre appeler.

– Sois pas bête. Je vais te raccompagner.

Dace me suit hors de la cabine en me regardant composer le numéro de Paloma, puis celui de Chay, et grimacer d'étonnement comme aucun des deux ne répond. Bizarre.

– Daire… pourquoi tu ne me laisses pas t'aider ? insiste-t-il.

Il prononce mon prénom exactement comme dans mon rêve. Nos regards se croisent dans le miroir, moi surprise, lui dépité.

– Oui, je me suis renseigné. J'ai découvert ton vrai nom. Alors t'as plus qu'à me descendre, sourit-il.

Non seulement il sourit, mais en plus il se passe nerveusement la main dans ses beaux cheveux bruns et là… je suis tentée de faire non de la tête et de rejeter encore son offre.

Il porte peut-être le nom de Whitefeather, mais en théorie, il reste un Richter. Un bon, un gentil Richter, mais un Richter quand même, que je dois éviter à tout prix. Pour ne pas céder à la bonté et la chaleur irrésistibles qui émanent de lui.

Il faut que j'oublie ces rêves une bonne fois pour toutes. Lui et moi ne sommes pas liés. Pas plus que nous ne sommes prédestinés l'un à l'autre. Moi je suis une Chasseuse, lui, la progéniture d'un Richter, et ma seule destinée est de neutraliser son frère… quel que soit ce qu'il mijote.

Mais dans l'immédiat, il faut que je rentre. Et il est vrai qu'accepter d'être raccompagnée par le sublime Dace Whitefeather n'est pas ce que je pourrais faire de pire…

Je laisse tomber le téléphone dans mon sac et lui fais signe à contrecœur que c'est d'accord.

– On est les derniers à partir ? je demande en sortant des toilettes.

Je parcours le club du regard et constate combien tout semble différent, maintenant qu'il est désert. Je me demande si Cade est cloîtré dans son bureau en train de nous espionner sur son mur d'écrans.

– Non, mon cousin Gabe est encore là. Marliz aussi sans doute, vu qu'ils sont fiancés. Mais mon oncle Raul est toujours le dernier parti. Surtout les soirs où Leandro part tôt.

J'attends qu'il cite son frère, mais en vain, il ne dit pas un mot à son sujet et ce n'est sûrement pas moi qui vais en parler.

– Vous avez l'air d'être nombreux dans la famille, je commente pour essayer d'en savoir plus sur eux.

Quelles que soient les infos qu'il voudra bien divulguer, je suis preneuse.

Il me tient la porte et sort derrière moi dans la ruelle.

– J'ai l'impression d'en découvrir de nouveaux membres tous les jours, plaisante-t-il.

Son rire émet un son magnétique et grave, de ceux dont on ne se lasse pas.

– J'ai grandi dans la réserve ; ma mère et moi vivions dans un petit monde bien à nous, où il n'y avait pas vraiment de place pour autre chose. Mais arrivé à l'adolescence, ça ne m'a plus suffi. Alors, après avoir été un peu réticente au début, ma mère a fini par accepter de m'inscrire à Milagro. C'est là que j'ai découvert tout cet autre pan de ma famille.

– Ça a dû te faire bizarre… non ? je fais en observant sa réaction à cette question plus insidieuse qu'il n'y paraît.

– Carrément, acquiesce-t-il. Bizarre, c'est rien de le dire.

Il se tait, regarde au loin.

– Alors, tu vis toujours dans la réserve ? je reprends pour entretenir coûte que coûte la conversation car, de mémoire, Paloma n'a rien dit de précis sur ce point.

– Non, j'y vais uniquement pour rendre visite à ma mère. Le reste du temps, je loue une petite chambre en ville, payée avec l'argent que je gagne en travaillant ici.

Mon regard se durcit, je ne sais pas comment réagir. Ça me révolte qu'il endure tout ça et se plie en quatre pour son tordu de frangin.

Tout ça pour pouvoir aller dans un lycée qui ne l'accepte pas vraiment.

Il croise mon regard, devine la question implicite qui se lit sur mon visage, mais au lieu d'entrer dans les détails, il s'arrête près d'une Mustang gris métallisé – celle qu'il conduisait à la station-service l'autre fois – et me dit :

– Tu habites chez Paloma, n'est-ce pas ?

J'acquiesce en silence, baisse la tête et m'installe dans le véhicule. L'intérieur est un peu usé, défraîchi, et malgré tout d'une étonnante propreté. Et surtout, ça sent très bon, une odeur de terre fraîche qui lui ressemble.

– Bon, maintenant que tu sais tout à mon sujet, si tu me parlais un peu de toi ? lance-t-il en démarrant.

Il fait marche arrière pour sortir de sa place et s'engage dans la rue.

– Sauf si tu préfères que je continue à me renseigner à gauche et à droite ?

Le visage tourné vers la fenêtre, j'hésite à lui sortir une réponse toute prête, évasive, mais il est tellement gentil et sincère que je choisis finalement de lui dire la vérité.

– D'aussi loin que je me souvienne, j'ai toujours vécu seule avec ma mère. Elle est maquilleuse pour les studios de Hollywood, bien que l'intitulé du poste soit un peu trompeur, vu qu'on passe le plus clair de notre temps à sillonner la planète et qu'on reste à Hollywood uniquement entre deux boulots.

Il donne un coup de volant pour s'engager sur un chemin de terre défoncé, premier d'une longue série, puis pivote le regard vers moi.

– Ça a l'air rude.

Je le scrute, tentant de déceler chez lui un signe de sarcasme, d'hypocrisie, quelque chose... Mais ne perçois rien de tout ça, ce qui m'étonne sincèrement. D'habitude, quand les gens réagissent de cette façon, c'est avec un fond de jalousie.

– Je veux dire, je suis sûr que ça a ses bons côtés, reprend-il rapidement, inquiet de m'avoir peut-être vexée. Mais quand même... ne jamais avoir un véritable endroit où se poser, un chez-soi... Je suis pas certain que je pourrais.

– Parfois, c'était dur, j'avoue. Je me suis sentie très seule.

Je m'enfonce davantage dans le siège en me demandant pourquoi j'ai jugé bon de lui confier ça, alors que je ne l'ai jamais avoué à personne, et encore moins à moi-même.

Je m'empresse d'ajouter :

– En même temps, quand c'est le seul mode de vie que tu connais, tu ne sais pas trop ce que tu rates.

Je n'ai aucune envie qu'il ait pitié de moi.

Les doigts entortillés entre mes genoux, je le regarde réfléchir à ce que je viens de dire. Serrant le volant de plus belle entre ses mains, il ralentit et se met à rouler au pas pour se frayer un chemin sur une portion particulièrement accidentée de la route.

– J'imagine que c'est pour cette raison que tout le monde roule en quatre-quatre, dans le coin ? je fais, agrippée au bord de mon siège, grimaçant en sentant le plancher de sa voiture frotter violemment contre le sol.

– J'ai une vieille camionnette que je garde généralement pour ces routes-là. Je suis un peu mécano sur les bords. J'aime bien réparer les voitures et tous les trucs cassés. Mais comme j'avais pas prévu de passer par ici...

Il hausse les épaules, clôt le sujet et enchaîne sur autre chose :

– Alors dis-moi, toi qui as fait le tour du monde, que penses-tu d'Enchantment ?

Il lève une main du volant pour repousser une mèche folle derrière son oreille, et c'est grâce à un effort surhumain que je me retiens de tendre la main pour enlacer mes doigts dans les siens.

Je me mordille la lèvre sans savoir quoi répondre. Alors je me contente de fixer son profil parfaitement ciselé qui mériterait de servir de modèle pour les pièces de monnaie.

– Nul à ce point, vraiment ? ajoute-t-il en riant.

– À part le lycée et la maison de Paloma, j'en ai pas vu grand-chose, je dis en haussant les épaules, préférant passer sous silence mon passage au cimetière, à la grotte, et ma balade à cheval dans la réserve.

– Eh bien moi, je connais la ville comme ma poche, et je serais ravi de te servir de guide, il suffit de demander ! C'est loin d'être aussi nul que tu le penses, ici. Il y a des coins vraiment ravissants quand on sait où regarder.

Je hoche la tête d'un air d'envisager son offre, mais si tentant que ce soit, je sais que je ne peux pas accepter. À partir de demain, il va falloir que je fasse tout mon possible pour l'éviter. Me rapprocher de lui ne me mènerait nulle part. J'ai une mission à accomplir, laquelle va nécessiter toute mon attention. Je ne peux pas me permettre de me laisser distraire par un petit copain – ni même un copain tout court.

La suite du trajet se déroule en silence mais, bizarrement, je n'éprouve pas le besoin de meubler, et lui non plus. Ce n'est qu'une fois garé devant le grand portail bleu qu'il se tourne vers moi et dit :

– C'est bien ici ?

J'attrape mon sac en ayant l'intention de le remercier de m'avoir ramenée et de filer. Mais quand nos regards se croisent à nouveau, les mots s'évanouissent sur mes lèvres.

Il soutient mon regard. Il y a une telle intensité dans ses yeux qu'en dépit de tous mes efforts, je n'arrive pas à m'en détacher.

Tout ce que ma raison me dicte : *Ouvre la portière, dis-lui au revoir et sors de cette fichue voiture !* est en conflit direct avec ce que me souffle mon cœur : *Attends, parle-lui, reste un peu, donne-lui une chance, tu verras bien où ça te mène…*

Au-dessus de sa bouche entrouverte et arrondie, de ses yeux bleus brillants, un rayon de lune se glisse par la vitre et se fraye un chemin jusqu'au sommet de sa tête, scintillant comme une couronne.

Alors, je m'oblige à fermer les yeux pour repousser cette vision merveilleuse et tout ce qu'elle incarne. Je dois en avoir le cœur net ; ce n'est peut-être qu'une simple attirance physique et ce ne serait pas la première fois que ça m'arrive. Mais lorsque je reporte mon attention, non plus sur ce que je vois, mais sur ce que je ressens, et que je me mets à l'écoute de mon cœur, eh bien… il me fait le même effet que la première fois que je l'ai vu au Terrier du Lapin, ou par la suite à la station-service, puis aujourd'hui au lycée, et un peu plus tôt dans la soirée quand je l'ai croisé au club…

Un déluge de bonté mêlé d'un amour sincère et inconditionnel… qui m'est entièrement adressé.

– Daire… dit-il d'une voix rauque et troublée.

L'intonation mélodieuse de mon nom dans sa bouche me pousse à me pencher vers lui. Oubliant les mises en garde de ma raison, je cède aux pulsions de mon cœur, attirée par l'aimant invisible qui vibre entre nous.

– Daire, répète-t-il tout bas. Il y a quelqu'un dehors.

Rouvrant brusquement les yeux, je fais volte-face et découvre Jennika, qui me fusille du regard à travers le carreau.

TRENTE-HUIT

– T'étais obligée de m'afficher comme ça ?

Je suis Jennika dans l'allée et à l'intérieur de la maison, tandis que le grondement du moteur de Dace s'évanouit au loin. Il a eu une façon admirable de ne pas se démonter et de garder son calme, mais j'ai bien vu dans ses yeux qu'il n'en pensait pas moins : au fond, il mourait d'envie de filer.

Je connais le phénomène. Quand elle est en colère, Jennika fait peur à voir, et ça, pour être en colère, elle l'était – correction : elle *l'est*.

Mais moi aussi, je le suis. Et contrairement à Dace, elle ne m'intimide pas du tout.

– Sérieusement : qu'est-ce qui t'a pris d'être aussi rustre ?

Je balance mon sac sur la table de la cuisine et me dirige vers le placard au-dessus de l'évier, où j'attrape un verre bleu soufflé à la main, que je remplis d'eau du robinet et vide en trois gorgées pour essayer de me calmer.

– Oh, mais pardon de t'avoir mis la honte et d'avoir été si rustre ! Je te prie d'accepter mes plus plates excuses ! s'écrie-t-elle sans en penser un traître mot, évidemment. Tu peux peut-être me dire ce qui se passe ici, au juste ? Explique-moi un peu comment tu aurais voulu que je réagisse en te voyant dans un vieux tacot déglingué avec un type louche, tout ça à une heure et demie du matin, et un soir de semaine, par-dessus le marché ?

Je prends appui contre le plan de travail en fixant mes bottes et m'efforce de ne pas me laisser aller à mes émotions, car me disputer avec elle ne résoudrait rien du tout. Mais je suis bien trop contrariée pour suivre mes propres conseils, alors je relève le menton et réplique :

– D'abord, tu n'étais pas obligée de crier. C'était complètement injustifié. Ensuite, tu aurais pu t'abstenir de tirer des conclusions hâtives. On ne faisait rien de mal. Ce n'était pas du tout ce que tu croyais, tu as tout interprété de travers. Je le connais que depuis ce matin ! Il m'a raccompagnée, c'est tout. Mais au lieu de me faire confiance, tu te mets à fulminer et à imaginer le pire. Bravo, Jennika. Bien joué.

– Ah ! parce que maintenant, je suis censée te faire confiance ?

Elle peste tout bas en embrassant du regard l'intérieur de Paloma, comme si elle se méfiait de tout ce qui s'y trouvait, et surtout de moi.

– Comment veux-tu que je te fasse confiance, alors que tu ne me rappelles pas pendant des jours et des jours ? Comment veux-tu, alors que tu manques à ta promesse ?

Je souffle, puis lève les yeux au ciel. Je n'arrive pas à croire qu'elle remette encore sur le tapis cette discussion qu'on a déjà eue au téléphone. Deux fois. Mais visiblement, elle se prépare pour le troisième round, et à partir du moment où elle est lancée, difficile de la maîtriser.

– Tu sais très bien que ce n'est arrivé qu'une fois et que ça n'a duré que trois jours…

Mais j'ai à peine le temps de finir ma phrase qu'elle m'interrompt, presque en criant :

– Ça a duré quatre jours, Daire. Quatre !

– C'est uniquement à cause du décalage horaire et tu le sais, je marmonne, triste au fond de moi qu'après des semaines sans me voir, elle choisisse de m'accueillir de cette façon.

Mais maintenant qu'elle a commencé, je ne suis plus trop d'humeur à la serrer dans mes bras, moi non plus.

– Le fait est que ce n'est arrivé qu'une fois et qu'il y avait des circonstances spéciales en cause, puisque je... – *subissais la première épreuve de mon initiation, dont un démembrement intégral dans une grotte coupée du monde* – ne me sentais pas bien... à cause des blessures liées à mon accident, et tout.

– Ça, c'est toi qui le dis.

Elle me toise, le sourcil arqué, le regard inquisiteur.

– Et depuis ce moment-là, tu sais parfaitement limiter nos conversations et éluder toutes mes questions. Et quand tu ne fais pas semblant de ne pas entendre et que tu daignes répondre, c'est toujours de manière délibérément énigmatique. Tu ne vas peut-être pas le croire, mais j'ai été ado, moi aussi. Et figure-toi que tous ces tours-là, je les ai joués à mes propres parents. Alors, si tu croyais qu'en venant ici ce serait la fiesta à gogo, eh bien j'espère que tu en as bien profité, parce que la fête vient juste de se terminer !

– La fiesta à gogo ? je dis, l'œil mauvais. Tu veux rire, j'espère ?

Je l'observe attentivement et comprends que non, elle ne plaisante pas du tout.

– Comparé à tous les endroits où je suis allée – Paris, Londres, Rome, Mykonos, allez, même Miami ! –, pourquoi est-ce que je choisirais de me rebeller ici, à Enchantment ? Question ville paumée, on fait pas mieux !

Furieuse, je poursuis mon argumentaire à voix basse pour ne pas qu'elle entende, c'est pourquoi je suis prise au dépourvu quand elle rétorque :

– Parfait. Ravie de savoir que c'est ce que tu penses. J'en conclus que cette ville ne te manquera pas après ton départ.

Je la dévisage, la peau parcourue de picotements glacials.

– Tu vas quitter cette ville. Alors, regarde-la bien une dernière fois et fais-lui tes adieux, parce que après ce soir, tu ne la reverras plus jamais.

– T'es pas sérieuse, là ? je rétorque en la fixant durement.

Il n'est pas question que je m'en aille. Je suis une Chasseuse, cette ville a besoin de moi, et ce soir j'ai eu toutes les preuves qu'il me fallait pour m'en convaincre. J'ignore ce que Cade manigance exactement, mais il est clair qu'il prépare quelque chose et que c'est à moi d'intervenir. Personne d'autre ne peut le faire à ma place.

Jennika opine du chef, un sourire satisfait s'emparant de son visage.

– J'ai accepté un boulot à la télé, donc, fini les déambulations autour du monde…

Les yeux écarquillés, la bouche grande ouverte et sans voix, je ressasse la nouvelle je ne sais combien de fois dans ma tête, jusqu'à l'assimiler enfin.

– Mais tu détestes ça ! je proteste. Tu dis toujours que…

Elle m'interrompt brusquement, la paume levée, pour me faire savoir que ce n'est pas tout.

– Et, en plus de ce nouveau boulot, je nous ai trouvé un meublé. Une location avec deux chambres dans l'ouest de Los Angeles. Mais c'est juste temporaire, en attendant de trouver un quartier où acheter. Je songe peut-être à Venice, ou bien Silver Lake. Bref, on cherchera, on verra bien ce qui nous plaît.

Je la fixe sans vraiment la voir, l'esprit trop occupé à essayer de digérer ce flot de nouvelles. Je ne sais quoi répondre, ni quoi penser. Les propos qu'elle vient de tenir sont en contradiction totale avec tout ce que je croyais savoir d'elle.

– Voilà, conclut-elle en opinant, une main suivant la trace de la couture latérale de son legging en cuir noir, l'autre repoussant une large mèche autrefois rose mais à présent décolorée en blond platine pour être assortie au reste de sa chevelure. Tout est arrangé. Alors, va préparer tes valises, qu'on puisse se mettre en route. J'ai une voiture de location qui nous attend dehors, le réservoir plein. Et pour une fois dans ma vie, le décalage horaire a l'air de jouer en ma faveur, je me sens d'attaque pour rouler toute la nuit !

Elle fait claquer ses doigts en me faisant signe de me grouiller, mais je reste plantée face à elle, clouée sur place.

– Non, je fais, aussitôt déçue que le mot ne soit pas plus cinglant.

J'enchaîne, plus ferme :

– N'y compte pas, Jennika. C'est hors de question.

Elle incline la tête et me jauge, les paupières mi-closes.

– C'est à cause de ce garçon ? s'enquiert-elle d'un ton qui laisse entendre qu'elle en est déjà persuadée.

– Quoi ? Mais non ! je m'offusque en m'assurant intérieurement que ce n'est pas du tout à cause de lui. Rien à voir avec Dace !

C'est à cause de mes responsabilités en tant que Chasseuse, mais ça, ce n'est pas demain la veille que je le lui avouerai. D'abord parce qu'elle rejetterait catégoriquement cette idée, elle n'en croirait pas un mot et n'essaierait d'ailleurs même pas de comprendre. Ensuite, parce qu'elle se ferait un sang d'encre pour moi, mettrait fin à toute négociation et insisterait d'autant plus pour qu'on parte. Tant qu'elle n'est au courant de rien, il y a encore de l'espoir ; et quand elle a ce genre d'attitude, l'espoir est ma seule planche de salut.

Elle s'avance vers moi en adoucissant aussi bien son regard que son ton.

– Tu peux me le dire, Daire. Je comprendrai. Je t'assure. Ce n'est pas comme si je ne l'avais pas vu. Je suis pas aveugle, tu sais. Il est très beau. L'incarnation parfaite du rêve adolescent. Tomber amoureuse d'un garçon comme lui, c'est facile. Mais attention, justement, c'est écrit « bourreau des cœurs » en gros sur son front, et la dernière chose dont j'ai envie, c'est que tu souffres... voire pire.

Je la fusille du regard sans masquer mon mépris, effarée par ses insinuations. D'un côté car je refuse d'y croire, de l'autre parce que je redoute qu'elle ait raison.

– Par pire, tu sous-entends quoi ? Que je tombe enceinte ?

Elle tripote la longue rangée de petits anneaux en argent accrochés aux multiples trous de son oreille, signe infaillible qu'elle cherche les mots qui conviennent.

– Écoute, Daire, je ne regrette pas une seule seconde de t'avoir eue, mais je n'ai aucune envie que tu te retrouves enceinte à seize ans comme moi. Tu peux le comprendre, quand même ?

Je roule des yeux et détourne le regard. On a eu cette discussion je ne sais combien de fois par le passé, et déjà à l'époque j'étais trop jeune pour en parler, et c'était limite franchement inapproprié.

– Ce n'est pas ce que tu crois, je dis. Il n'est pas comme ça. Tu te trompes complètement sur lui.

Mais aussitôt dit, je prends conscience que je viens de tomber à pieds joints dans son piège.

Le regard de Jennika s'agrandit et une moue triomphante se dessine sur ses lèvres.

– Qu'est-ce que t'en sais ? Je croyais que tu ne le connaissais que depuis ce matin ?

Je me détourne. Je suis tellement en colère que j'ai toutes les peines du monde à rester calme et à garder pour moi le torrent de répliques assassines qui me vient à l'esprit.

– Allez, Daire, fait-elle d'un ton bien plus sévère que ce que les mots suggèrent. Va chercher tes affaires pour qu'on puisse s'en aller. Oh et quand tu auras fini de faire tes valises, n'oublie pas de laisser un mot à Paloma pour la féliciter du boulot vraiment exceptionnel qu'elle a accompli en foutant tout en l'air avec toi comme elle l'a fait avec ton père.

– Comment ça ? je sursaute en jetant des regards affolés dans la pièce.

Mais Jennika se borne à souffler en fronçant les sourcils, la bouche pincée de colère.

Je me redresse devant le plan de travail et pars à toutes jambes dans le couloir, la vision du lit vide de Paloma me confirmant le pire.

– Comment es-tu entrée ? je demande, complètement paniquée, en me retournant vers Jennika qui m'a suivie.

La confusion se lit sur son visage, tandis que son regard oscille entre le lit et moi.

– Pourquoi cette question ? La porte d'entrée était grande ouverte.

TRENTE-NEUF

– Je passais la voir avec Kachina, que je venais d'installer dans son box, quand j'ai trouvé Paloma écroulée sur la table de son bureau.

Chay nous accueille sur le perron de sa petite maison d'adobe. Injectés de sang et rougis, ses yeux sont voilés d'inquiétude.

– Et pour ne rien arranger, il semblerait qu'elle se soit violemment cogné la tête en tombant.

– Et du coup, vous avez jugé bon de l'amener ici ? rétorque Jennika en se plantant dans l'entrée, les mains sur les hanches, scrutant la pièce et tous ceux qui s'y trouvent d'un œil désapprobateur.

Mais Chay sait comment s'y prendre avec elle, autrement dit, il l'ignore et reporte plutôt son attention sur moi.

– Elle est plus ou moins inconsciente, mais chaque fois qu'elle revient à elle, elle te réclame.

– Dites, j'ai une question, s'immisce Jennika d'un ton aussi condescendant que son air, insistant pour se faire entendre même si personne n'a envie de l'écouter. Pourquoi est ce qu'elle n'est pas à l'hôpital ? Vous ne croyez pas que les médecins là-bas seraient plus à même de l'aider que ces gens ?

Elle balaie la pièce d'un revers de bras pour désigner l'Indien d'un certain âge que je suppose être un guérisseur, et le jeune apprenti assis près de lui à une petite table en bois artisanale.

– Ne le prenez pas mal, ajoute-t-elle à leur encontre.

Mais leurs visages restent stoïques, totalement impassibles.

– Ce n'est pas parce qu'on ne comprend pas quelque chose que c'est forcément infondé, répond calmement Chay.

Le regard qu'il lui lance incite Jennika à la boucler et à aller s'adosser contre un mur.

– Je peux la voir ? je demande en m'adressant à la fois à Chay, au guérisseur et à l'apprenti, car je ne sais pas trop qui est en charge de la situation.

Le vieil homme hoche la tête, tandis que Chay me prend doucement par le coude pour me conduire à sa chambre. En voyant cela, Jennika se redresse et s'empresse de nous suivre, mais je m'y oppose aussitôt. Je lui fais non de la tête en lui lançant un regard bien éloquent qui sous-entend : *N'y pense même pas.* J'ai conscience que je ne fais que gagner du temps et qu'elle me le fera payer plus tard, mais je ferai face à cet obstacle quand il se présentera ; pour l'instant, je dois surtout m'occuper du présent.

Chay me fait entrer dans la petite chambre d'amis et s'arrête près d'une femme brune penchée sur le lit, qui remue les mains à quelques centimètres au-dessus du corps de Paloma, comme si elle manipulait ses énergies.

– Chepi, souffle-t-il. Sa petite-fille est là.

Chepi ?

Je regarde la mère de Dace – et de Cade par la même occasion – achever ses gestes rituels et se détourner du lit. Son regard croise le mien, mais je n'arrive pas à interpréter son air, puis Chay la raccompagne dans le couloir et referme la porte derrière lui. Je me retrouve seule à l'entrée de la pièce, à observer ce qui m'entoure : au sol, un étalage de tapis navajo tissés à la main, épousant un plancher sombre ; au-dessus de moi, un plafond en pente assez bas ; et le long du mur opposé, trois niches identiques bourrées de fétiches, de statuettes de saints sculptées sur bois, de grandes croix en argent et de tout un assortiment d'objets de culte. Lorsque j'aperçois la silhouette menue allongée sur le lit étroit et l'éventail de cheveux aux mèches argentées étalé de part et d'autre de l'oreiller, je retiens mon souffle en comprenant qu'il s'agit de ma grand-mère. Son teint blafard contraste nettement avec le filet de sang qui suinte de son nez et dégouline sur les draps.

Je prends place sur la chaise à son chevet, attrape un mouchoir en papier et tamponne délicatement son visage. Mais à peine l'ai-je essuyé que le sang se remet à couler en un flot continu, intarissable.

– *Nieta*, murmure-t-elle avec une difficulté manifeste, à bout de forces.

Je caresse doucement sa joue et me penche plus près.

– C'est moi, *abuela*.

« Grand-mère », en espagnol. Ma voix se brise à ce mot. J'ai pris le temps de l'apprendre, mais n'ai jamais pu me résoudre à l'utiliser. Sans doute car ça me paraissait trop risqué, évocateur d'un lien entre nous que je n'étais pas certaine de pouvoir assumer. Mais à présent, en la voyant dans cet état, je prends enfin conscience qu'elle compte énormément pour moi, que j'ai fini par lui faire confiance, compter sur elle, m'attacher à elle. Je ne sais pas ce que je ferais sans elle. Je ne peux pas supporter de la voir dans cet état, si vulnérable et fragile.

Je me frotte les lèvres pour tenter de maîtriser ma voix.

– Ne t'en fais pas, je vais bien. Tout va bien.

Une boule dans la gorge, je refoule les larmes qui me montent aux yeux.

– Je t'en prie, ne gaspille pas tes forces à t'inquiéter pour moi. Il faut que tu te reposes. On discutera plus tard. Pour l'instant, essaie de dormir un peu.

Elle soulève une main du matelas, sans tenir compte de ce que je viens de dire. Ses doigts froids et minces esquissent un geste pour m'agripper le poignet.

– Est-ce que tu l'as trouvé, *nieta* ?

Je jette un coup d'œil dans mon dos pour m'assurer que nous sommes bien seules, et que Jennika n'a pas réussi à entrer discrètement dans la chambre.

– Le coup du cafard a marché à merveille, je chuchote en souriant en espérant la rendre fière. Non seulement je l'ai trouvé, mais je m'y suis aussi introduite. Oui, je sais, tu me l'avais défendu, mais je t'assure, je n'ai pas vraiment eu le choix. Disons que c'est arrivé comme ça, mais je me suis bien débrouillée, sans que personne ne se rende compte de rien, donc tout est bien qui finit bien, pas vrai ?

– Et dans quel sens as-tu voyagé ? Vers le haut, le bas ou de côté ? s'enquiert-elle d'une voix frêle très inquiétante.

– De côté, je réponds en repensant au tunnel qui menait à la caverne bien meublée, non sans remarquer l'expression de soulagement qui submerge son visage.

– Le Monde Intermédiaire, soupire-t-elle, ses paupières s'abaissant à moitié, papillonnant un instant, luttant avant de finalement réussir à se relever.

– Ça s'est limité au Monde Intermédiaire, rien de plus. J'en suis très heureuse.

Loin de moi l'envie de la contrarier, mais consciente qu'il faut qu'elle sache, je prends une grande inspiration et lui raconte la suite :

– C'est que… même si ce n'était que le Monde Intermédiaire, ce que j'ai vu ne m'a pas trop plu. Cade mijote quelque chose…

Je me renverse dans ma chaise en laissant mon regard flâner sur les niches et leur assortiment de sculptures. Le souvenir de tout ce que j'ai vu est si vif dans ma mémoire que j'aimerais qu'il existe un moyen de le lui transmettre. Je ne suis pas sûre de pouvoir le restituer avec toute la précision qu'il mérite. Mais il faut bien que j'essaie, alors je me penche vers elle et explique :

– Il a l'intention de se détacher des traditions familiales, d'étendre son pouvoir et de régner sur tous les mondes, et le truc bizarre, c'est qu'il m'a demandé de rallier son camp. Selon lui, rien ne nous empêche de nous associer. Il considère ça comme un traité de paix, mais c'est parce qu'il débloque complètement. Jamais aucune paix ne pourrait résulter d'une union pareille.

J'observe Paloma attentivement et vois sa bouche se crisper, ses lèvres pincées à l'extrême.

– Je sais pas de quelle façon il compte s'y prendre, mais je suis sûre qu'il y a un lien avec la bande des Richter morts que j'ai vue. Il ne se contente plus de communier avec leurs esprits. Cade communie avec les ancêtres eux-mêmes ! Et, apparemment, à l'insu de Leandro. Si tu avais vu ça, il y avait toute une armée de zombies que Cade a nourris d'étranges boules blanches lumineuses, grâce auxquelles ils se sont ensuite métamorphosés sous mes yeux. Ils sont devenus beaucoup moins laids et cadavériques, et un peu plus… humains.

Paloma laisse échapper un petit cri étouffé. L'air dévasté, son visage devient si blême que j'hésite à appeler Chay. Mais alors ses doigts se glissent sur les miens, et d'une toute petite voix elle se met à marmonner quelque chose en espagnol que je ne saisis pas. Supposant qu'elle est trop épuisée pour le dire en anglais, mais sentant que c'est important, je vais pour me lever et aller chercher quelqu'un qui puisse traduire, mais elle me retient en secouant la tête avec frustration et lâche du bout des lèvres :

– Quel jour sommes-nous ?

Je consulte ma montre.

– Minuit passé, donc on est le 1er novembre. Pourquoi ? je fais, curieuse de comprendre quelle signification peut avoir cette date.

Elle pâlit davantage.

– Il est en train de les préparer…

Ses paupières s'abaissent et son regard s'assombrit, se perd dans le vide. Je sais que je devrais la laisser se reposer, mais la situation est critique, alors je la secoue doucement par l'épaule en l'implorant :

– Je t'en prie, Paloma, reste avec moi… Pourquoi est-ce qu'il les prépare ?

Ses lèvres remuent, mais sa voix est si faible que je suis obligée d'approcher mon oreille tout près de sa bouche et de la supplier de répéter.

– *Día de los Muertos*, marmonne-t-elle d'une voix rauque.

– OK, le jour des Morts mais quel est le rapport ? j'insiste d'un ton affolé, impatient.

Elle est en train de me quitter, de sombrer dans un sommeil paisible, sans souffrances, et bien que je ne puisse pas lui en vouloir, je dois coûte que coûte la retenir – au moins encore un peu.

Je pose délicatement la main sur sa joue et approche de nouveau mon oreille en m'efforçant d'assembler les bribes de mots qu'elle murmure :

– Il les prépare… Les boules lumineuses… Ces sphères blanches…

– Oui, Paloma ? Je t'en supplie, dis-moi ce que c'est !

Elle cherche à tâtons la petite bourse en peau qu'elle porte au cou et la serre entre ses doigts pour tenter d'y puiser un ultime regain de forces, que visiblement elle reçoit, car ensuite elle me débite d'une traite :

– Ce sont des âmes, *nieta*. Ce sont des âmes qu'il leur donne à manger. Des âmes humaines. Il les prépare à envahir le Monde Souterrain, et il profitera de la magie du jour des Morts pour le faire. Ce qui se produit dans une dimension finit par avoir des conséquences sur toutes les autres. C'est un équilibre sacré que les Richter commenceront à corrompre, dès l'instant où ils y accéderont et laisseront le chaos régner sur les trois mondes : Souterrain, Supérieur, et Intermédiaire aussi. S'il y parvient, sa famille pourra étendre son empire en très peu de temps, après quoi le monde tel que nous le connaissons aujourd'hui n'existera plus.

QUARANTE

Je suis à peine sortie de la chambre de Paloma que Jennika me saute dessus :

– Écoute, Daire, je sais que tu t'inquiètes pour elle, mais je suis sûre qu'elle va se remettre, et nous, il faut vraiment qu'on y aille, alors…

– Je ne pars pas.

Je la contourne et m'éloigne, prenant à peine le temps de m'arrêter pour ajouter :

– Je reste à Enchantment, que ça te plaise ou non.

– Pardon ?

Elle me rattrape par le bras et m'oblige à lui faire face. Le sourcil durement arqué, elle croit à tort que je cherche à lui tenir tête, même s'il est vrai que je pensais ce que je disais.

– Je reste. Il n'est pas question que je parte. C'est aussi simple que ça.

Pour autant, inutile de me disputer avec elle. Elle ne ferait que s'obstiner et se braquer de plus belle.

Alors, je me radoucis et dis :

– Je voudrais au moins attendre qu'elle aille mieux. Quand je serai sûre qu'elle sera guérie, alors d'accord, on fera ce que tu veux. Mais en attendant, je reste.

Je la regarde droit dans les yeux et croise les doigts pour qu'elle n'entrevoie pas le mensonge qui se cache derrière mes mots. Les révélations de Paloma m'ont sérieusement ébranlée, mais ça, impossible de le lui expliquer.

Le jour où Paloma sera rétablie – et elle va se rétablir, il le faut, je ne tiendrais pas le coup sans elle –, alors Jennika et moi reprendrons les négociations.

Je me laisse tomber lourdement sur la chaise que le guérisseur vient de libérer pour aller voir Paloma, son assistant et Chepi dans son sillage. Je suis bien décidée à attendre ici, sans bouger de ce siège, jusqu'à ce que ma grand-mère ait passé le stade critique. Mais quelques instants plus tard, Chay pose la main sur mon épaule et insiste pour que je rentre chez Paloma.

– Va dormir un peu, conseille-t-il. Elle tenait absolument à te voir, mais maintenant que c'est fait, tu ne peux pas l'aider davantage. Leftfoot, le guérisseur, fait tout son possible. Le plus important, à présent, c'est que tu te reposes avant le lycée.

Il a une façon de prononcer le mot qui me fait dire que… eh bien, qu'il pense comme moi : qui dit « lycée » dit Cade, que je dois surveiller de près.

Qui dit « lycée » dit aussi Dace, mais ça, ce n'est vraiment pas le moment d'y penser.

Peu après, il nous propulse sans ménagement dans la voiture de location, promettant d'appeler au premier signe d'évolution, alors que Jennika pousse un gros soupir sans retenue et s'éloigne de la bordure du trottoir. Elle continue à bayer aux corneilles durant tout le trajet jusqu'à chez Paloma, mais je m'efforce de l'ignorer.

J'attends simplement qu'elle se gare dans l'allée, puis lui dis rapidement « bonne nuit » et pars dans ma chambre. C'est alors que je trouve un magnifique coffre en bois sculpté placé près de mon lit, sans doute par Paloma avant qu'elle ne fasse son malaise.

Je passe les mains dessus, la gorge nouée, regarde à l'intérieur et découvre qu'il est rempli de tout un tas d'objets identiques à ceux dont regorge son bureau. Un petit hochet de cuir brut noir et blanc peint à la main, fixé à l'extrémité d'une longue baguette. Un gros tambour à l'armature de bois, décoré d'une tête de corbeau aux yeux pourpres. Trois magnifiques plumes identifiées par des étiquettes : une plume de cygne à utiliser pour ses vertus régénératrices, une de corbeau dotée de pouvoirs magiques, et une d'aigle servant à transmettre des prières. Pour finir, il y a ce qui s'apparente à un pendule, serti à son extrémité d'un gros cristal d'améthyste. L'ensemble est disposé sur une couverture moelleuse d'un tissage artisanal, au milieu de laquelle trône une petite carte blanche rédigée de la main de Paloma :

> Nieta…
> *Voici une partie des outils qui te serviront durant ton cheminement de Chasseuse. Prochainement, je t'apprendrai à utiliser chacun d'entre eux. Leurs pouvoirs te surprendront ! Je suis vraiment fière de toi.*
>
> *Paloma*

Les yeux brûlants de larmes refoulées, je contemple sa lettre, me demandant si Paloma vivra assez longtemps pour me transmettre son savoir. Hormis le hochet, j'ignore tout du fonctionnement de ces outils. Pour quelqu'un censé déborder d'un talent inexploité, j'ai l'impression d'être, tout au contraire, impuissante et inutile. Ne sachant pas du tout comment exercer les dons que mes ancêtres m'ont légués. Incapable de quoi que ce soit, si ce n'est de m'écrouler sur mon lit.

Jennika avait raison.

Depuis le début.

Si c'est ça, l'effet qu'on ressent quand on perd quelqu'un, alors j'aurais préféré ne jamais rien savoir. J'aurais préféré ne jamais venir dans cet endroit, ni être assez stupide pour m'attacher autant.

Ce sentiment atroce va bien au-delà de la douleur ou de l'abattement. Il me réduit à une coquille pétrifiée et inerte, recroquevillée sur son lit, qui s'efforce de ne pas oublier de respirer.

Roulée en boule, j'essaie de faire taire ma conscience et de barricader mon cœur. Je tire d'un coup sec sur la couverture pour la rabattre sur mon nez et essayer par tous les moyens de réduire ma vision de cette chambre où tout me rappelle Paloma. Mais en vain. Le parfum de lilas qui embaume mes draps, laissé par la lessive, le capteur de rêves suspendu au-dessus de l'appui de fenêtre, tout porte son empreinte. Assez, en tout cas, pour susciter l'éclosion d'une image de ma grand-mère dans mon esprit : douce, aimante, persuadée que je saurai me montrer à la hauteur de mon rang. Sauf que j'ignore par où commencer.

D'après Paloma, chaque fois que le clan des Coyotes a réussi à faire une percée dans le Monde Souterrain, le chaos a dévasté le Monde Intermédiaire. Mais maintenant qu'ils comptent faire appel à la dangereuse magie du *Día de los Muertos* pour permettre à tous leurs ancêtres ressuscités de s'y introduire, armés d'un pouvoir sans précédent, je ne vois pas comment je pourrais espérer les en empêcher.

Je dois faire quelque chose, mais j'ignore quoi. Et de quelle manière je suis censée affronter Cade et son armée de morts.

Je ne pourrai jamais les vaincre. Je n'ai même pas effectué la moitié de mon initiation de Chasseuse ! Pourtant, il va bien falloir que je trouve le moyen de les combattre, je ne peux pas les laisser gagner.

Je jette un œil à la photo de mon père en repensant à ce qu'avait dit Paloma. Qu'il demeurait omniprésent et que je pouvais faire appel à lui à tout moment. Mais sans les conseils de Paloma, sans sa présence à mon côté, je me sens bien incapable d'invoquer son esprit.

Sans elle, cette maison paraît trop isolée, trop déserte. Un lieu vide et froid qui ne fait qu'amplifier mon incapacité à gérer toute cette situation.

Trop tendue pour dormir ou faire quoi que ce soit d'autre, je me mets en tenue pour la journée et je sors. Je me glisse jusqu'au box de Kachina, et me sens un tout petit peu mieux en la voyant lever haut le museau à mon approche, piaffer doucement et s'ébrouer en signe de bienvenue. Son accueil est bien plus enthousiaste que celui du chat que j'ai récemment adopté, qui était absolument ravi de passer du temps avec Kachina avant de m'apercevoir et de prendre le parti de déguerpir.

Je me réfugie à l'intérieur du box, m'occupe de réapprovisionner son auge et de remplir son abreuvoir, puis reste près d'elle pendant qu'elle mange, lui confiant toutes ces choses qui m'angoissent trop pour les exprimer seule à voix haute.

Ma longue liste de tourments s'égrène jusqu'à ce que je perde la notion du temps. Et très vite, le ciel se retrouve strié d'épais rubans rose-orangé, le soleil bien plus haut qu'il ne l'était quand je suis sortie, et Jennika a fini par me trouver.

Son regard oscille nerveusement entre Kachina et moi.

– Ne t'attache pas trop à elle.

Je fais mine de n'avoir rien entendu. Je n'ai pas envie que ça recommence. Mais en dépit de ses traits tirés et des cernes violets qui s'étirent sous ses yeux, séquelles de trop nombreuses nuits sans sommeil, Jennika n'a visiblement rien perdu de son allant.

Elle me tend une tasse de café fraîchement préparé que je m'empresse d'accepter. Je savoure son riche arôme de pignon, quand elle me lâche :

– Je suis sérieuse, Daire. Je sais que tu penses pouvoir m'en dissuader. Je sais exactement ce que tu mijotes. Mais dès que Paloma ira mieux, et je dis bien à la minute où on apprendra la bonne nouvelle, toi et moi, on partira. Par conséquent, tu devras dire au revoir à ta jument, à cette maison, à ce garçon et à tout le reste. Il n'a jamais été question que tu t'installes définitivement ici – je pensais que tu le savais.

Je sirote mon café, contemple le ciel, mais refuse de me lancer dans cette discussion.

– Enfin, je ne comprends pas ! Qu'est-ce que tu lui trouves, à cet endroit, au juste ? Qu'est-ce qui te plaît ici ? Il y a quelque chose qui m'échappe, ou quoi ? Parce que de ce que j'en ai vu, c'est rien qu'un fichu patelin sous-développé !

Je me tourne vers elle, avisant son teint pâle et son pull trop grand pour sa petite carrure. Il lui tombe un peu n'importe comment sur les épaules, si bien que ça lui donne l'air tout aussi minuscule et vulnérable que je me sens à cet instant.

– C'est peut-être un trou paumé… c'est vrai, je réponds doucement en serrant ma tasse, alors que je me détourne pour admirer le patio.

L'amour, l'attention et le dévouement que Paloma y a consacrés pour lui donner son aspect actuel, celui d'une oasis privée cachée au fond du désert, tout cela me saute aux yeux, mais Jennika, elle, n'y comprend rien. Tout ce qu'elle voit, c'est un cheval, une profusion de plantes, une étrange platebande de sel devant une étrange palissade, devant un épais mur d'adobe. La magie du lieu lui échappe. Néanmoins, rien ne m'empêche d'essayer de lui faire comprendre pourquoi il est si important pour moi.

– Mais tu vois, c'est aussi le premier endroit de toute ma vie qui me donne le sentiment d'être peut-être à ma place. Pour la première fois, j'ai l'impression d'avoir un vrai chez-moi.

Elle s'apprête à protester, sans doute pour se défendre et justifier tous les choix qu'elle a faits ces seize dernières années, mais elle aura bien le temps plus tard. J'ai besoin qu'elle écoute ce que j'ai à dire, avant que les mots me manquent.

– Je sais bien que tu as passé ta vie entière à essayer de me protéger contre le chagrin énorme qu'on éprouve à la perte des choses, des êtres et des lieux auxquels on a fini par s'attacher, mais tu sais quoi, Jennika ? C'est pas une vie. Perdre quelqu'un ou quelque chose qu'on aime est une souffrance, mais avoir la chance d'en profiter aussi longtemps que ça dure procure une joie encore plus grande.

Retenant mon souffle, je plonge mon regard dans le sien.

– Je pensais être persuadée du contraire, mais aujourd'hui, je me rends compte que j'avais tort. Je sais que tu croyais bien faire. Tu voulais juste m'épargner tous ces sentiments qui te submergeaient. Et qui sait ? Tu m'as peut-être bel et bien évité un tas de peines et de regrets. Seulement, aujourd'hui, ce sentiment d'appartenance me plaît, que ce soit à une famille, à une communauté – allez, même à un lycée ! Je m'en fiche, si ça ne dure pas ou si c'est moins trépidant et glamour : c'est ici que vit *mi abuela*. Une femme qui m'a offert un foyer et donné un but dans la vie. Et pour la première fois, je…

– Un but dans la vie ? m'interrompt Jennika en clignant des yeux, estomaquée.

Elle s'avance plus près.

– Et on peut savoir lequel, exactement ? Tu envisages de reprendre son potager, peut-être ? Une apprentie guérisseuse herboriste ? J'avais de plus grands rêves pour toi, Daire.

Le regard outré et incrédule qu'elle me décoche me fait comprendre que je suis allée trop loin. Je n'aurais jamais dû dire ça, j'aurais dû m'arrêter aux premiers arguments.

– Laisse tomber, je fais. Oublie ce que je viens de dire.

Je tapote une dernière fois Kachina, puis retourne dans la maison en évitant soigneusement le regard de Jennika lorsque j'ajoute :

– Tu n'as qu'à simplement m'emmener au lycée, si tu veux. La première sonnerie est à 8 heures.

QUARANTE ET UN

À la seconde où je franchis la grande grille de fer, je pars à la recherche de Cade. Mais ce n'est qu'à l'heure du déjeuner, en croisant Xotichl dans le couloir, que j'apprends pourquoi je n'ai pas réussi à mettre la main sur lui.

– Alors, tu participes au *Día de los Muertos* ? demande-t-elle en se fiant à ses troublantes facultés pour savoir que c'est moi avant même que j'aie pu m'annoncer.

– Ne me dis pas que je dégage encore cette énergie de petite nouvelle ? je plaisante en la regardant claquer la porte de son casier, puis taper doucement le sol avec sa canne pour évaluer la distance entre mes bottes et les siennes.

– Non, là, on dirait plus des ondes nerveuses, parano... Qu'est-ce qui t'arrive ?

Je fouille le couloir du regard, consciente que je devrais lui toucher deux mots de ce qui est arrivé à Paloma, mais je n'ai pas envie de la tracasser.

– Disons que je guette Cade, Lita et la bande des Vipères, je réponds plutôt. Je préférerais les repérer la première.

– Pas de panique, sourit-elle. Cade est absent, quant aux autres, je parie qu'elles sont trop éblouies par ta célébrité pour t'approcher. Mais ça ne répond toujours pas à ma question : le jour des Morts, t'es partante ?

– Partante pour quoi ?

J'avise son ravissant pull bleu et son jean, une fois de plus impressionnée par sa grâce. Bien sûr que je suis partante pour fêter le jour des Morts, mais sûrement pas de la façon dont elle l'entend.

– Je ne sais pas si tu es au courant, mais ici on zappe Halloween, et on passe directement au *Día de los Muertos*. La ville entière le fête. Le seul moyen d'y échapper, c'est de partir. Dans certains endroits, ils le célèbrent pendant toute une semaine, mais à Enchantment, on attend le dernier jour, le 2 novembre, pour tous se déguiser, manger, boire et s'amuser jusqu'à l'aube. Il y en a beaucoup qui passent la nuit au cimetière pour rester au plus près des esprits de leurs ancêtres, mais sinon, la plupart des habitants se retrouvent au Terrier du Lapin, car les Richter organisent une gigantesque fête où tout le monde peut manger, boire et écouter de la musique à l'œil, et la soirée a toujours beaucoup de succès, comme tu peux l'imaginer !

– Ça a l'air sympa, je dis, consciente que « sympa » n'est certainement pas le bon terme, bien que ce soit le plus approprié, vu les circonstances. Je louperais ça pour rien au monde.

Quelque chose me dit que les célébrations de cette année offriront une expérience sans précédent, en particulier si le clan des Coyotes parvient à ses fins.

– Super, acquiesce-t-elle. Épitaphe montera sur scène, donc tu auras une nouvelle occasion de les écouter, puisque tu t'es volatilisée hier soir. Qu'est-ce qui s'est passé ? On t'a cherchée partout… comment es-tu rentrée chez toi ?

Je me creuse la tête pour trouver une excuse digne de ce nom, même si je sais qu'il est pratiquement impossible de mentir à Xotichl, mais tant pis, je tente quand même le coup :

– Je ne me sentais pas très bien, alors…

Elle commence à avancer dans le couloir nord où Dace déjeune généralement seul dans son coin. Mais après la soirée de la veille, et toute cette scène avec Jennika, je suis trop gênée pour l'affronter.

Je la suis en traînant des pieds et cherchant des yeux un détour, mais m'aperçois finalement qu'il n'y a aucune trace de ses gros rangers, aucun Dace à l'horizon. Le couloir est désert. Et si au départ j'étais peu disposée à le voir, je me sens encore plus mal de son absence.

Xotichl s'arrête, la tête penchée, une moue étonnée sur les lèvres, alors que je fixe le coin vide où Dace s'assoit en temps normal.

– Mais qu'est-ce qui t'arrive ? s'inquiète-t-elle. Et c'est pas la peine de me mentir, je sens bien que quelque chose ne va pas.

Elle se plante face à moi, telle une force de la nature haute comme trois pommes qui ne se laissera pas embobiner par mes salades.

– Je sais ! j'admets en riant. Tu es bien trop intuitive, et c'est tant mieux, mais je ne suis pas tout à faite prête à en parler, alors je crois que tu vas devoir me supporter patiemment.

Elle réfléchit, silencieuse, puis se remet en route en balayant le sol de sa canne.

– Pas de problème ! lance-t-elle.

Elle m'emmène à la cantine avec bien plus d'assurance et d'autorité que je n'en serais capable. Visant une table au fond, elle va se glisser sur le banc, adresse un signe de tête au garçon à sa gauche et dit :

– Daire, je te présente Dace, Dace voici Daire.

Puis elle me décoche un sourire entendu en ajoutant :

– Mais peut-être que vous vous connaissez déjà ?

Pendant qu'elle fouille dans son sac de repas, je ne peux m'empêcher de penser que son histoire de perspicacité est décidément plus complexe que je ne l'imaginais.

Rapidement, je marmonne un petit « salut » à Dace et m'installe sur le banc d'en face. Mal à l'aise et gênée, je suis hantée par l'image du regard furax de Jennika à travers la vitre, et par tous les trucs épouvantables qu'elle a dits. Sans compter que j'ai dû avoir l'air malin, avec mes yeux tout plissés et ma bouche en cul-de-poule, prête à accueillir un baiser qu'il n'a peut-être jamais eu l'intention de me donner.

– Ça va ? me demande-t-il d'un ton soucieux en tournant les yeux vers moi. Ta mère semblait assez contrariée.

– Tu l'as dit, je fais en jetant un œil dans mon sac de déjeuner pour éviter son regard, et ne pas voir mes joues en feu s'y refléter à l'infini. Ça lui arrive de temps en temps, mais au fond, elle n'est pas méchante, j'explique avec un haussement d'épaules, préférant ne pas m'étendre davantage.

Je n'ai aucune envie de lui expliquer que le passé de Jennika a tendance à déteindre sur mon présent. Que son désir quelque peu irrationnel, quoique tout à fait conscient, de m'épargner des peines de cœur et une grossesse non désirée, ainsi que tous les autres imprévus que nous réserve l'existence, entrave parfois mon parcours.

– Je suis pas sûr d'avoir bien géré la situation, confesse-t-il l'air si sincèrement désolé que ça me fend le cœur pour lui.

– Vu les circonstances, crois-moi, tu as très bien géré. Et puis de toute façon, tu n'avais aucune chance de t'en tirer, elle s'était fait une idée de toi dès l'instant où elle t'a vu.

Dace se redresse brusquement, l'air blessé.

– Je comprends pas… bredouille-t-il.

Je tripote nerveusement mon sachet en me demandant pourquoi je ne suis pas fichue de dire le moindre truc censé quand il est dans les parages. Quoi que je dise maintenant, ça va avoir l'air super embarrassant. C'est alors que Xotichl intervient :

– C'est pourtant facile à comprendre ! Tu es sexy, Daire est sublime. S'il y a bien un truc qui angoisse les parents, c'est celui-là. Du coup, j'imagine que c'est toi qui l'as raccompagnée hier soir, puisqu'on ne l'a trouvée nulle part avec Auden ?

Dace et moi échangeons un regard, moi gênée et affolée, lui amusé et rassurant dans sa réponse :

– Daire se sentait mal et j'étais sur le point de partir…

Sa voix s'estompe et son regard se perd dans le vague, alors qu'au même instant Xotichl me donne un petit coup de pied sous la table en me soufflant :

– Elle arrive.

À peine cinq secondes plus tard, Lita apparaît au bout de notre table.

Elle me lance un regard étonnamment timide.

– Salut, Daire.

Après un rapide coup d'œil à sa gauche et sa droite, je m'étonne de voir qu'elle a fait le déplacement seule. J'en viens à me demander si elle n'en a pas réellement assez de traîner avec des lèche-bottes, comme elle l'insinuait dans les toilettes.

– Écoute, fait-elle. Je tenais simplement à m'excuser pour l'autre jour.

Elle déglutit nerveusement, s'astreignant à soutenir mon regard.

– De quel jour tu parles ? Hier ? Ou bien la première fois qu'on s'est croisées sur le sentier ? je m'enquiers.

Après tout, inutile de se voiler la face, elle a eu deux occasions d'être sympa avec moi, mais chaque fois elle a préféré jouer les pestes.

– Hum… les deux, disons. C'est que…

Elle essaie de trouver les bons mots, mais y renonce vite et recommence sa phrase :

– Je sais que je n'ai pas été très cool, et je veux juste…

– Ça va, je la coupe en levant la main. C'est pas grave. Excuses acceptées.

Je constate que ses épaules s'affaissent, sa mâchoire se décrispe, mais comme je n'en ai pas fini, son soulagement est de courte durée.

– En revanche, avant que tu te mettes à faire des pieds et des mains pour te rapprocher de moi, sache que mes contacts à Hollywood ne sont pas du tout ceux que tu crois.

Xotichl retient son souffle pendant que je me prépare à un violent assaut de contestation et de colère, qui finalement n'arrive pas.

– Eh bé ! s'amuse Lita en m'observant de ses yeux très maquillés, d'un air plus ou moins approbateur. Tu te laisses vraiment pas emmerder, toi, pas vrai ?

Je lance un coup d'œil à Dace qui m'observe attentivement, et comme je sais que c'est vrai – merci, l'influence de Jennika – j'acquiesce.

– Non. Pas vraiment.

– Bon, tu m'en veux plus, alors ? insiste Lita, pleine d'espoir.

Son ton est si déconcertant que je suis presque sûre qu'elle ne m'a pas crue et reste persuadée que je peux contacter Vane Wick quand je veux, lui ou n'importe laquelle des stars qu'elle pourrait avoir en tête.

Mais tant pis, je n'ai pas envie de remettre ça sur le tapis.

– Non. Plus du tout. T'inquiète.

Elle hoche la tête. Sourit. Commence à s'en aller, puis revient sur ses pas, comme si une idée venait de lui traverser l'esprit :

– On se verra au Terrier du Lapin. Tu sais, demain soir, pour le jour des Morts ? Tu y seras, n'est-ce pas ?

Son regard dévie jusqu'à Dace et Xotichl, auxquels elle adresse un signe de tête comme si elle venait seulement de se rendre compte de leur présence.

– Je me disais que... on pourrait peut-être passer un peu de temps ensemble ?

Sa suggestion me laisse sans voix.

– Euh… pourquoi pas ? Si tu veux, je finis par bredouiller.

Décidément, la soirée de demain s'annonce de plus en plus bizarre, je pense en la regardant s'éloigner.

Xotichl siffle tout bas :

– Je suis pas du genre à être facilement impressionnée, mais alors ça, c'était…

Esquissant une moue, elle tapote ses ongles sur la bouteille d'eau dans sa main en cherchant le mot juste.

– D'une sincérité bizarre ? propose Dace en cherchant mon regard.

Je hausse les épaules. Sincère, je ne sais pas ; dans cette ville, les apparences sont toujours trompeuses.

Nos réflexions sont abrégées par l'appel strident de la sonnerie, qui nous oblige à plier bagage et à passer à autre chose.

QUARANTE-DEUX

En arrivant en étude dirigée, mon dernier cours de la journée, celui que j'ai en commun avec Dace, j'avoue être tout excitée à la perspective de le revoir. Mais mon enthousiasme tourne vite à la déception lorsque je trouve sa chaise vide. Pour une raison que j'ignore, ce cours ne figure pas parmi ses priorités du jour.

Je m'installe à la table du fond et sors mon bouquin. Bien que décidée à me plonger dans une agréable petite heure de lecture, après quelques pages, à peine, mes pensées se reportent distraitement sur Paloma.

Il faut que je l'aide.

En tant que petite-fille et Chasseuse, je dois forcément pouvoir faire quelque chose.

Ce sera toujours mieux que de rester sans réagir dans cette salle, à me faire baby-sitter par vidéo interposée.

Je balance mon sac sur mon épaule et me dirige en hâte vers la porte. Mes camarades me regardent faire avec stupeur, sous l'objectif implacable de la caméra qui enregistre mon évasion. Après avoir remonté plusieurs couloirs, je franchis en trombe la porte à double battant et passe comme une flèche devant le surveillant, tout en essayant d'élaborer un plan d'action.

Je ne sais peut-être pas comment empêcher les Richter d'envahir le Monde Souterrain, mais il me reste encore vingt-quatre heures avant qu'ils n'aient la possibilité de passer à l'acte. Et puisque c'est dans ce monde que vit mon corbeau, et que c'est son rôle de me guider, je me dis que c'est un point de départ comme un autre.

Sauf que je n'ai pas la moindre idée de la manière de s'y rendre.

La seule fois où j'ai pu y accéder, c'était lorsque mon âme a voyagé après que j'ai bu l'infusion de Paloma.

À ma connaissance, il n'existe qu'un seul autre moyen de pouvoir le contacter, alors je retourne chez elle, franchis discrètement le portail à l'insu de Jennika et vais directement dans le box de Kachina, à qui je passe rapidement une bride autour du cou avant de grimper sur son dos. Caressant sa crinière marron et blanche, j'approche la bouche de son oreille et lui souffle :

– Emmène-moi là-bas. Conduis-moi à la grotte où j'ai vécu ma quête de visions, pour que je puisse consulter mes ancêtres.

Aussitôt arrivée à la grotte, j'enjambe d'un bond la bordure blanche granuleuse et me dirige droit vers le mur où figure la longue liste de mes ancêtres et de leurs animaux totems. J'effleure du regard les noms de Valentina, Esperanto, Piann, Mayra, Maria, Diego, Gabriella, jusqu'à Paloma, Django et moi. Serrant la petite bourse à mon cou d'une main et agitant le hochet de l'autre, je les appelle à me rejoindre en leur faisant savoir que j'ai besoin de leur aide, besoin qu'ils me montrent comment accéder au Monde Souterrain.

Je m'assois près de leurs noms, le dos calé contre le mur, les jambes étendues devant moi. M'obligeant à faire le vide dans mon esprit et à rester calme et silencieuse, je fais abstraction de l'agitation qui me caractérise, réceptive, à l'affût du moindre signe. Instantanément, l'arrivée d'une petite brise qui s'engouffre en serpentant dans la grotte éveille mon attention. Elle tourbillonne et s'attarde devant moi pour s'assurer que je l'ai remarquée, puis repart à toute allure, flottant comme une volute jusqu'à cet endroit tout au fond, où le plafond rejoint la terre du sol.

Le vent est mon élément. D'après Paloma – qui était tout excitée à cette idée –, cela fait de moi une Danseuse du vent. Mais un simple coup d'œil à cette massive paroi rocheuse, si dense et menaçante, suffit à semer le doute dans mon esprit.

Ça m'étonnerait fort que j'arrive à la faire bouger.

Ni même qu'elle mène à un royaume occulte caché dans les entrailles de la Terre.

Ce n'est pas comme si je ne l'avais pas déjà touchée. La dernière fois que j'étais ici, j'ai inspecté les lieux de fond en comble et tâté le moindre centimètre carré pour essayer d'évaluer l'étendue de cette grotte. Néanmoins, c'était avant de savoir toute la vérité sur les rouages de ce monde. Avant que j'apprenne à me concentrer sur l'invisible et l'inconnu, pour l'amener à entrer dans mon champ de conscience immédiat et se dévoiler.

Alors c'est ce que je fais, je me concentre. Et très vite, la paroi rocheuse, en apparence impénétrable, se met à vaciller, et ma petite bourse, à palpiter comme un battement de cœur. Preuve une fois de plus que je dois arrêter de m'en tenir aux apparences et de tout passer au crible de mes raisonnements logiques, mais plutôt me fier coûte que coûte à mon instinct, aussi improbable que la situation puisse paraître.

Tête baissée, les bras tendus devant moi, je fonce vers la paroi. Mes paumes percutent violemment la roche, freinées quelques instants, puis finissent par la traverser de part en part à mesure que sa surface s'assouplit et s'estompe. Le mur s'éboule en une fine petite pluie de poussière qui tourbillonne à mes pieds, puis brusquement le sol se dérobe. Je tombe en vrille, dégringole à la verticale le long d'un tunnel qui s'enfonce directement vers le noyau terrestre. Battant l'air des bras, je continue à faire des tonneaux sans pouvoir m'arrêter ou ralentir, ni me maîtriser.

Mais contrairement à la dernière fois, je n'essaie pas de résister. J'espère simplement que, d'une manière ou d'une autre, je finirai par me retrouver à l'entrée du Monde Souterrain.

Le tunnel s'achève subitement et m'éjecte sous un rayon de lumière vive où j'atterris comme une masse. Et là, perché sur un rocher à proximité, ses yeux pourpres luisants, le corbeau m'attend.

Je me relève, m'essuie les mains sur mes fesses et, sans le quitter des yeux, m'approche prudemment.

– J'ai besoin d'aide, je dis. Paloma est souffrante et je ne sais pas quoi faire. Tu veux bien me guider ?

Je m'interromps en voyant qu'il réagit, prêt à prendre son envol. Soulevant et déployant ses ailes, il saute de son perchoir pour s'élancer dans les airs en un grand cercle majestueux au-dessus de ma tête, puis se laisse planer au gré du vent. Je le suis en courant. Heureusement, de temps à autre il s'arrête pour me laisser le temps de le rattraper, puis il repart et voltige finalement jusqu'à cette magnifique clairière que j'ai déjà vue en rêve, ainsi que le soir où j'ai bu l'infusion de Paloma.

Tout autour de moi oscillent des arbres majestueux et chaque brin d'herbe semble danser à mes pieds. Je ne sais trop quoi penser du fait qu'il m'ait emmenée ici ; au mieux, je pencherais pour un sentiment de malaise, surtout qu'il redescend en piqué, se pose sur mon épaule et avance brusquement son bec pour m'inviter à traverser la clairière jusqu'à l'orée du bois. Là, je finis par tomber sur la source d'eau chaude qui m'était apparue dans mon rêve.

Et, exactement comme dans ce dernier, Dace est là, lui aussi.

QUARANTE-TROIS

Je reste silencieuse et immobile. Je voudrais le guetter sans me faire remarquer, prolonger l'instant avant qu'il ne perçoive ma présence.

Ses cheveux mouillés sont lissés en arrière, la lumière qui filtre à travers les arbres projetant un cortège d'ombres sur son visage. Mais lorsque le corbeau quitte mon épaule et plane vers une branche à proximité pour mieux nous observer, le battement de ses ailes amène Dace à lever la tête, apparemment peu surpris de me voir flâner dans une dimension occulte dont personne ne connaît l'existence.

– À la seconde où je t'ai vue, j'ai su que tu étais différente…

Sa tête s'incline jusqu'à assombrir son visage, tandis que mes poings se serrent et que mon corps se raidit, prêt à tout. La dernière fois qu'on s'est retrouvés ici, les choses ont mal tourné. Or rien ne me garantit que cette rencontre n'est pas un coup monté ou que je ne vais pas être contrainte à revivre ce cauchemar.

– Ah oui ? je rétorque d'un ton plus cassant que voulu. Comment ça, à quoi tu l'as deviné ?

Les yeux plantés dans les siens, j'y vois mon image miroiter à l'infini, la longue silhouette raide d'une brune aux longs cheveux flottant au vent…

Il hausse les épaules, l'air sincèrement perplexe.

– Il faut croire que mon instinct ne me trompe pas. Il y a des choses comme ça qui ne font pas l'ombre d'un doute.

– Et c'est ton instinct qui t'a conduit ici ? je fais en m'avançant vers lui, le bout de mes bottes approchant tout doucement de la source. Ou bien est-ce que tu as rêvé de cet endroit ?

Mon cœur se met à battre la chamade à l'instant où ces mots quittent mes lèvres. Mais tant pis, il faut que je sache, et il n'y a pas moyen de poser la question l'air de rien ou de la reformuler autrement.

Est-ce qu'il faisait réellement partie de mon rêve, ou n'était-ce en fin de compte que le fruit de mon imagination ?

– Rêve... réalité... qui peut dire où se situe la frontière ?

Il m'adresse un franc sourire qui souligne ses yeux pétillants et révèle ses belles dents blanches, puis ajoute :

– C'est vrai qu'on croirait rêver, quand on voit cet endroit, mais je suis presque certain qu'on ne dort pas.

Il palpe son bras, se pince.

– Je le confirme, je suis réveillé ! Et toi ?

Mes yeux vagabondent sur lui sans perdre une miette de ses larges épaules et de son torse nu satiné, s'arrêtent là où ses hanches entrent dans l'eau. Je suis si fascinée par ce spectacle que je manque de ne pas entendre la suite :

– Mais pour répondre à ta question, c'est ma mère qui m'a fait découvrir cet endroit quand j'étais petit, et depuis j'adore y venir.

Je sens ma gorge se serrer en constatant qu'il a élégamment esquivé ma question, mais décide de ne pas relever, inutile d'insister.

– Alors, tu viens te baigner ?

D'un geste, il me montre le bain bouillonnant à proximité. Du regard, je sonde le corbeau qui quitte sa branche en voletant jusqu'à un superbe étalon noir que je n'avais pas encore remarqué. Il m'a conduite où je devais être : maintenant, à moi de décider de la suite.

– Je ne suis pas vraiment habillée pour ça, je prétexte en passant la main sur mon jean et en pointant du doigt mes bottes.

Ce n'est pas exactement la tenue que je portais dans le rêve, espérons que ce soit un bon présage.

Dace hausse les épaules, engendrant un ruissellement de gouttelettes le long de son corps.

– Ce n'est quand même pas ça qui va t'arrêter ?

Je me mordille l'intérieur des joues, hésitante.

– Allez, viens. L'eau est super bonne, tente-t-il de m'amadouer d'un ton chaleureux. Promis, je regarde pas !

Il fait mine de se retourner et de mettre la main sur ses yeux, tandis que je reste plantée là, à peser le pour et le contre.

Dois-je obéir au corbeau et rejoindre Dace dans la source chaude, au risque que cela finisse aussi mal que dans le rêve ?

Ou vaut-il mieux que je les ignore l'un comme l'autre et que je m'en aille, même si je ne sais pas trop où aller ?

Paloma m'ayant toujours dit que le corbeau était plus avisé que moi, que même si ses conseils ne semblaient pas toujours logiques, je devais apprendre à me fier à lui, j'enlève finalement ma veste et mes chaussures, me dandine pour retirer mon jean, puis tire d'un coup sec sur mon débardeur pour bien le rabattre sur mes cuisses avant de rejoindre Dace dans l'eau. Ce n'est qu'en atteignant la rive opposée où il m'attend que je relâche mon souffle et me détends un peu, prenant place à côté de lui comme je le faisais dans le rêve.

Il ôte les mains de ses yeux, révélant une expression si douce et désarmante que je suis tentée de croire que ça ne peut mal finir. Mais comme je sais qu'il ne faut pas se fier aux apparences, je prends le temps d'attraper discrètement un gros caillou tranchant derrière moi, que je serre bien fort dans mon poing et cale sur mes genoux. Si son frère se pointe, il n'aura aucune chance. Je n'hésiterai pas à lui écrabouiller sa sale tête de démon au premier regard de travers.

– La première fois que ma mère m'a amené ici, elle a dit que le manque d'argent n'était pas une raison pour se priver de voyager dans des lieux enchantés.

Son regard s'égare dans un lointain passé.

– Mais on n'est pas venus souvent, elle préférait qu'on garde ça pour les grandes occasions. Elle craignait qu'à force je me lasse de cet endroit, même si à mon sens ça ne risque jamais d'arriver.

– Et maintenant, tu reviens souvent ? je demande, non sans remarquer l'instant précis où il se reconnecte au présent.

– Dès que je peux, répond-il d'une voix douce et mélancolique. Mais entre le boulot et le lycée, c'est difficile de trouver le temps.

– Mais aujourd'hui, tu l'as trouvé.

Je scrute les alentours, tout en tapotant le gros caillou sur mes genoux, rassurée par son poids et ses contours affûtés.

Dace s'adosse à la saillie rocheuse, étend ses bras de part et d'autre. Tandis que ses doigts tambourinent à seulement quelques centimètres de mes épaules, il ajoute :

– J'ai eu un besoin irrésistible de venir ici, alors j'ai écouté mon instinct, et maintenant je comprends pourquoi.

Il m'adresse un large sourire, si optimiste que je ne peux m'empêcher de sourire aussi. Mais en dépit de mon apparente décontraction, intérieurement mon cœur s'emballe, car je redoute que ce « besoin irrésistible » n'ait pas tant pour but qu'il tombe sur moi mais qu'il revive cet horrible rêve.

Il soutient mon regard un moment, puis inspire une grande bouffée d'air et disparait sous un nuage de bulles, avant de remonter quelques secondes plus tard à la surface, si luisant et séduisant que j'en ai le souffle coupé. Nous restons là sans rien dire, lui les yeux fermés, l'air détendu et rêveur, moi assise juste à côté, tendue et sur mes gardes, les doigts fermement agrippés à une pierre dont je compte bien me servir si son frère s'amène.

Le silence est rompu lorsqu'il ouvre subitement un œil.

– Et toi alors, comment es-tu arrivée jusqu'ici ?

Puis il ouvre l'autre et ajoute :

– Comment as-tu découvert l'existence de la Source enchantée ?

Je me pince les lèvres, ne sachant trop comment répondre.

– Tu es la première personne que je croise ici, dit-il.

L'air pensif, il m'interroge du regard.

– Tu veux dire que tu n'es jamais venu ici avec Cade ? je m'étonne spontanément. Tu ne lui as jamais parlé de cet endroit ?

Dace fronce les sourcils, son visage s'affaisse comme si ma question lui laissait un goût amer.

– Pourquoi je ferais ça ? On n'est pas très proches, pour le cas où tu ne l'aurais pas encore compris.

Je retourne la pierre dans mes mains, éludant sa question initiale en lui en posant une autre :

– Il est à toi, ce cheval ? je fais en désignant l'étalon noir qui broute à proximité.

Dace acquiesce.

– Et ce corbeau, c'est le tien ?

Je serre les lèvres. Je tente de me focaliser sur les bulles, la chaleur de l'eau, les lianes en fleur qui se déversent des arbres et s'éparpillent sur les rochers, mais en vain. Je suis trop à cran. Je m'attends à tout – un combat épique ou la honte de ma vie, les deux issues sont possibles.

– Si je comprends bien, tu n'as pas l'intention de me dire si ce corbeau est le tien, ni comment tu as découvert la Source enchantée ? reprend-il, la tête penchée pour m'observer avec attention, mais je détourne la tête.

Ses yeux sont un gouffre sans fond. Et malgré tout, je n'ai pas besoin de le regarder pour me sentir attirée irrésistiblement, sa seule présence suffit.

Il s'écarte de la saillie rocheuse et se redresse face à moi. Ses cheveux, brillants et lissés vers l'arrière, soulignent l'harmonie de ses beaux traits anguleux qui semblent sculptés par une main experte. Plus foncé que d'habitude, son regard bleu glacier pétille et révèle les reflets turquoise que l'on retrouve dans les bijoux de sa mère. Il me dit :

– Peu importe, je suis content que tu sois là. Dès l'instant où je t'ai vue dans la salle de cours, j'ai su que tu n'étais pas comme les autres filles de cette ville. J'ai compris tout de suite que tu étais différente.

– Comment peux-tu en être si sûr ? je rétorque d'une voix rauque et mal assurée, troublée de le sentir aussi proche et par sa façon de me tourner autour à seulement quelques centimètres.

Si j'en crois ma petite séance d'espionnage par l'intermédiaire du corbeau, quand je l'ai vu se servir de la télékinésie pour jeter les ordures dans la benne, je ne suis pas la seule à être différente, ici.

Il renverse la tête en arrière en riant, si beau que je donnerais n'importe quoi pour faire durer ce spectacle.

– Disons que c'est encore une question d'instinct ! répond-il en arrêtant son regard sur moi. Jusqu'ici, il ne m'a jamais induit en erreur.

– Et que te dit ton instinct, en ce moment même ? je chuchote, consciente que je ne peux plus me fier au mien.

Il me trouble tellement que je ne sais plus à quoi m'attendre ni comment réagir ; alors, à défaut, je serre de plus belle la pierre sur mes genoux et attend que son frère fasse son entrée.

Dace déglutit nerveusement. Il inspire comme s'il s'apprêtait à replonger la tête sous l'eau, mais au lieu de ça, il me réplique :

– Il me dit de t'embrasser.

Il se penche, une lueur de détermination dans le regard. Et lorsque ses mains se posent sur mes joues, que ses pouces me caressent la peau et que ses yeux plongent dans les miens avec ardeur, je comprends que la scène qui se joue en ce moment même est exactement celle du rêve.

Je serre la pierre en la ramenant tout contre moi, résolue à ne pas me défiler et à tirer ça au clair. Si le corbeau m'a conduite ici, c'est qu'il avait forcément une raison, et de toute évidence, le moment de vérité est arrivé.

Alors que Dace avance son visage et approche ses lèvres charnues des miennes, je ferme les yeux et le laisse m'embrasser, me répétant que c'est dans la logique des choses, puisque le rêve se déroulait ainsi. Son baiser est tendre, passionné, et éveille en moi une sensation familière, quoique beaucoup plus émouvante que dans mon souvenir.

– Daire... murmure-t-il, la voix voilée par l'émotion, tandis que ses mains se glissent sous mon débardeur et s'aventurent sur mon corps pour en explorer toutes les courbes.

Je suis si absorbée par ce baiser, grisée par cette intimité, que c'est à peine si je m'aperçois que je lâche la pierre au moment où nos doigts s'enlacent et qu'elle dégringole au fond de l'eau.

Je caresse son torse ferme, puis ancre les bras à son cou. Enroulant mes jambes autour de lui, je l'attire plus près, mourant d'envie d'aller plus loin, tandis qu'il glisse un doigt sous ma bretelle, qu'il l'abaisse sur mon épaule pour que sa bouche puisse se frayer un chemin dans mon cou, et son visage, s'enfouir dans ma poitrine... et c'est là que je percute : c'est comme ça que tout est arrivé.

C'est à cet instant précis que son jumeau maléfique va prendre sa place, et un horrible serpent, jaillir de sa bouche.

Et maintenant qu'il m'a fait lâcher la pierre, je n'ai plus aucun moyen de nous défendre.

Je m'écarte de façon si brusque et inattendue que la lanière de ma petite bourse se casse net et l'envoie voltiger dans l'eau.

Le regard incendiaire, je le fixe, muette de panique, mais avant même que je puisse réagir, il plonge pour la récupérer.

Je prends une grande inspiration et m'immerge à mon tour. Bataillant pour la retrouver, je l'aperçois juste en dessous de nous, posée sur un rocher, alors je pousse brutalement Dace pour essayer de m'en emparer la première, mais il est plus rapide, ses bras sont plus longs et il l'attrape bien avant que j'aie le temps de mettre la main dessus.

Je remonte à la surface, et quand je ressors la tête de l'eau, Dace est là, un sourire triomphant sur les lèvres, en train de renouer les deux bouts de la lanière. Les mises en garde de Paloma résonnent dans ma tête : ne jamais laisser quiconque s'approprier cette bourse, ou jeter ne serait-ce qu'un rapide coup d'œil à l'intérieur, sinon elle perdrait tout son pouvoir. Et bien qu'il n'ait rien fait de tout ça, je ne peux pas courir le risque que sa curiosité puisse avoir raison de lui.

– Rends-moi ça, je fais en la lui arrachant des mains pour la rattacher autour de mon cou, bien contre ma poitrine.

Il fronce le sourcil, perd le sourire et laisse retomber ses mains, impuissantes, sur ses genoux.

– Je n'aurais jamais regardé à l'intérieur, si c'est ça qui t'inquiète, se défend-il. Je t'assure, je suis pas idiot.

Serrant la petite bourse contre moi, je palpe son contenu pour m'assurer que le corbeau et la plume sont toujours là, et constate avec soulagement que c'est le cas. Une pensée me traverse tout à coup l'esprit, accentuant ce soulagement :

Le rêve ne se déroulait pas de cette manière.

Mais cette prise de conscience arrive trop tard, et l'instant d'après, Dace sort de l'eau en attrapant la serviette qu'il avait laissée pliée sur un rocher. Il se frictionne les cheveux, le corps, puis s'enveloppe dedans en disant :

– Écoute, je suis vraiment désolé. Je ne comptais pas la garder, et jamais il ne me serait venu à l'idée de regarder dedans. J'espère que tu ne vas pas fuir cet endroit à cause de moi. Tu es libre d'y venir aussi longtemps que tu le souhaites, et à tout moment. Si ça peut te rassurer, je ne viendrai plus.

Il tourne les talons et part vers son cheval. En voyant ça, je sors de l'eau en quatrième vitesse pour le rattraper, le souffle court, le débardeur collé au corps et me moulant d'une façon on ne peut plus gênante, alors que je m'arrête derrière lui :

– Alors, tu me confies la garde de la Source enchantée ?

Il se retourne, la mine confuse plus que préoccupée :

– Ou bien tu m'accordes juste un droit de visite ? Tu sais, genre un week-end sur deux ?

Trempée et dégoulinante, je reste plantée sous son nez avec un grand sourire plein d'espoir que, par bonheur, il ne tarde pas à me rendre. Son regard se promène sur moi, passionné et intense, si bien que je finis par ne plus savoir où me mettre. Puis, se souvenant de la serviette enroulée autour de ses épaules, il rougit, gêné, et me la tend.

On se dépêche de se rhabiller, mais comme mon débardeur est vraiment trop mouillé, je décide de l'enlever et de ne porter que ma veste en la boutonnant jusqu'en haut.

– Il faut que j'y aille, je dis en lançant au corbeau un regard lourd de sous-entendus, mais ce dernier reste cloué sur place, refusant de s'éloigner du cheval en dépit de mes coups d'œil insistants.

– Les animaux totems n'en font qu'à leur tête, commente Dace en nous observant tour à tour, le corbeau et moi.

En voyant mon air stupéfait, il ajoute :

– J'ai grandi dans la réserve, tu sais, et il se trouve que je descends d'une longue lignée de guérisseurs et de sorciers. À la longue, on finit par piger ce genre de choses. Le cheval m'accompagne depuis que je suis né, et m'a aidé à garder le cap dans les moments difficiles.

Je l'observe attentivement, sentant qu'il ne me dit pas tout.

– Hormis nos rares excursions ici, ma mère a fait tout son possible pour me protéger contre les aspects les plus occultes de l'existence, malgré la lignée d'Artisans de lumière de notre famille. Mais ça m'a toujours attiré. Je n'ai jamais été un gamin comme les autres. Je préférais passer du temps avec les anciens plutôt qu'avec les gosses de mon âge, et à cause de ça, les autres enfants m'évitaient et se moquaient de moi. Les tentatives de ma mère pour m'aider à m'intégrer nous ont valu des périodes difficiles. Mais lorsque je passais tout ce temps avec les anciens à écouter leurs récits et apprendre leur magie, j'étais vraiment heureux. Ce sont eux qui m'ont présenté ce cheval. Ils m'ont aussi convaincu que je possédais un don inné que je ne devais pas gâcher. Que j'en avais hérité et qu'il n'y avait aucune honte à l'entretenir. C'est une des raisons qui m'ont poussé à quitter la réserve. Je voulais avoir une chance de développer mes talents, sans avoir constamment ma mère sur le dos. Je sais que ça paraît dingue, mais cet univers regorge de possibilités inexploitées, d'un potentiel illimité. Si tu savais toutes les choses magiques que j'ai vues…

Il secoue la tête et reporte son attention sur moi.

– Et maintenant, tu vas me prendre pour un illuminé, soupire-t-il, le visage empourpré.

Son corps se raidit, prêt à encaisser un choc émotif que je n'ai aucune intention de lui infliger.

Je m'approche, pose doucement les mains sur son visage.

– Jamais dc la vic.

Ma bouche se pose sur la sienne en douceur, puis finit par s'en écarter lorsque le corbeau pousse un faible croassement pour me signaler qu'il est temps d'y aller.

– Tu sais monter à cheval ? me demande Dace en me prenant par la main pour me conduire vers son étalon.

– Chay m'en a offert un pour que je m'en occupe, mais je ne suis pas très douée pour l'instant, j'apprends encore. Cela dit, Kachina, la jument en question, est très patiente.

– On devrait faire une balade ensemble un jour, sourit-il avant d'amener le corbeau à se percher sur son doigt. D'ailleurs, si tu grimpais ?... Je crois qu'il y a un truc qu'il faut que tu voies.

Je regarde le corbeau et le vois sauter en hâte du doigt de Dace pour aller se poster un peu plus haut, sur l'encolure du cheval, puis m'inciter de ses petits yeux brillants à m'installer derrière lui. Nous rebroussons chemin à travers la forêt et la clairière, puis arrivons dans un coin très boisé, où le cheval s'immobilise près d'un épais massif d'arbustes.

– On y est, annonce Dace.

Il m'aide à descendre, prend ma main et me conduit dans une zone à l'abri des arbres, tapissée de buissons bas. Écartant les broussailles, il se tient derrière moi tandis que je me baisse pour mieux voir. Là, horrifiée, la gorge subitement nouée, je lâche la main de Dace aussi vite que je l'ai prise en découvrant un magnifique loup blanc aux yeux bleus, gisant à l'agonie.

QUARANTE-QUATRE

Je tombe à genoux et pose les mains sur sa tête, sans aucune hésitation ni peur. De ce que j'en ai vu, les animaux du Monde Souterrain n'ont rien à craindre de nous, autrement dit, ils sont inoffensifs. Sans compter que c'est le loup de Paloma, son esprit animal, j'en suis intimement persuadée, et il est bien trop mal en point pour constituer une menace.

– Qu'est-ce qui s'est passé ? je m'écrie.

L'expression de Dace passe de la confusion à la peine comme il présume à tort que je l'accuse de quelque chose.

– Je l'ai trouvé dans cet état, s'empresse-t-il d'expliquer. J'ai essayé de le guérir par tous les moyens, mais ça n'a servi à rien. Il est mourant, ce qui signifie que l'être humain auquel il est rattaché l'est aussi.

– T'en sais rien, de ça ! je rétorque d'un ton cinglant, complètement à cran.

Pour autant, c'est à peine s'il réagit.

Il s'approche et, d'un geste hésitant, pose la main sur mon épaule.

C'est étrange, c'est vrai, murmure-t-il d'un ton aussi triste que son regard. Les animaux totems ne sont pas censés mourir. Son état n'est pas normal. Pourtant, il est de toute évidence à l'agonie. Et si en effet il meurt, il est presque certain que l'humain auquel il est lié mourra aussi, auquel cas je redoute ce qu'il adviendra de l'âme de cette personne.

La gorge nouée, je me relève en regardant tout autour de nous.

– On ne peut pas le laisser ici. Si tu m'aidais à le porter, on pourrait…

Je me penche, avance délicatement les doigts sous ce pauvre loup qui est trop faible pour bouger, sans tenir compte des avertissements de Dace derrière mon dos :

– Daire, tu ne peux pas faire ça. Au final, il souffrira encore plus.

Je ronchonne, essayant tant bien que mal de hisser l'animal dans mes bras. Je m'efforce d'y aller en douceur, sans le brusquer, car je n'ai aucune envie de lui faire du mal ou d'aggraver son état. Mais en vain, il est bien plus lourd que je ne l'imaginais.

– Il faut le ramener à Enchantment, je décrète d'un ton affolé trahissant mon angoisse. Chay est véto, il saura le soigner. J'en suis sûre. Alors, s'il te plaît, aide-moi ou pousse-toi de là !

Dace hésite, tiraillé entre l'idée de faire ce qu'il croit être juste et celle de ne pas me contrarier davantage, puis glisse finalement les mains sous le loup jusqu'à ce qu'elles chevauchent les miennes. Il approche lentement le visage, son souffle réchauffant ma joue, et me lance tout bas :

– Daire, est-ce que tu sais à qui cet animal est lié ?

Paloma ayant toujours insisté sur l'importance de ne jamais révéler l'identité de son animal totem, je cherche le corbeau des yeux pour lui demander conseil. À ma surprise, je m'aperçois qu'il se tient en retrait aux côtés du cheval de Dace, de l'ours de Django, du jaguar de mon grand-père et d'un aigle aux yeux dorés qui me rappelle tellement la bague de Chay que je suppose qu'ils sont liés. En les voyant rassemblés de cette façon, j'ai les larmes qui me montent aux yeux.

On dirait que c'est la fin, un genre de commémoration… mais c'est impossible, pas tant que le loup est encore en vie.

– Tu les connais ? s'enquiert Dace en découvrant à son tour cette curieuse ménagerie.

L'ours et le jaguar poussent des grognements anxieux pendant que les autres font les cent pas.

– Oui, je dis en me retournant sans pour autant entrer dans les détails. Ils sont aussi attachés que moi à ce loup et à l'humain auquel il est lié.

Dace me contemple ; l'image de ma tristesse qui se reflète à l'infini dans ses yeux est insoutenable.

– Eh bien… cette personne a beaucoup de chance d'être aussi entourée, dit-il d'une voix pétrie de regret. Mais malgré tout, tu ne dois pas le déplacer.

Il regarde le loup, fronce les sourcils en voyant que ses yeux sont à présent fermés et sa tête, affaissée contre ma poitrine.

– Si tu essaies de le ramener, il mourra. Il ne survivra jamais à la traversée, il est beaucoup trop faible. Je suis désolé, Daire, mais crois-moi, si tu t'obstines, tu ne réussiras qu'à les mettre tous les deux encore plus en danger.

– Mais alors, qu'est-ce que je suis censée faire ? je réplique avec colère, bien que ce soit plus à cause de la situation que de lui.

– Accepte l'évolution naturelle des choses.

– Sûrement pas ! Il n'en est pas question. Et puis tu as été le premier à dire que c'était bizarre, que ça n'avait rien de naturel, justement !

Il pousse un soupir, plus de tristesse que de frustration.

– Daire, est-ce que ça concerne Paloma ? Elle a des ennuis, c'est ça ?

Sentant ma gorge se nouer de plus belle, j'enfouis la tête dans l'épaisse fourrure blanche du loup qui forme bientôt des petites touffes de poils collantes et humides sous mes larmes.

Prenant mon silence pour un oui, il dit :

– OK, alors voilà ce que tu vas faire : retourne à la réserve et demande à parler à Leftfoot, à qui tu expliqueras que tu as trouvé le loup de Paloma. Tu lui décris l'endroit, son état, et tu lui dis que je suis resté auprès de lui avec l'ours, le jaguar, l'aigle et le corbeau. Peut-être qu'il pourra nous aider. Mais c'est sans aucune garantie, Daire.

– D'où est-ce que tu connais Leftfoot ?

Je me demande ce qu'il sait d'autre de ce nouveau monde étrange, où j'apprends encore à m'orienter.

– C'est mon grand-oncle. Le frère de mon grand-père Jolon. Il est le seul en qui Chay aurait confiance pour s'occuper de Paloma, en dehors de ma mère. Mais Chepi n'officie plus en tant que guérisseuse. Plus depuis qu'elle est tombée enceinte de Cade et moi.

Je m'apprête à lui dire que d'après ce que j'ai vu tout à l'heure, Chepi a repris du service, tout au moins temporairement, mais il ne m'en laisse pas le temps.

– Paloma a toujours été très bonne envers ma famille. Elle a beaucoup épaulé ma mère. On va trouver une solution, d'accord ? Je te promets de faire tout mon possible pour t'aider.

J'ai la gorge trop nouée pour répondre, alors j'acquiesce d'un signe de tête. Je le laisse me hisser sur le cheval d'un geste ferme et assuré.

– Il existe un moyen plus rapide d'atteindre ta destination, mais il vaut mieux que tu quittes cet endroit de la même façon que tu y es entrée. Le cheval saura où t'emmener, ne t'en fais pas.

J'agrippe la crinière du cheval et lui lance un dernier regard.

– Daire…

Je refoule mes larmes d'un battement de cils et ravale la boule dans ma gorge, non sans voir dans son regard la gamme complète des sentiments qu'il se retient de me dire, alors qu'il en meurt d'envie.

– Bonne chance, se contente-t-il d'ajouter.

Puis il donne une grande tape sur la croupe du cheval, et je file comme le vent.

QUARANTE-CINQ

En arrivant à la réserve, je fais irruption dans la petite maison d'adobe et débite à Chay un flot de paroles tellement embrouillées qu'il est contraint de poser la main sur mon épaule et de me faire asseoir sur la chaise la plus proche, jusqu'à ce que je sois assez calmée pour reprendre depuis le début.

– J'ai trouvé le loup de Paloma, je répète en reprenant encore mon souffle sous ses yeux écarquillés. Il est dans un sale état, mais Dace veille sur lui avec d'autres animaux totems, dont ton aigle.

En entendant le nom de son fils, Chepi, qui se tient dans un coin, tourne la tête vers nous, croise mon regard et le soutient jusqu'à ce que Chay convoque Leftfoot dans la pièce et me demande de lui répéter ce que je viens de dire. Après lui avoir décrit du mieux possible l'endroit où se trouve le loup, Leftfoot part en laissant des consignes précises à son apprenti, à Chay et à Chepi, pour qu'ils s'occupent de Paloma, tandis que je constate, effondrée, par l'entrebâillement de la porte, que ma grand-mère semble encore plus diminuée que tout à l'heure. Même sous la lueur tamisée et vacillante des bougies disposées autour d'elle, elle paraît plus pâle, plus faible. Sa respiration superficielle, très lente, réduite à un horrible râle, remonte du fin fond de ses poumons.

Je me laisse tomber sur une chaise à son chevet, prends sa main dans la mienne. L'énorme boule dans ma gorge m'empêche de trouver les mots. Ma vue est si trouble et bouleversée que la pièce semble tourner autour de moi.

– Elle commençait à aller mieux. On était persuadés qu'elle avait passé le plus dur, et puis…

Chay me regarde, les yeux emplis de chagrin.

– J'ai bien peur qu'elle ne soit bientôt plus de ce monde.

Je secoue vigoureusement la tête, refusant de le croire.

– Non, non ! Je ne la laisserai pas mourir ! je crie en lui décochant un regard furieux. Elle n'a pas le droit… pas maintenant, alors que j'apprends tout juste à la connaître ! Leftfoot va remettre son loup sur pied et Paloma sera guérie, tu verras !

Il serre mon épaule, la voix attristée mais ferme :

– Je suis navré, Daire, mais compte tenu de l'état du loup que tu nous as décrit, je crains qu'il n'en ait plus pour longtemps.

Ses yeux qui se plantent dans les miens me révèlent l'ampleur de sa douleur comme le bienfondé de ses paroles, mais je ne peux pas m'y résoudre, jamais.

– Pourquoi est-ce qu'on ne peut pas la guérir ? Elle pourrait se soigner elle-même, non ? Il n'y a pas quelqu'un qui pourrait lui préparer une sorte de potion magique, ou quelque chose comme ça ?

Je parcours la pièce d'un œil accusateur envers tous ceux qui s'y trouvent. L'apprenti fait osciller un pendule qui tournoie violemment de haut en bas du corps de Paloma, s'arrêtant à chacun de ses chakras et se tournant de temps à autre, le front plissé, pour laisser échapper des petits crachotements bizarres. Même Chepi, qui est assise dans un coin, les yeux fermés, agite les mains devant elle en remuant les lèvres dans une communion silencieuse. Chacun d'entre eux pratique les mêmes gestes rituels que ceux que Paloma exerçait pour aider ses patients, alors pourquoi n'ont-ils aucun effet sur elle ?

– C'est une guérisseuse et une Chasseuse, je dis en me tournant vers Chay. Comment est-ce possible ? Comment a-t-elle pu seulement tomber malade ?

Il inspire à fond en hochant la tête pour m'inciter à me calmer et reprendre haleine. Une fois que mes énergies lui paraissent apaisées, il me répond :

– Durant toute leur vie, les guérisseurs s'emploient à rester en forme, bien ancrés dans la réalité et sereins. C'est en étant en bonne santé qu'ils peuvent exercer leurs dons. Mais une fois qu'ils tombent malades, ils sont contraints de demander de l'aide comme n'importe qui d'autre. Leftfoot va soigner le loup du mieux qu'il pourra, mais le sort de certaines choses ne nous appartient pas. La mort de Django, qui l'a obligée à entretenir ses pouvoirs bien plus longtemps que la normale, a eu un effet néfaste sur sa santé et elle le paie cher aujourd'hui. Elle a souffert d'une importante altération de son âme. Malheureusement, on ne peut plus rien faire, hormis l'aider à passer dans le monde suivant d'une façon aussi agréable et paisible que possible.

Je me retourne, la mine décomposée, abasourdie.

– En fin de compte, voilà à quoi se résume la maladie : une perte d'énergie et d'âme.

Une perte d'énergie.

Une perte d'âme.

Ces mots résonnent si fort dans mes oreilles qu'ils sont presque assourdissants, et des images de Richter morts dévorant des sphères blanches lumineuses enflamment mon esprit.

– Eh bien alors… débrouillez-vous pour récupérer son âme ! je bafouille, consciente que ça n'a aucun sens.

Est-ce que c'est seulement possible ?

– Il est trop tard pour une extraction d'âme, malheureusement.

À son regard, je comprends que Chay a déjà accepté cette fatalité à laquelle je reste pour ma part farouchement opposée.

– Son heure est venue. Elle présente tous les symptômes. Alors je t'en prie, fais-lui tes adieux pour qu'elle soit libre de s'en aller.

– Non, pas tout de suite. Pas question. Ce n'est pas un hasard, si elle est dans cet état : c'est à cause des Richter, et de Cade surtout.

Chay me dévisage en plissant les yeux, visiblement moins surpris de mon opinion à ce sujet que de me l'entendre dire à voix haute.

– Comment perd-on son âme ? je questionne, la mâchoire serrée en le regardant droit dans les yeux, car je dois absolument en savoir davantage si je veux avoir le moindre espoir de sauver *mi abuela*. Et quand on l'a perdue, comment est-ce qu'on la récupère ?

Chay tripote la bague à son doigt, les yeux dorés de l'aigle scintillant à mesure qu'il la fait tourner dans un sens puis dans l'autre.

– Une perte d'âme peut survenir de multiples façons. Certains cèdent leurs pouvoirs à des êtres malveillants en échange de la gloire, de la fortune ou même de l'amour. Parfois elle résulte d'un traumatisme – la mort d'un être cher, un incident violent – suite auquel l'individu se retrouve si dévasté qu'il perd la volonté de vivre, ce qui rend son âme vulnérable face à ces mêmes êtres malveillants qui ne demandent qu'à se l'approprier. Et dans d'autres cas…

Il me regarde, hésite à continuer, mais je l'encourage à le faire d'un signe de tête, car m'épargner la vérité ne rendrait pas la situation moins réelle.

– Dans d'autres cas, l'âme tout entière ou ne seraient-ce que des fragments sont carrément volés, bien souvent quand on est victime d'un sorcier très puissant et mal intentionné.

Et malheureusement, une fois qu'on est pris pour cible, il est quasi impossible de s'en sortir sans l'aide d'un Chasseur ou d'un Artisan de lumière, un chaman, tout aussi puissant.

– Mais je suis une Chasseuse ! Alors, par quoi je commence ? je fais d'un ton désespéré et le regard complètement éparpillé.

Mon état actuel est loin d'inspirer confiance, j'en ai conscience, du coup je peux difficilement en vouloir à Chay d'essayer de me décourager.

– Récupérer une âme est une cérémonie très dangereuse. Cela nécessite de se rendre à l'endroit où elle est retenue prisonnière, puis d'affronter l'être malveillant qui l'a dérobée, ce qui implique souvent des négociations très longues et extrêmement coûteuses. Seuls les chamans et les Chasseurs les plus talentueux en sont capables, ceux qui jouissent de nombreuses années d'expérience, ajoute-t-il en me regardant fixement. Tu n'es absolument pas prête. Je ne peux pas te laisser courir ce risque. Paloma serait totalement contre cette idée.

En entendant son prénom, ma grand-mère remue.

– Daire… chuchote-t-elle, amenant l'apprenti à s'écarter tandis qu'elle peine pour ouvrir les yeux. Ma petite *nieta*…

Elle s'efforce de fixer son regard. Le son de sa voix est si laborieux et forcé que j'en tremble.

– Ne te fais pas de souci pour moi. J'ai eu une belle vie. Occupe-toi plutôt d'eux. Tu dois à tout prix mettre le coyote hors d'état de nuire. Je ne t'ai pas tout appris, mais tu maîtrises l'essentiel. Maintenant, il faut que tu me laisses partir, *nieta*…

– Non, Paloma, je t'en prie, ne dis pas ça ! J'y arriverai jamais sans toi ! Je sais même pas par où commencer !

Ma voix se casse et mes yeux s'embuent de larmes, tandis que je contemple ma grand-mère qui se vide de ses dernières forces.

– Tu ne peux et ne *dois* pas me sauver, tu entends ? C'est aujourd'hui le grand jour, *nieta*. Dépêche-toi, je t'en prie, il n'y a pas de temps à perdre…

Ses yeux se referment, m'excluant déjà, alors je me retourne vers Chay.

– Quel jour on est ? je demande avec affolement en me demandant combien de temps j'ai bien pu rester dans le Monde Souterrain avec Dace.

– Le 2 novembre, *Dia de los Muertos*.

Il tente de m'agripper l'épaule d'un geste réconfortant, mais je suis hors d'atteinte, déjà partie à toutes jambes vers la porte.

Les moissons du mal

QUARANTE-SIX

Je saute sur Kachina et fonce au Terrier du Lapin. Les oreilles dressées, ma jument galope à toute vitesse sur le sentier, tandis que le vent soulève sa crinière et me fouette les joues.

J'ai beau ne pas savoir ce que je fais, ne pas être assez préparée et ne pas avoir le moindre plan en tête pour empêcher l'invasion des Richter, Paloma compte sur moi pour leur barrer la route, et je n'ai pas l'intention de la décevoir.

Elle a toujours dit que j'étais promise à un grand avenir, qu'un jour je surpasserais tous mes ancêtres. Eh bien, le moment est venu pour moi de faire mes preuves !

Je me penche pour enfouir mon visage dans l'encolure de Kachina, concentrée sur le martèlement rassurant de ses sabots qui frappent la terre et nous rapprochent à chaque foulée de notre destination. Soudain, le ciel se lézarde bruyamment au-dessus de nous et libère un coup de tonnerre si perçant que ses vibrations se font ressentir jusque dans le sol. Je me recroqueville et serre plus fort les rênes, pressée d'arriver avant que la pluie ne se mette à tomber, car je n'ai aucune envie de me retrouver piégée sous des trombes d'eau au beau milieu du Nouveau-Mexique.

Le tonnerre gronde encore, plus fracassant, en tout cas assez pour effrayer Kachina qui s'ébroue dans un hennissement de panique, alors que j'étreins plus fort ses flancs, me cramponnant pour ne pas tomber et la maintenir sur la voie. Je lui murmure à l'oreille de ne pas avoir peur, de tenir bon, que tout va bien se passer, quand un gigantesque éclair zèbre le ciel. Frappant violemment la terre, la foudre embrase une large bande de terrain à tout juste quelques mètres de ses sabots.

Le ciel s'assombrit et devient de plus en plus menaçant, des rafales d'un vent étonnamment chaud se mettent à souffler ; relevant la tête pour observer rapidement les environs, je découvre avec horreur un déluge de gros corbeaux noirs qui s'abat sur nous.

Ils dégringolent du ciel.

Il en tombe de partout.

Des sons aigus et perçants s'échappent de leurs becs, quelques secondes avant qu'ils ne se fracassent à terre. Ils sont si nombreux qu'on dirait une énorme giboulée de grêle noire vomie par le ciel.

Je rentre la tête, murmurant des mots rassurants à ma jument, mais en vain, elle est aussi effrayée que moi. Ses yeux exorbités partent dans tous les sens, elle s'ébroue, hennit, tangue furieusement pour essayer désespérément d'éviter ce déluge d'oiseaux.

Face à sa terreur et son affolement, je me mets à fredonner le chant de la montagne pour essayer de la calmer. Et comme je me souviens que chaque chant a son propre pouvoir, j'entonne ensuite celui du vent. Leurs refrains se mêlent jusqu'à ce que ma voix épuisée et enrouée m'oblige à m'arrêter quelque instant, avant de reprendre avec d'autant plus de fougue.

Les corbeaux ne cessent pas de tomber pour autant, mais ils ne s'abattent plus directement sur nous. La voie s'est dégagée et permet à Kachina de dévaler le reste du sentier sans encombre.

Le ciel s'éclaircit enfin à notre arrivée en ville. La tempête de corbeaux a pris fin, mais son souvenir reste tenace.

Comme une carte postale signée des Richter pour me faire savoir que le sablier s'est retourné.

Le temps me glisse entre les doigts comme du sable.

Quarante-sept

Je me laisse tomber à terre et donne une grande tape sur la croupe de Kachina pour lui dire d'aller se mettre à l'abri chez Paloma. Puis, devant le Terrier du Lapin, j'observe la scène de désordre organisé qui se joue à l'entrée, essayant de rassembler mes idées et d'élaborer un semblant de plan d'action.

Les videurs, dont le nombre a triplé, s'escriment à tamponner du coyote à l'encre rouge tous les clients mineurs ; pourtant, dès l'instant où je pénètre dans le club, je constate que c'est la mêlée générale, tout le monde boit et personne ne vérifie rien.

En parcourant la salle des yeux, je ne suis pas du tout surprise de voir que la majorité de la foule est déjà ivre. Inciter les gens à se soûler jusqu'à l'hébétude est un coup bien calculé par les Richter. Moins on a les idées claires, plus facilement la perception s'altère, ce qui leur donnera carte blanche pour agir à leur guise.

Un groupe joue sur scène une première partie tapageuse qui pousse les corps à s'entasser et se contorsionner sur la piste de danse, tous affublés de masques de têtes de mort aux peintures extravagantes, et d'une grande variété de costumes.

Le club est entièrement décoré tel que Paloma l'avait décrit : des colliers de perles multicolores et des effigies de crânes sont suspendus aux murs ; les tables croulent sous des montagnes de bougies, de fleurs de soucis, de plateaux de têtes de mort en sucre et de brioches faites maison en forme de tibias – ce qu'elle avait, me semble-t-il, appelé *pan de muerto*.

Mais j'ai beau le chercher partout, Cade est introuvable, et je commence à avoir sérieusement peur d'arriver trop tard, qu'il soit déjà au vortex, prêt à commencer les festivités sans moi.

– Regarde ce que je t'ai apporté !

Je me retourne, et Xotichl me fourre dans les mains un masque de tête de mort multicolore, décoré d'un grand sourire tout en dents et de pétales de soucis autour des orbites, sur fond couleur lavande : une réplique presque identique de celui qu'elle porte, sauf que le sien est peint sur du bleu.

– Je me suis dit que tu n'en aurais sûrement pas, et que ça t'aiderait à te fondre dans la masse, explique-t-elle. Mais malheureusement, c'est pas grâce à lui que tu échapperas à Lita et sa bande des Vipères. Sauf erreur de ma part...

Elle lève le menton, fronce le nez, puis se tourne vers moi en confirmant :

– T'es repérée. Elles se dirigent droit vers toi.

– J'en reviens pas que tu arrives à sentir ça ! je siffle, presque certaine qu'elle est en train de sourire, à en croire la façon dont son masque bouge.

– Je perçois sa présence, mais je suis incapable de te dire si elle porte encore son masque de tête de mort de Marilyn Monroe !

Lançant un coup d'œil à Lita, je lui confirme que c'est le cas, et que sa robe de mariée vulgaire, courte et décolletée, est d'au moins une taille trop petite.

– C'est sa façon à elle de rendre hommage à Marilyn et d'essayer d'entrer en communion avec son esprit, mais je n'arriverai jamais à dire si je trouve ça morbide, flippant, pathétique ou les trois à la fois.

Je regarde Lita venir vers nous. Son masque est surmonté d'une perruque blonde qui semble avoir passé beaucoup de temps sous le fer à friser.

– À mon avis, elle était sérieuse quand elle parlait de passer la soirée avec toi, commente Xotichl. Reste à savoir ce que toi, tu comptes faire…

– Je vais la prendre au sérieux, moi aussi, et passer un peu de temps avec elle, je réponds.

J'évite de préciser que j'ai plutôt tout intérêt à trouver Cade, sans avoir le loisir de m'étendre en bavardages futiles. Or s'il y a bien quelqu'un qui saura me dire où il est, c'est Lita. Elle ne le perd jamais très longtemps de vue.

Lita se plante devant nous, ses copines derrière son dos. Après m'avoir toutes les trois rapidement jaugée de la tête aux pieds, elles se creusent visiblement les méninges pour trouver un compliment à me faire, alors que je ne suis pas vraiment à mon avantage.

– Sympa, ton masque… et tes bottes, lance finalement Lita. C'est pas franchement un déguisement, mais ça le fait.

Au souvenir de la scène qu'ont inspirée mes bottes dans les toilettes, quand j'étais un humble cafard tapi dans un coin qui les écoutait à leur insu, je serais bien tentée d'éclater de rire, mais je m'abstiens et décide plutôt de la remercier.

– Je ne crois pas t'avoir présenté tout le monde, reprend Lita en jouant la carte de la parfaite hôtesse. Elle, c'est Jacy…

Elle me désigne la fille affublée d'un costume de lapin sexy et d'un masque de tête de mort aux lèvres rose vif, similaires à celles qu'elle arbore en temps normal.

– Et voici Crickett… ajoute-t-elle en désignant les plus belles mèches peroxydées de la bande ; celle dont le masque ressemble presque trait pour trait à celui de Jacy, si ce n'est que les lèvres sont plus rouges que roses, et qu'elle est déguisée en soubrette espiègle.

Puis elle se tourne vers Xotichl.

– Ils jouent quand, Épitaphe ? demande-t-elle, ce qui m'incite à croire qu'après tout elle est peut-être sincère.

– Ce sont les prochains sur scène, répond Xotichl.

La nouvelle suscite une telle excitation et tant de papotages entre Lita et compagnie qu'on croirait qu'elles viennent d'apprendre un scoop.

Mais même si j'opine et glousse quand je suis censée le faire, je ne suis pas vraiment là, pas très attentive. Je suis trop occupée à chercher Cade, et je sais qu'il va bientôt falloir que je m'éclipse et trouve le moyen de les semer, si je veux pouvoir partir à sa recherche.

– Tu cherches quelqu'un ? me lance subitement Lita, le regard brillant derrière son masque.

Je réponds d'un haussement d'épaules, mais à sa façon de pencher la tête et de croiser les bras sur sa robe de mariée, il est clair qu'elle n'est pas dupe une seconde.

– J'ai bien vu comme il te regarde, dit-elle d'un ton calme mais incontestablement accusateur.

Je déglutis nerveusement.

– Qui ça ? je fais, espérant qu'elle sera plus convaincue que moi par cette feinte.

– Oh, arrête, réplique-t-elle, moqueuse. Je suis peut-être pas une branchée de Hollywood comme toi, et j'ai beau venir d'un trou paumé minuscule, je suis pas idiote. Je sais quand une fille tourne autour de mon mec. Et je sais quand mon mec est intrigué par une fille.

Je la regarde sans ciller et comprends qu'elle a tellement réussi à s'en convaincre que je vais peut-être avoir du mal à la faire changer d'avis.

– Je comprends, tu sais. Je t'assure. Il est canon. C'est le mec le plus sexy du coin, de la planète, même. Il est même encore plus beau que Vane Wick, et n'essaie pas de me faire croire que tu ne t'en es pas aperçue. Mais il se trouve qu'il est déjà pris, tu vois. Et bien que je sois sincère au sujet de notre amitié, je te préviens tout de suite, Daire, si jamais tu t'approches de lui en dépit de ce que je viens de te dire, sache que ça finira très mal pour toi.

En imaginant Cade en train de grignoter des lambeaux de peau sanguinolents et visqueux, et de s'en pourlécher les doigts avec délectation, je ne peux m'empêcher d'avoir de la peine pour elle. En matière de sale type, Cade atteint des sommets. Mais je sais bien que si je le lui disais, elle n'en croirait pas un mot.

– C'est noté, je réponds plutôt.

Elle acquiesce d'un bref signe de tête dédaigneux, relevant son masque sur sa perruque pour que je comprenne bien à quel point elle est sérieuse.

– Je sais que tu n'as pas vraiment confiance en moi. Tu te méfies des raisons qui m'ont poussée à être devenue subitement sympa avec toi. Mais tu vois, ce n'est pas tous les jours qu'on a des nouveaux venus à Enchantment, et qui plus est à Milagro. Je connais la plupart des gens de cette ville depuis que je suis née, et c'est pour ça qu'à mon avis je ne suis pas très douée pour m'adapter aux changements.

Les coutures de sa robe se tendent comme elle hausse les épaules.

– Du coup, quand t'as débarqué avec tes super bottes et tes airs détachés, eh bien… j'ai eu le sentiment que tu étais le genre de fille qui pourrait facilement perturber l'équilibre de tout ce pour quoi je me suis battue, et je ne pouvais pas te laisser faire. Ensuite, quand j'ai vu la façon dont Cade et les autres garçons te mataient…

– Oui, quoi ? Qu'est-ce qui a changé ? Tu m'as vue en couverture d'un tabloïd et tu as décidé de m'accorder une chance ? je fais, sans comprendre où elle veut en venir, mais croisant les doigts pour qu'elle en ait bientôt fini.

Ce n'est pas tout ça, mais j'ai du pain sur la planche, moi.

– Exactement, acquiesce-t-elle. Mais pas pour la raison que tu crois. Je veux dire, même si la photo n'était pas très flatteuse, ça m'a fait prendre conscience à quel point mon univers était étriqué. Si étriqué que je perçois tout ce qui est nouveau comme une menace.

Elle secoue la tête.

– J'ai pas envie d'être comme ça. Je préférerais de loin qu'on essaie d'être amies.

– Moi aussi, je réponds.

Et au fond, c'est drôle, mais je le pense sincèrement. Je n'ai jamais pu être amie avec quelqu'un jusqu'ici, du moins pas plus de quelques mois. Mais aujourd'hui, entre Dace, Xotichl, Auden et peut-être Lita et sa bande, eh bien on peut dire que je bats des records ! Cela dit, je me doute que ça demandera de la tolérance, de la compréhension, et surtout, en ce qui concerne Lita, une bonne dose de patience. Mais si elle est prête à tenter l'expérience, je le suis aussi.

– OK, mais si on est amenées à devenir amies, alors il faut que tu me croies quand je te dis que Cade ne m'intéresse pas, je reprends.

Et je vais même un peu plus loin :

– En réalité, je peux pas l'encadrer.

Elle éclate de rire, ses boucles blondes en polyester sautillant sur ses épaules, présumant à tort que je blague, qu'il est impossible que je parle sérieusement.

– Mais tu avais raison sur un point, j'ajoute.

Elle arrête de rire.

– Je le cherche, c'est vrai. Mais pas pour le motif auquel tu penses.

Son visage s'assombrit et son ton devient méfiant.

– Ah oui ? Et on peut connaître cette raison ?

– C'est au sujet de son frère.

– Dace ? s'étonne-t-elle en écarquillant les yeux et en prononçant son nom si fort que Xotichl se retourne et que Crickett et Jacy me dévisagent.

Elle plaque une main sur sa bouche d'un air amusé.

– Je veux dire, c'est vrai qu'il est canon aussi… mais je l'ai toujours considéré comme une pâle copie de Cade. Une imitation loin de valoir l'original, tu vois ? Mais sérieusement… t'es sérieuse ?

Elle me fixe, attendant une chute comique qui ne viendra pas.

– OK, peu importe, poursuit-elle toujours incrédule. Je t'accorde le bénéfice du doute, pour cette fois. Cade est dans son bureau. Quant à son jumeau, il ne m'est jamais venu à l'idée de m'intéresser à sa vie.

Je tourne les talons en m'efforçant de ne pas m'énerver. Comme tout le monde dans cette ville – enfin, en dehors de Dace, Xotichl, Auden et quelques autres –, elle n'a que les Richter à la bouche.

– Une dernière chose, Daire… dit-elle en me retenant par le coude et me regardant droit dans les yeux. Si jamais tu me prends pour une imbécile, tu auras affaire à moi.

– J'en ai pas l'intention, je dis en me libérant de sa poigne. Je t'assure, tu n'as rien à craindre, crois-moi, j'ajoute d'une voix plus douce.

– Je ne crois personne.

Son regard se trouble jusqu'à devenir vide et absent, si bien que j'en viens à me demander si Cade ne l'aurait pas elle aussi amputée de quelque fragment d'âme.

Je me tourne vers Xotichl pour lui dire que je vais faire un tour, mais elle prend les devants :

– Je sais pas où tu vas, mais je viens avec toi. En revanche, grouille, car ta mère est là, je te signale, et quelque chose me dit que tu préférerais l'éviter.

Quarante-huit

J'emboîte le pas à Xotichl, dont la démarche a quelque chose d'étrange, voire de sinistre dans son costume de squelette phosphorescent. Et effectivement, au bout d'à peine deux secondes, j'aperçois Jennika à l'autre bout de la salle bondée. Comme elle est la seule à ne pas porter de masque et de déguisement, elle est facile à repérer.

– Ce club est l'unique attraction de la ville, commente Xotichl alors que nous nous réfugions dans un coin, pour faire une pause. Elle allait forcément se pointer à un moment ou à un autre.

Elle fait mine de humer l'air, puis plonge la main dans la poche avant de ma veste, pour en extirper le paquet de cigarettes que j'ai dérobé à Leftfoot en partant, et me l'agite sous le nez.

Je lui repique le paquet en lui disant que ce n'est pas du tout ce qu'elle croit, mais alors elle relève son masque en se le calant sur le haut du front et plante, si l'on peut dire, ses yeux bleu-gris dans les miens.

– Ah bon ! Alors, tu ne comptes pas les donner en offrandes aux démons qui gardent le vortex du Terrier du Lapin ?

Je la fixe bouche bée, totalement prise au dépourvu.

– Je lis les énergies, Daire. Je suis au courant pour le vortex, dit-elle en fronçant les sourcils. Je connais tous les vortex de cette ville. Et je sais aussi que des êtres hautement surnaturels rôdent dans cet endroit, et je ne parle pas seulement des Richter.

Elle me fait un grand sourire.

– Leurs pouvoirs n'ont pas d'emprise sur tout le monde, tu sais. Ils s'en prennent aux faibles, ce sont eux leurs victimes, ceux qui manquent de volonté, de personnalité, d'estime d'eux-mêmes. Mais ils n'ont jamais pu m'atteindre. Ils ont besoin de ta vue pour pouvoir altérer ta perception. Ils sont impuissants face à la vision aveugle. Et puis, tout le monde sait que les démons sont accros au tabac !

Je laisse échapper un long soupir, soulagée de partager le poids de cette vérité avec quelqu'un d'autre que Paloma ou Chay.

– J'ignorais que tu étais au courant…

– Je peux aussi localiser Cade, si tu me le demandes. Et le vortex. Il reste introuvable pour la plupart des gens. Et j'ai eu beau proposer plusieurs fois mon aide à Paloma, elle a toujours refusé.

Je m'apprête à l'informer de l'état de santé de Paloma, mais elle lève subitement la main, alertée par quelque chose qu'elle seule perçoit. Elle me tire par le bras.

– Viens par là, vite !

Elle court se réfugier à l'intérieur du bureau, et j'entre furtivement derrière elle. Toutes deux plaquées contre le mur, on retient notre souffle tandis que quelqu'un remonte le couloir.

Une fois certaine qu'on est seules, Xotichl tend le bras pour s'emparer de la batte de base-ball de Cade à côté d'elle et me la met dans les mains.

– Tu en auras peut-être besoin pour te défendre, au cas où les cigarettes ne suffiraient pas.

Je glisse ma main le long de la batte en la soupesant, puis on ressort du bureau et elle m'entraîne dans une enfilade de couloirs, à la recherche du vortex ou de Cade, selon qui se montrera en premier, pendant que je mémorise les mêmes repères que lors de mon précédent passage : le papier de chewing-gum, le morceau de peinture écaillée en forme de cœur, le pan de mur boursouflé, le mégot de cigarette. Je canalise mon attention sur les choses invisibles à première vue, dans l'espoir de les débusquer.

Mais contrairement à la dernière fois, l'atmosphère est imprégnée d'une étrange odeur chimique qui semble s'intensifier à mesure qu'on avance. Quelques instants plus tard, Xotichl s'immobilise en me faisant signe.

– On y est, chuchote-t-elle.

Fixant le mur face à nous, encore souple, malléable, je devine que quelqu'un l'a récemment traversé ; côté démons, personne à l'horizon, mais ça ne veut pas dire qu'ils n'attendent pas de l'autre côté.

– Tu sais que tu ne peux pas m'accompagner, je dis, prise de culpabilité de l'avoir laissée venir si loin et croisant les doigts pour qu'elle puisse repartir saine et sauve.

– Ne t'en fais pas pour moi, je suis plus coriace que j'en ai l'air. Je me charge de ta mère, toi, de Cade. Et, Daire… ajoute-t-elle les lèvres tremblantes : règle-lui son compte !

Batte en avant, je me rue sur le mur qui est déjà en train de se refermer, poussant si fort que j'ai l'impression de m'enfoncer dans un épais rempart de caramel gluant et visqueux qui fond tout autour de moi et finit par se distendre, pour me recracher brusquement de l'autre côté. Tête la première, je m'écrase violemment contre un des gigantesques démons qui gardent le vortex.

On se dévisage fixement, momentanément sonnés, puis il pousse un grognement si féroce que les autres, alertés, ne tardent pas à le rejoindre.

Je suis encerclée. Face à leurs grosses pattes aux griffes acérées qui essayent de me frapper de tous côtés, je dégaine le paquet pour le vider dans ma main, et balance les cigarettes derrière moi avant de déguerpir.

Profitant de ce qu'ils se ruent dessus, crachant et grondant avec férocité, je cours à toutes jambes vers le tunnel qui mène à la caverne. Le martèlement de mes bottes sur le métal résonne trop fort, alors je décide à contrecœur de les abandonner sur place pour continuer sur la pointe des pieds. Je retiens ma respiration pour ne pas faire de bruit, et ce n'est qu'en arrivant au bout du tunnel sans m'être fait repérer que je m'autorise un petit soupir de soulagement, avant de pénétrer, ni vu ni connu, dans la caverne éclairée de torches flamboyantes. Les langues frénétiques des flammes crépitent et irradient, illuminant les guirlandes de soucis et de perles suspendues le long des parois ainsi que les masques macabres et bariolés de squelettes calés entre les meubles, décor typique du jour des Morts, bien qu'ici l'effet soit particulièrement inquiétant.

Cette odeur chimique entêtante s'intensifie à mesure que j'avance, à tel point que je finis par me boucher le nez d'une main, tout en tenant fermement la batte de l'autre.

Et c'est là que je le vois.

Lui et les autres.

Portant tous le même masque de tête de mort noir et blanc aux lèvres rouges ruisselantes, ils attendent que la fête commence.

Le coyote est le premier à me repérer. Baissant vivement la tête, il proteste d'un grognement sourd. Cade se tient devant un autel tendu d'une nappe blanche empesée recouverte de tout un tas d'objets : des bougies allumées, des fleurs de soucis décapitées, une assiette de têtes de mort en sucre richement décorées, une carafe en cristal pleine de vin rouge qui pourrait tout aussi bien être du sang, et enfin une centaine de photos en noir et blanc de visages souriants, quoique sans expression, éparpillées un peu partout. Dos à moi, il tient dans ses bras un coffret métallique contenant une sphère rutilante qui baigne la pièce d'un spectre de lumière vive.

– Te voilà enfin, se réjouit-il sans se donner la peine de se retourner.

Il prend le temps de faire taire le coyote, avant d'ajouter :

– Et pile à l'heure, en plus ! Je savais que tu trouverais mon plan formidable. Et aujourd'hui, grâce à lui, il nous appartient de partager la victoire.

Encouragé par les horribles borborygmes de ses ancêtres ressuscités, Cade se retourne finalement, les yeux rouges et luisants derrière son masque monstrueux, qui ressemble beaucoup au démon du rêve.

– Tu sens ça ? lance-t-il, la tête en arrière, en faisant mine d'inspirer profondément. C'est le doux parfum de l'insecticide. Apparemment, un cafard a réussi à s'introduire en douce, l'autre jour.

Son regard s'arrête sur moi d'un air amusé.

– Ce n'était pas toi, par hasard ?

Je ne réponds pas. Ne cille même pas. Je me contente de serrer plus fort la batte en la maintenant derrière ma jambe, hors de sa vue. Je suis fermement décidée, pour le moins, à donner le change, même si en mon for intérieur je tremble de tout mon corps.

– Tu n'imagines pas comme je suis heureux que tu sois venue, et que tu aies décidé de te joindre à moi dans un moment si décisif.

Il étreint le coffret.

– Dès qu'on en aura fini, on ira voir mon père – mais ne sois pas surprise si Leandro ne t'accepte pas d'entrée de jeu. Il se peut même qu'il essaie de te tuer, mais je serai à ton côté et ne le laisserai pas faire. Et puis, une fois qu'on aura pu tout lui expliquer, qu'il comprendra de lui-même tout l'intérêt de notre alliance, je suis persuadé qu'il admettra l'ingéniosité de mon plan.

Son brusque haussement d'épaules fait dangereusement osciller la sphère près du bord du coffret, et j'ai toutes les peines du monde à ne pas me ruer sur lui pour la lui arracher des mains.

– C'est l'issue parfaite d'une querelle primitive et absurde, et le début d'une formidable coopération ! Leandro s'est trompé sur toute la ligne, vois-tu. Non seulement il a commis l'erreur d'engendrer accidentellement mon aberration de frère, mais en plus il n'a pas compris que si nous étions incapables de pénétrer le Monde Souterrain depuis si longtemps, c'était parce que nos âmes sont devenues trop noires pour y être admises. Et la mienne, comme tu le sais sûrement, est la plus noire d'entre toutes.

Ses yeux brillent de fierté.

– Mais, remarque, c'est sa noirceur même qui m'a conduit à cette solution : eux.

D'un signe de tête, il désigne l'assemblée de zombies qui trépigne d'excitation en jappant comme des charognards à la vue du repas qui les attend.

– Silence ! vocifère Cade, agacé par leur enthousiasme. Vous ne voyez pas que je parle ? Bouclez-la !

Il se retourne vers moi.

– Bien, où en étions-nous ?

– Ton âme noire et ravagée.

Je tape doucement la batte contre mon mollet, prête à la dégainer si ça commence à chauffer.

Il acquiesce.

– Ce que Leandro ignore totalement, c'est que l'an dernier, durant le *Día de los Muertos*, je les ai tous ressuscités. Et pas seulement leurs âmes. En fait, je leur ai littéralement redonné vie. Tous ces Richter sont des ressuscités ! J'ai commencé par les nourrir de fragments d'âmes animales.

Crois-moi, ce ne sont pas les animaux domestiques sans intérêt qui manquent dans cette ville.

Il souffle d'un air exaspéré, comme si c'était un vrai fléau.

– Ensuite, en cours d'année, je suis passé aux âmes humaines. Parfois, je leur donnais des âmes entières, parfois juste des petits bouts. C'est fou comme c'est facile de s'en procurer ! Certaines personnes n'ont aucune considération pour leur propre existence, et la cèdent sans discuter. Mais il faut dire que la plupart ignorent qu'ils se sont fait dépouiller, et même quand ils ont des soupçons, généralement ils se persuadent vite que c'était un simple cauchemar.

Son regard braqué sur moi me pousse à me demander s'il fait allusion à mon propre rêve devenu cauchemar.

– Enfin bref, pour information, j'ai tout appris seul. Leandro refusait de m'enseigner l'art subtil de la soustraction d'âmes, sous prétexte que je n'étais pas prêt, mais il faut croire qu'il avait tort !

Il s'interrompt, l'air d'attendre des éloges de ma part, mais voyant que je n'en fais rien, il poursuit :

– Voyons, n'aie pas l'air si désolée. Aucune de ces personnes n'utilisait son âme à des fins véritablement louables, je t'assure ! Notre cause a bien plus d'importance. Et maintenant que tu fais partie de l'équipe, dans très peu de temps nous régnerons sur le Monde Intermédiaire, le Monde Souterrain, et en fin de compte sur le Monde Supérieur aussi. Alors, mon père sera vraiment fier de moi.

La lueur qui enflamme son regard à cette perspective me prouve une fois de plus qu'il est un psychopathe.

– Ôte ton masque et joins-toi à moi, ordonne-t-il. L'heure a sonné.

Je ne bronche pas. Il n'a aucun ordre à me donner.

– Enlève-moi ce masque ridicule, et pose cette batte que tu crois cacher. On forme une équipe, dorénavant. On doit apprendre à se faire confiance, si on veut travailler ensemble, non ?

Je resserre ma prise et me prépare à tout, surtout au pire.

– Très bien. Comme tu voudras, concède-t-il avant d'indiquer le coffret métallique d'un signe de tête. As-tu jamais rien vu d'aussi beau ?

Je contemple la sphère qui illumine la pièce d'un kaléidoscope de couleurs, comme un magnifique prisme réfractant la lumière.

– Est-ce que tu perçois l'étendue des pouvoirs qu'elle recèle ? s'extasie-t-il, les yeux miroitants comme s'il était hypnotisé par la vue et l'idée même de cette sphère. As-tu remarqué qu'elle brille plus que toutes les autres âmes que tu as vues la dernière fois que tu étais ici ?

Mes doigts se mettent à me picoter, mon corps se remplit d'effroi.

– Et sais-tu pourquoi ? raille-t-il pour me forcer à le dire.

Mais je ne répondrai pas.

Je ne peux pas.

C'est au-dessus de mes forces.

– Allons, Daire, tu es une fille intelligente, réfléchis ! Qui, parmi tes proches, aurait une âme susceptible de briller plus que celle de n'importe qui d'autre ? Qui pourrait déborder de tant de pouvoir, de bonté, de pureté et de lumière pour que son âme rayonne à ce point ?

Je m'avance vers lui, les doigts et la batte tremblants.

– J'ai bien peur que ta chère Paloma tire bientôt sa révérence. La mort de Django lui a coûté cher, et le temps que tu arrives, il était déjà trop tard. Tout au long de l'année, je lui ai rogné l'âme morceau par morceau, et à présent je la possède dans sa totalité. Mais bon, je ne t'apprends rien, n'est-ce pas ? Tu l'as vue dépérir depuis le jour de ton arrivée. Il est trop tard pour la sauver, alors autant faire ton deuil et saisir l'occasion pour rallier mon camp. Car sinon,

Daire, si tu choisis de te battre contre moi, sois sûre que je serai contraint de te voler ton âme aussi.

Il plonge les doigts dans le coffret, puis se tourne vers sa famille de morts-vivants en leur présentant l'âme vive et lumineuse de Paloma, d'une main tendue devant lui. À sa vue, tous se ruent brusquement en montrant les crocs, affamés, incapables de maîtriser leur faim ni de se maîtriser eux-mêmes. Salivant littéralement devant la sphère, ils sont au comble de l'excitation, quand Cade jette un coup d'œil derrière lui pour s'assurer que je ne rate rien du spectacle.

Pieds écartés, j'empoigne fermement la batte. Je n'ai qu'une seconde pour réagir. Une seconde pour l'arrêter. Je le sais.

Il n'y aura pas de deuxième chance.

– Il est encore temps de me rejoindre, me nargue-t-il, des étincelles fusant de ses orbites entourés de pétales de soucis jaune vif.

Alors, je fonce en brandissant la batte comme une furie, transportée par les paroles de Paloma qui hantent mon esprit :

Ne te fais pas de souci pour moi. Occupe-toi plutôt d'eux. Tu dois à tout prix mettre le coyote hors d'état de nuire. Je ne t'ai pas tout appris, mais tu maîtrises l'essentiel. Maintenant il faut que tu me laisses partir, nieta. *Tu ne peux et ne* dois *pas me sauver, tu entends ?*

Elle veut que je détruise la sphère. Son âme.

Elle savait qu'on en arriverait là, et veut que je fasse tout ce qui est en mon pouvoir pour stopper Cade. Elle est prête à sacrifier sa propre éternité pour éviter à l'humanité la vision d'horreur des Richter envahissant une nouvelle fois le Monde Souterrain.

Je *dois* le faire.

C'est le rôle d'un Chasseur.

Le regard embrasé, les canines luisantes, Cade sourit à mon assaut, alors que j'inspire un bon coup et frappe de toutes mes forces. Sans perdre un instant la sphère des yeux, je rabats la batte aussi fort que possible, en suppliant Paloma de me pardonner – nos adieux auraient été tellement plus simples si je ne m'étais pas attachée !

Elle s'écrase violemment, projetant des éclats de verre qui s'éparpillent partout dans la pièce, et rebondit sur l'autel en envoyant la table, les bougies, les bonbons, les photos et la carafe contenant l'étrange substance rouge se fracasser par terre. À bout de souffle et horrifiée, je fixe Cade, consciente autant que lui que je n'ai pas pu m'y résoudre.

Alors, le regard braqué sur moi, il jette la sphère scintillante – l'âme de ma grand-mère – en pâture à la foule de macchabées, puis rugit de triomphe lorsque le plus imposant du groupe l'attrape au vol et la gobe tout entière.

QUARANTE-NEUF

Le sourire victorieux, Cade exulte, pensant à tort que j'ai craqué et décidé de me rallier à lui.

L'instant se prolonge, s'intensifie jusqu'à ce que je tombe le masque, baisse les yeux et voie le tapis embrasé à mes pieds. Les photos d'anonymes par terre commencent à roussir et se racornir sur les coins, et subitement je reconnais un premier visage, puis un autre, et comprends que ces photos ne sont pas du tout ce que je croyais.

Elles ne représentent pas des ancêtres de la famille Richter, non, mais ceux dont l'âme a été volée pour nourrir le terrible dessein de Cade.

Il s'avance en me tendant la main, tandis que des flammes rutilantes lèchent ses chaussures et virevoltent le long de ses jambes. Prenant brutalement conscience de l'erreur dramatique que je viens de commettre, je fonce vers l'armée de revenants et me lance aux trousses du monstre qui a englouti l'âme de ma grand-mère. Il se transforme à vue d'œil, progressivement encerclé d'un extraordinaire halo de lumière, et bien que j'ignore s'il est encore temps de la sauver, je sais que je dois coûte que coûte les empêcher d'envahir le Monde Souterrain, sinon le monde entier en pâtira.

Mes jambes filent et me portent à toute vitesse, comme jamais je ne l'aurais cru possible, ma course folle éperonnée par les rires obsédants de Cade dans mon sillage, l'horrible coyote qui essaie de me mordre sur mes talons.

Je traverse à toutes jambes une enfilade de pièces, le cœur battant à tout rompre, les poumons au bord de l'implosion. Seule une volée de marches me sépare encore d'eux, mais c'est alors que le groupe fonce dans le mur donnant sur la plaine désertique, et au même instant, le coyote bondit et plante ses crocs dans mon jean.

Je fais volte-face en fixant ses yeux rouges luisants, et lui assène un violent coup de pied dans le museau avant qu'il n'ait le temps de s'acharner. Le coup l'assomme momentanément, assez pour me permettre de faire un plongeon à travers le mur avant qu'il se referme d'un coup.

Du sable.

J'avais oublié tout ce sable.

Il serpente à perte de vue. Le fait qu'il soit bien tassé facilite ma course. Mais tous ces macchabées qui me précèdent le font jaillir vers moi.

Les yeux plissés face aux rafales, je continue d'avancer péniblement, essayant de ne pas perdre de vue le géant, quand soudain je les vois se ruer au sommet d'une colline, puis se volatiliser d'un coup, si vite que mon cœur fait un bond fracassant, convaincue que je suis de les avoir perdus pour de bon. Mais tout à coup, je tombe à pic aussi, aspirée par un cratère qui m'engloutit à toute vitesse dans les entrailles de la Terre.

Le Monde Souterrain.

Telle est ma destination. Et celle qu'ils visent, eux aussi. Résolus à provoquer des ravages indescriptibles, galvanisés par l'énergie de l'âme de ma grand-mère.

Ils ont trop d'avance, jamais je ne pourrai les rattraper ou stopper leur invasion.

Tout ce que je peux faire, c'est de suivre le mouvement, continuer de dégringoler, le corps balloté dans tous les sens, entraîné si loin qu'au bout du compte je n'y vois plus rien. J'ai beau plisser les yeux et serrer mes lèvres de toutes mes forces, je continue d'être submergée de volées de sable. Il me coule dans les oreilles, s'incruste dans ma bouche et se répand sur mes dents.

C'est atroce.

Insupportable.

Je n'arrive plus à respirer, je n'y survivrai pas.

Les entendre s'agiter violemment devant moi est la seule chose qui m'aide à tenir le coup, qui me rappelle à mon objectif et me donne la force de ne pas renoncer.

Le bruit de leurs glapissements et de leurs hurlements, à la fois si près et pourtant si loin, est assourdissant. Mais d'un seul coup, la chute prend fin. Éjectée hors du sable, j'atterris violemment sur le sol, encerclée par une armée de Richter morts massés autour de moi.

Je cligne des yeux. Je crache. Me relève d'un bond et me rue sur le géant, bien décidée à l'attraper, ou au moins à l'empêcher d'aller plus loin. Mais l'âme de Paloma a décuplé ses forces, et il se déplace à une vitesse folle.

Le groupe me tourne autour et se disperse en zigzaguant autour de lui, pour essayer de me semer. Et alors que je commence tout juste à gagner du terrain, ils se séparent en plusieurs groupes et partent dans toutes les directions. Je suis donc obligée de laisser filer le plus grand nombre pour atteindre ma cible principale.

J'essaie de ne pas penser à tous ces Richter à présent en liberté dans le Monde Souterrain.

Ni au fait que j'ai déçu Paloma, failli à mon devoir de Chasseuse à tous points de vue.

Je n'ai qu'une obsession, ne pas perdre de vue le monstre et le pourchasser sans relâche, alors qu'il se dirige vers un épais bosquet, faisant fuir tous les esprits animaux sur son passage. Ils sont tellement peu habitués aux moindres perturbations, et encore moins à l'invasion du mal, que faute de comprendre ce qui se passe, ils courent se cacher pendant que le géant continue de s'enfoncer dans les broussailles, à une telle vitesse que je finis par me dire qu'il me faut du renfort. Soit je prends sérieusement les choses en main et trouve un moyen de freiner sa course, soit c'est l'échec assuré dans très peu de temps.

Alors, j'en appelle aux éléments.

À mon corbeau.

Et à mes ancêtres aussi.

Si Paloma dit vrai, s'ils sont réellement omniprésents et partie intégrante de tout, alors ils sauront me trouver, même ici.

Le vent est le premier à se manifester, tourbillonnant en rafales et soulevant de gros nuages de sable qui réduisent totalement la visibilité. Et lorsque le sol se met à trembler et fait perdre l'équilibre au monstre, je trouve la force de le projeter à terre en me jetant violemment sur son dos, les jambes serrées en étau de part et d'autre de son corps, je lui fais mordre la poussière.

Mais après avoir poussé un cri de victoire en l'enserrant rageusement sous moi, je prends subitement conscience d'une chose qui coupe court à ma liesse : et maintenant, que faire ?

Cinquante

Il se débat comme un beau diable pour s'échapper, mais j'use de toute ma force pour me cramponner à son dos et resserrer ma prise. Empoignant d'une main une touffe grasse de ses cheveux noirs, je lui tire la tête en arrière d'un coup sec et plonge l'autre main au fond de sa bouche. J'ignore si c'est la bonne méthode, mais n'importe comment, il va bien falloir que je fasse ressortir cette sphère.

Maintenant que j'ai retrouvé son âme, il est temps que je la reprenne de force à ce monstre, pour pouvoir la rendre à Paloma. Sauf que je ne sais pas du tout comment m'y prendre.

Alors, je crie.

– Rends-moi ça !

J'appuie sur sa langue, enfonçant carrément mes doigts au fond de sa gorge, quand d'un coup il me mord si fort que ses crocs manquent de me transpercer.

Je libère ma main d'un coup sec et pousse un cri de douleur et de colère, rempoignant sa touffe de cheveux et lui écrasant la gueule contre le sol, si violemment que son masque se casse et entaille sa chair par endroits. Je répète le geste tant de fois que je finis par en perdre le fil.

Ce n'est qu'en entendant une voix derrière mon dos que je m'arrête.

– Je reconnais que c'est tentant, mais il faut vraiment qu'on le maintienne en vie, tu sais.

Dace !

Il s'agenouille à côté de moi.

– J'ai entendu ton appel, explique-t-il en lisant la stupeur dans mes yeux. Mon cheval m'a emmené ici aussi vite qu'il a pu, derrière ton corbeau, qui nous a montré le chemin.

Il a entendu mon appel ?

Tout comme le vent, la Terre et mon animal totem ?

Mon rêve avait peut-être bel et bien une autre signification que celle que je lui donnais, une raison de nous réunir avant même qu'on se soit rencontrés ?

D'une certaine manière, on est peut-être réellement liés ?

Je jette un coup d'œil à sa gauche et vois mon corbeau haut perché dans un arbre, tandis que son cheval se tient non loin à l'écart. Les deux nous observent d'un œil protecteur, sans quitter des yeux le Richter mort-vivant, ni trop savoir quel sort lui réserver.

– C'est ce monstre qui a pris l'âme de Paloma ?

La gorge serrée, j'acquiesce d'un signe de tête. Je ne me sens pas trop de lui avouer que c'est son frère qui l'a volée pour la servir au monstre en question, qui l'a simplement dévorée.

Il se tourne. Cherche une solution du regard. Fixant une liane qui pendille d'un arbre à proximité, il ralentit sa respiration, plisse les paupières ; l'instant d'après la liane se retrouve comme par magie dans sa main, et il s'en sert pour ligoter le monstre.

Puis il me regarde, et sans même que j'aie le temps d'évoquer le sujet, il me dit :

– L'état du loup est stable pour l'instant.

Les sourcils arqués, d'un air inquiet, il ajoute :

– Mais le temps presse quand même.

– Qu'est-ce qu'on fait ? je dis en desserrant ma poigne sur le monstre, maintenant que Dace l'a neutralisé.

– J'en sais rien, admet-il. L'extraction d'âme requiert des années d'entraînement. Tout ce que je sais, c'est qu'il ne suffit pas d'essayer de l'attraper, il faut savoir la manipuler. Au moindre faux mouvement, on peut la perdre pour de bon. Quand j'étais petit, les anciens parlaient souvent d'une…

Il s'interrompt, cherchant le mot exact.

– … d'une hôtesse spéciale du Monde Souterrain, vers laquelle il leur arrivait de se tourner quand ils avaient besoin d'aide. Elle a la réputation d'être assez dangereuse, et dans le cas qui nous occupe, n'a aucune raison de coopérer. Mais si le troc est honnête, elle l'envisagera peut-être…

Sa voix s'estompe, car il ne veut pas en dire plus, de peur d'être allé trop loin.

– Est-ce que tu sais où la trouver ? je demande, déjà résolue à parler à cette hôtesse.

Il secoue la tête.

– Je sais simplement qu'elle réside au niveau le plus profond. Nos totems ne voudront peut-être pas être du voyage, mais ils peuvent probablement nous mettre sur la voie.

Je me relève rapidement, me tourne vers le corbeau et le cheval de Dace :

– Montrez-nous le chemin !

On se met à remonter un ruisseau peu profond ; le corbeau et le cheval ouvrent la marche, tandis que Dace et moi traînons le monstre derrière nous. Arrivés à la jonction de l'eau et du sable, les deux animaux s'arrêtent, refusant d'aller plus loin, alors nous poursuivons péniblement la route tous les trois.

Mon jean est trempé, les coutures, déchirées par les caillasses ; et quand Dace baisse les yeux et me demande où sont passées mes bottes, je me contente de hausser les épaules et continue d'avancer en resserrant ma poigne sur le monstre. On a parcouru un bon bout de chemin, quand soudain le ruisseau s'enfonce, et le courant se forme si vite qu'il nous emporte et nous livre à une succession de chutes qui nous projettent violemment vers le fond, toujours plus loin, vers le centre de la Terre. Je repense alors à ce que Paloma avait dit au sujet du Monde Souterrain, qu'il était constitué de plusieurs dimensions, et je devine au fur et à mesure de notre descente que nous sommes en train de les traverser les unes après les autres pour nous rapprocher petit à petit du niveau le plus profond.

Le torrent gagne en intensité, et devient si impétueux que le monstre nous échappe des mains, se libère de ses entraves et part devant nous, balloté par le courant. Quelques mètres plus bas, les chutes débouchent sur une rivière au courant moins violent, qui nous rejette finalement sur un étroit lit de pierres anguleuses, où Dace et moi nous relevons sans tarder pour courir à sa poursuite.

Dace se précipite, prend de la vitesse, mais rate sa cible à un cheveu près, quand une silhouette surgit devant lui et le stoppe en plein élan, rattrapant le monstre d'une main et lâchant d'une voix tonitruante :

– Je prends le relais.

Haletants et trempés, nous nous figeons sur place, face à une femme sublime, aux yeux noirs comme de l'onyx, à la bouche ample et charnue, avec de longs cheveux ondulés et ambrés aussi scintillants que les couchers de soleil ardents du Nouveau-Mexique. Sa peau est si pâle et diaphane que son teint paraît surnaturel.

– Celui-ci est à moi. Ils sont *tous* à moi ! décrète-t-elle.

D'un geste large du bras, elle nous laisse admirer le spectacle qui nous avait échappé jusque-là : un essaim de Richter pendus par les pieds, qui se balancent aux branches d'un bosquet d'arbres hauts. Leurs affreux masques de têtes de mort noir et blanc semblent tourner en dérision la situation fâcheuse dans laquelle ils se trouvent.

– Et vous aussi, vous êtes à moi, désormais, ajoute-t-elle en nous scrutant tour à tour.

J'avise sa jupe noire ample et vaporeuse, ses longues bottes noires à lacets, le corset en peau de serpent qui lui moule le buste, puis jette un coup d'œil au décor qui nous entoure. Là, je saisis subitement un autre détail qui m'avait d'abord échappé.

Contrairement à ce que j'avais cru, ce n'était pas sur un lit de caillasses que le ruisseau débouchait. Mais sur un amas d'ossements.

Il y a des os absolument partout. On en est cernés.

Il y a même une maison bâtie en os, un grand palais biscornu d'un blanc défraîchi, composé de rotules et de jointures aux angles, et de frises de canines décoratives autour des fenêtres et des portes. La clôture qui l'entoure est elle aussi constituée d'os, principalement des fémurs et des colonnes vertébrales, ainsi que quelques rares articulations de coudes ici et là.

Ensuite, je me rends compte que ce que j'avais d'abord pris pour des arbres n'en sont pas du tout, du moins pas des arbres vivants. Ils ne produisent plus de feuilles, ne fournissent plus ni oxygène ni ombre. Ils sont morts depuis longtemps, seules demeurent leurs carcasses desséchées et racornies.

La femme écarte grands ses bras. Elle lève les yeux au ciel qui, à ce geste, s'assombrit et se couvre d'une fascinante voûte noire velouteuse. Tandis que son visage prend l'apparence d'une tête de mort, que sa jupe se désagrège sous les langues d'un tourbillon de serpents entortillés autour de ses jambes, ses yeux disparaissent au fond de deux orbites creuses terrifiantes qui se braquent sur moi. Sa mâchoire s'ouvre grande pour éructer un craquement épouvantable semblable au raclement de deux os, et elle renverse la tête en arrière pour engloutir une longue traînée d'étoiles qui s'acheminent dans sa bouche.

Ce spectacle ne laisse maintenant plus aucun doute dans mon esprit : Dace nous a conduits droit chez la Gardienne des ossuaires.

Cinquante et un

– Celui-là, vous ne pouvez pas l'avoir ! je lance, l'œil mauvais, tandis que Dace me prend discrètement la main.

D'une petite pression des doigts, il me prévient que ce n'est pas la meilleure façon de s'y prendre avec elle, mais ça ne m'arrête pas pour autant.

– Vous pouvez garder tous les autres. Faites-en ce que vous voulez, je m'en fiche. Mais celui-là, il est à moi.

– Aucun n'est à toi ! hurle-t-elle, ses orbites noires et sa jupe serpentant dans tous les sens. Comment oses-tu seulement l'envisager ? Sais-tu qui je suis, au moins ?

Je fais oui de la tête. Non seulement je le sais, mais le Richter qu'on se dispute l'a finalement deviné lui aussi, vu la façon dont il grogne et peste, se débattant comme un fou pour se dégager. Mais en vain. Sur un simple mouvement du poignet de notre hôtesse, un petit groupe de serpents s'agglutinent autour de lui pour le ligoter par le cou, les bras, les jambes, et le faire prisonnier comme la liane tout à l'heure.

– Dans ce cas, tu dois savoir que ces ossements m'appartiennent. Ils sont tous à moi. Et ceux-là, en particulier, m'ont été refusés depuis de trop longues années.

Elle lance un regard mauvais au Richter près d'elle.

– Aujourd'hui c'est le *Día de los Muertos*, le jour où les morts m'apportent leurs os. Ce n'est pas une politesse. Ni une offrande pour m'apaiser. C'est le tribut que chacun doit payer pour être définitivement admis dans l'au-delà. Ces Coyotes m'ont échappé durant des siècles, mais c'est fini. Leurs os me reviennent, et puisque vous avez trouvé le moyen d'atterrir ici, les vôtres aussi.

Dace resserre ma main, mais je suis trop abasourdie par ces propos pour mesurer les miens.

– Vous ne pouvez pas me les prendre ! je m'écrie. Je ne suis même pas morte !

Dace esquisse un geste pour me faire taire, me calmer, mais en vain. Si je suis venue ici, c'est pour récupérer l'âme de Paloma, et je n'envisage pas une seconde de repartir sans.

La Gardienne des ossuaires me dévisage en réfléchissant, tandis que ses doigts tirent sur sa jupe de serpents sifflants et ondulants.

– Je peux y remédier très facilement, décide-t-elle en s'avançant jusqu'à moi, glissant avec grâce sur le sol terreux dans ses bottes noires brillantes.

Sa peau est si diaphane qu'on croirait qu'un papier ciré a été tendu et lustré sur son corps maigre et anguleux, et la tête de mort qui lui sert de visage scintille de toutes les étoiles qu'elle vient d'ingurgiter.

Elle tend ses doigts squelettiques vers moi, prête à me faire rejoindre le groupe de Richter morts près d'elle, quand Dace s'interpose entre nous :

– Ces os ne nous intéressent pas. Les seuls auxquels nous tenons, ce sont les nôtres. Nous sommes venus pour une tout autre raison… J'ai cru comprendre qu'il vous arrivait de temps en temps de vous associer aux Artisans de lumière, pour… pour les aider à récupérer des âmes volées. Celui-là, fait-il en montrant le monstre prisonnier des serpents, il a volé une âme dont nous avons désespérément besoin. Si vous nous aidez à la récupérer, tous ces os seront à vous.

Sa jupe grouillante de serpents virevolte autour de Dace pour me fouetter violemment les jambes, non sans que leurs langues vicieuses me piquent et me cinglent la peau, trouvant tous les endroits où mon jean s'est déchiré.

– Je ne marchande avec personne.

Ses orbites s'assombrissent d'un air dédaigneux, comme si le débat était clos. Mais Dace et moi n'avons pas fait tout ce chemin pour renoncer aussi facilement. Repoussant les serpents, les frappant à toute volée, je les regarde reculer en vitesse pour se réfugier autour de leur hôtesse, et reste campée au côté de Dace.

– Il me faut cette âme, et tout de suite. Une honnête femme est en train de mourir, et il n'est pas question que ça arrive. Ça ne vous fait peut-être ni chaud ni froid, mais vous serez sûrement intéressée d'apprendre que ces voleurs d'âmes putrides et le sorcier qui les a ramenés à la vie ont de terribles desseins pour cet endroit. Ils veulent détruire le Monde Souterrain tel que vous le connaissez aujourd'hui, et toutes les autres dimensions aussi. Mais vous pouvez les en empêcher. Il vous suffit de me rendre cette âme pour qu'ensuite…

– Je me fiche de leurs intentions ! me coupe-t-elle d'un ton aussi outrageant que sa tête de mort. Ce sont les os qui m'intéressent. Chaque invasion du clan des Coyotes dans le Monde Souterrain occasionne des millions de morts dans le Monde Intermédiaire. C'est une aubaine pour moi !

– Mais vous finirez par les avoir, ces os ! je rétorque, agacée, presque agressive. Vous ne comprenez donc pas ? Si vous n'essayez même pas de résister à cette invasion, vous les laissez gagner à leur propre jeu. Vous prétendez les haïr pour s'être dérobés à vous pendant toutes ces années, mais malgré tout, vous les aidez à mettre leurs plans à exécution ! C'est complètement absurde !

Bien qu'elle ne se dégonfle pas sur-le-champ comme je l'avais espéré, il est évident que mes arguments produisent un certain impact. Elle se tait, l'air pensif, sans plus esquisser le moindre geste pour m'attraper ou me chasser. Son visage se transforme et retrouve sa beauté initiale, telle qu'à notre arrivée, mais sa jupe de serpents persiste.

Finalement, elle se tourne vers moi et me dit :

– Paloma est sur ma liste.

Ma gorge se serre. J'ignore ce que cela signifie, mais je suis trop terrifiée pour poser la question, alors Dace s'en charge pour moi.

– La liste des morts, répond-elle. Ou ceux qui le seront bientôt. Elle est à l'ordre du jour. C'est fini. On ne peut pas revenir en arrière.

– Mais elle est encore en vie pour l'instant, objecte Dace en s'efforçant de rester calme, bien que sa façon de m'agripper les doigts me fasse dire qu'il est aussi angoissé que moi. Ce n'est pas forcément une fatalité. Vous avez de quoi faire, avec tous ces ossements. Entre les leurs…

Il pointe du doigt les monstres pendus aux arbres.

– … et les siens, ajoute-t-il en désignant cette fois le Richter ligoté par les serpents, ça fait un paquet de squelettes frais en échange d'une seule âme. Ça me paraît plutôt une bonne affaire, non ?

Elle repousse ses cheveux derrière son épaule, un arc-en-ciel de rouges chatoyants qui retient momentanément mon attention.

– Vous êtes prêts à sacrifier des Coyotes contre des Chasseurs ? s'étonne-t-elle en indiquant son groupe de prisonniers d'un signe de tête.

Dace hausse les épaules, l'air confus.

– Pourquoi pas ? répond-il sans comprendre.

Mais moi je comprends, et cette idée me glace le sang.

– Je trouve cela vraiment fascinant, commente-t-elle en s'approchant de lui et en détaillant de ses yeux d'onyx sa silhouette trempée, son tee-shirt et son jean collés à sa peau.

Lentement, lascivement, elle se passe la langue sur les lèvres et ajoute :

– En fait c'est toi que je trouve fascinant.

Les yeux plongés dans les siens, sa main étreignant la mienne, Dace se fige tandis qu'elle suit d'un doigt fin le contour de sa joue, la courbe de son oreille. Il soutient si longtemps son regard que je finis brusquement par comprendre : elle ne se contente pas de collecter les ossements, elle sait à qui ils appartenaient.

Elle connaît toute leur histoire, comment ils se sont retrouvés ici.

Écartant la main de son visage, elle retourne à sa place, mais continue de le contempler d'un air que je n'arrive pas trop à déchiffrer.

– Pourquoi ne pas sacrifier un Coyote contre un Chasseur ? reprend-elle avec ironie, les yeux pétillants et les dents luisantes. Mais parce que tu es l'Écho, voilà pourquoi !

Renversant la tête en arrière, elle part d'un rire tonitruant qui retentit dans le ciel, une cacophonie railleuse qui s'abat sur nous, implacable.

– Remarquez, nuance-t-elle en posant à nouveau son regard sur lui, le destin d'un Écho est aussi singulier que collectif.

Son regard bifurque rapidement vers moi.

– Je ne comprends pas, balbutie Dace en la sondant du regard, la voix pétrie d'inquiétude. C'est quoi, un Écho ? Où est-ce que vous voulez en venir, à la fin ?

Sa face magnifique se fend d'un large sourire, si séduisant qu'il est impossible de détourner les yeux. S'avançant de nouveau, elle prend son visage entre ses mains et appuie son front contre le sien.

– Ah ça… il ne tient qu'à vous de le découvrir. Sachez juste que le jour venu, je vous aurai à l'œil. Cela fait longtemps que j'attends ça… on va bien s'amuser, c'est sûr !

Elle s'écarte de Dace et se tourne vers les Richter toujours pendus par les pieds.

– Et quelles âmes ont-ils volées, eux ?

– Je ne sais pas, je réponds en les parcourant des yeux. Je sais simplement qu'ils n'ont rien à faire ici. Et si ces âmes ne retrouvent pas leurs êtres, alors comment les os de ces derniers pourront-ils vous parvenir, puisqu'ils ne pourront plus aspirer à l'au-delà ?

Nos regards se croisent, et le déclic semble enfin se faire, comme si j'avais fini par la convaincre de mon bon sens. Mais je prends peut-être simplement mes désirs pour des réalités. Son air est tellement indéchiffrable et vague, et son humeur, si instable que je m'attends à peu près à tout de sa part. Ma réflexion est interrompue lorsqu'elle se détourne subitement de moi pour fixer ses serpents avec dureté et leur crier :

– Extraction ! Libérez ces âmes, et laissez-moi les os !

Ils bondissent de ses jambes et partent en ondulant sur le sol à une vitesse prodigieuse. Ils se faufilent jusqu'à la lignée de Richter, se jettent sur leurs visages et plongent directement au fond de leurs gorges, avant de ressurgir avec de nombreuses sphères blanches lumineuses qu'ils s'empressent de recracher. Les âmes font des bonds, s'élancent vers le ciel et disparaissent en un clin d'œil, pour partir à la recherche de leurs propriétaires, tous ces malheureux que j'ai vus en photo. Brusquement privés d'énergie, les corps des montres se décomposent et se réduisent à un tas de vieux os et de poussière.

Comme il ne reste plus qu'un Richter, la femme se tourne vers moi.

– Peut-être aimerais-tu avoir cet honneur ?

J'acquiesce en silence, la regarde arracher un serpent à sa jupe et me le mettre dans les mains. Ses yeux globuleux et sa langue fourchue me rappellent le serpent de mon rêve, celui qui volait l'âme de Dace – mais peu importe. Cette extraction d'âme n'échouera pas. C'est hors de question.

Elle empoigne le monstre, plonge ses doigts maigres dans ses cheveux pour renverser d'un coup sec sa tête en arrière, tandis que Dace lui maintient la gueule ouverte et que j'y glisse le serpent. La poitrine serrée, retenant mon souffle, je prie pour que l'âme de Paloma ressorte intacte et me revienne sans encombre.

Le serpent réapparaît en serrant délicatement dans la gueule une sphère lumineuse qui m'arrache un petit cri de surprise quand elle se pose, légère et aérienne, au creux de mes mains.

– Vous avez ce que vous voulez, alors maintenant, du balai ! siffle la voix de la Gardienne des ossuaires à mon oreille. Laissez-les-moi !

Son visage reprend l'apparence d'une tête de mort quand elle embrasse du regard le magot d'os à ses pieds.

Je m'exécute, ne demandant pas mieux que de partir le plus vite possible loin d'elle.

– Il y en a d'autres, je lance en jetant un dernier coup d'œil derrière mon dos. Je ne sais pas où exactement, mais je vous garantis qu'ils ne sont pas loin.

Faisant mine de ne pas entendre, elle s'agenouille devant le tas d'ossements pour les trier, puis finit par répondre, alors que nous commençons à nous éloigner :

– Peu importe. Je les aurai à l'œil, et vous deux aussi. Le spectacle vaudra le détour, ça, je vous le garantis. L'Écho et la Chasseuse, ricane-t-elle au milieu de ses trésors. Qui l'eût cru ?

Cinquante-deux

Guidés par le corbeau, nous parvenons à retrouver le loup de Paloma. Mon enthousiasme s'évanouit, car sa vie ne tient plus qu'à un fil.

– Leftfoot a fait ce qu'il a pu, dit Dace. Mais sans l'âme, il ne pouvait pas grand-chose. La suite, quelle qu'elle soit, dépend de toi. Tu as déjà fait ça ?

Je fais non de la tête, gênée, me mordillant l'intérieur de la joue. Le risque encouru est énorme, je ne le sais que trop. Échouer maintenant signifie perdre définitivement Paloma, une issue qui n'est même pas envisageable.

– Et toi ? je demande en me tournant vers lui, d'une voix qui manque cruellement d'assurance par comparaison avec l'enjeu auquel je suis confrontée.

– Non plus, regrette-t-il. Ça dépasse toutes mes compétences.

– Comment je dois m'y prendre, à ton avis ?

Je reporte mon attention sur le loup et la sphère.

– À mon avis, suis ton instinct, répond Dace, d'un ton calme et sûr de lui.

Nos regards se croisent, et j'ai alors la certitude qu'il a raison.

Comme l'a dit Paloma, ce savoir, je le tiens de mes ancêtres, j'en ai hérité. Il coule dans mes veines. À moi de le faire rejaillir.

– Ouvre-lui la gueule, je décide subitement, mais sans hésiter, encouragée par l'idée que toutes les âmes qui viennent d'être extraites semblent avoir survécu sans être abîmées, y compris celle-ci.

Et puis le loup ne ferait jamais rien intentionnellement qui puisse l'endommager. Et qui sait, cet apport d'énergie le sauvera peut-être, lui aussi ? Un rapide coup d'œil au regard pourpre et luisant du corbeau me confirme que je suis sur la bonne voie.

– Dépêche-toi !

Dace écarte les mâchoires de l'animal, veillant à me laisser la place d'approcher les mains et d'introduire délicatement la sphère dans sa gueule. Son bras glissé sur mes épaules, nous guettons un changement, un signe de vie qui, pour l'instant, ne se manifeste plus. Puis, à notre immense soulagement, le loup dresse les oreilles, rouvre les yeux, la queue battant sur le sol, et pousse un long hurlement plaintif en se relevant à grand-peine.

– Je peux ? demande Dace en s'avançant rapidement, prêt à l'aider.

La question est bien plus cruciale qu'elle n'en a l'air.

Il me demande si je lui fais suffisamment confiance pour se charger de la suite.

Pour lui laisser plus de place dans ma vie.

Et lui ouvrir mon cœur.

Je ferme les yeux un instant, pour faire abstraction de tout ce qu'ils perçoivent et laisser plutôt mon cœur me guider à travers les ténèbres. C'est ce que font les Chasseurs.

Une fois de plus, cette impression que je ressens depuis le début à son contact me submerge, un mélange de bonté, de compassion et d'amour inconditionnel qui convergent vers moi.

Je lui signifie mon accord d'un signe de tête. À quoi bon me méfier, le repousser plus longtemps ?

C'est une âme belle et pure, un Whitefeather. Son côté Richter n'est qu'un détail technique.

Portant le loup dans ses bras, Dace me guide à travers les taillis et hors de la clairière.

– Puisque tu me fais confiance sur ce coup, je vais me fier à toi aussi, dit-il au bout d'un moment en me lançant un regard. On va rentrer par le chemin que j'ai pris pour venir. C'est un vortex sacré qui mène droit à la réserve. Ça nous permettra de rejoindre plus rapidement Paloma, mais tu ne devras jamais révéler son existence à quiconque.

Je m'empresse d'acquiescer et, fascinée, le regarde se diriger vers une zone où l'énergie semble manifestement plus légère, où l'éclat de la lumière est un brin plus vif. Et alors, en un clin d'œil, un fabuleux tourbillon se soulève et nous emporte à toute allure, pour finalement nous déposer dans un champ de genévriers complètement tordus.

Ce sont les fameux arbres que j'avais aperçus lors de ma balade à cheval avec Chay, et qui l'avaient poussé à rebrousser chemin. À l'époque, je n'étais peut-être pas prête, comme il l'affirmait, mais visiblement je le suis à présent.

On se précipite vers la petite maison d'adobe où se trouve ma grand-mère, suspendue entre la vie et la mort. En nous voyant entrer en trombe avec le loup, Chepi porte la main à son cœur, le souffle coupé par la surprise, Chay prend un air soulagé, et Leftfoot et son apprenti nous conduisent en vitesse au chevet de Paloma qui gît sur le lit, couchée sur le ventre.

Prenant le loup des bras de Dace, le sorcier installe l'animal à côté d'elle, et nous le regardons lui donner des coups de langue si tendres et si affectueux sur la joue que Paloma finit par sortir peu à peu du profond coma dans lequel elle était plongée. Du bout des doigts, elle cherche son museau, le caresse doucement, et use du peu de forces qu'il lui reste pour murmurer un long flot de paroles dont le sens m'échappe.

Puis le loup renverse brusquement la tête en arrière, laissant échapper un hurlement terrible qui me donne des fourmillements dans tout le corps.

C'est à cet instant que le miracle se produit.

L'âme quitte le corps du loup, plane dans les airs un instant, lumineuse et chatoyante, avant de retourner à sa place.

Les joues de Paloma reprennent aussitôt des couleurs, ses paupières se soulèvent et ses yeux cherchent les miens.

– *Nieta* ! *Nieta* ! Tu as réussi !

Notre allégresse ne dure qu'une seconde, car je prends brusquement conscience que ce n'est pas du tout ce qu'elle croit.

– Non, *abuela*. Pas exactement, je chuchote en approchant les lèvres de son oreille pour ne pas que Dace ou Chepi entende. J'ai uniquement réussi à te sauver, ainsi que quelques âmes – enfin, plusieurs, en fait – et, crois-le ou non, c'est grâce à l'aide de la Gardienne des ossuaires. Mais malgré tous mes efforts, beaucoup d'autres sont perdues à jamais. Je suis vraiment désolée, je n'ai rien pu faire de plus. Je ne pouvais pas supporter l'idée de te perdre. Ni me résoudre à ce que tu attendais de moi. J'ai essayé d'empêcher leur invasion, mais j'ai échoué.

Paloma lève vers moi un regard débordant de compassion qui contraste avec ses lèvres pâles d'inquiétude.

– La Gardienne des ossuaires, *nieta*… comment l'as-tu trouvée ?

– Le corbeau m'a conduite à elle, je souris. Avec l'aide de Dace et de son cheval.

À l'évocation de son nom, son regard pivote vers le fond de la chambre où se tiennent Dace et sa mère. Elle l'observe attentivement, si longtemps que je m'apprête à reprendre la parole, quand elle se retourne enfin.

– Maintenant que vous vous êtes trouvés tous les deux, il est temps pour vous de réaliser votre destin. Le corbeau a annoncé la prophétie et celle-ci s'est produite. Elle est en marche, on ne peut plus revenir en arrière. Vous êtes destinés l'un à l'autre, *nieta*.

– Mais… je ne comprends pas, je bredouille en me demandant pourquoi son ton se veut si rassurant, alors que la nouvelle me paraît plutôt bonne.

– La vie d'un Chasseur requiert d'énormes sacrifices, explique Paloma. Et j'en suis désolée pour toi. Mais tu dois à tout prix arrêter les Coyotes. Tu n'as pas idée des ravages qu'ils peuvent causer à eux seuls.

– Tu peux compter sur moi, j'affirme en hochant la tête pour la convaincre. J'emploierai tous les moyens nécessaires, mets-moi juste sur la voie.

– Hélas, j'ai perdu tous mes pouvoirs…

Ses paupières s'affaissent, sa voix s'estompe, épuisée.

– Je t'ai cédé le peu qu'il me restait. Alors, je peux encore te conseiller, *nieta* chérie, mais au final, c'est à vous deux que cette tâche incombe. Vous devrez unir vos forces et faire tout votre possible…

Lentement, sa voix s'éteint dans des toussotements, mais je n'en ai pas fini. Il me reste une dernière question dont elle est peut-être la seule à connaître la réponse.

Je me rapproche, pour lui chuchoter à l'oreille :

– Paloma, c'est quoi, un Écho ? Qu'est-ce que ça signifie ? je souffle en agrippant sa main dans l'espoir que sa réponse apaisera les craintes qui me tenaillent.

Mais seul le silence me répond, car le sommeil a eu raison d'elle.

Cinquante-trois

Leftfoot nous fait sortir de la pièce en insistant sur le fait que Paloma a besoin de se reposer. Et bien que je sois du même avis, je ne suis pas tout à fait prête à partir. Pas tant qu'elle ne se sera pas réveillée et n'ira pas mieux.

– Elle a subi un trauma éprouvant, explique-t-il. C'est très rare que quelqu'un survive à la perte totale de son âme – en général, la perte n'est que partielle. Mais comme tu le sais, Paloma n'est pas comme la plupart des gens. Elle est plus forte, plus résistante, et grâce à tes efforts, elle s'en sortira indemne. Mais pour l'instant, il faut que tu la laisses dormir. Et tu dois me laisser ramener le loup dans le Monde Souterrain. C'est mauvais pour lui d'être ici. Vous en avez fait assez pour aujourd'hui.

– Ça, c'est sûr, confirme Chepi en détaillant mes cheveux emmêlés, mon jean déchiré et mes pieds nus d'un air qui laisse entendre que je fais peur à voir, encore plus que ce que je crois.

Sa nervosité se dissipe dès l'instant où Dace glisse un bras autour de ses épaules en lui murmurant quelque chose dans leur langue natale. Puis il nous emmène dehors, et une fois sur le chemin de terre, Chepi rompt le silence gêné qui nous entoure.

– Je me souviens bien de ton père, dit-elle en me regardant dans les yeux.

Je m'arrête, sans trop savoir comment réagir.

– Tu es exactement comme lui, ajoute-t-elle non sans m'embrouiller davantage.

Que dois-je comprendre ? Que je suis impulsive et irréfléchie comme lui ?

Vouée à briser le cœur de son fils, comme Django a brisé celui de Jennika, même s'il n'y était pour rien ?

Que je fais partie d'un monde auquel elle s'est juré de tourner le dos pour essayer de se protéger et de protéger son fils, et qu'elle m'en veut de l'entraîner dans tout ça ?

Est-ce bien ça qu'elle pense, en plus de tout ce que je n'imagine pas ?

Fermant les yeux, je m'isole un instant pour essayer de comprendre instinctivement ce qu'elle ressent, mais tout ce que je perçois, c'est l'impression laissée par une femme très inquiète pour son fils. Dace esquisse un geste pour intervenir et tenter à tout prix de calmer la situation, mais il est rapidement interrompu par sa mère.

– Paloma a été là pour moi quand j'ai eu besoin d'elle, et c'est pourquoi j'ai passé ces derniers jours à faire tout mon possible pour lui rendre la pareille. Mais je n'imaginais pas que mon fils ou toi réussiriez un tel exploit.

Je baisse vivement la tête et fixe mes pieds, incapable de trouver une réponse appropriée. Son sentiment est simple, il se veut bienveillant, mais le ton employé semble, au mieux, accusateur. Mais bon, c'est peut-être juste la fatigue qui me rend parano.

– Cela fait des années que je n'ai pas célébré le *Dia de los Muertos*, mais peut-être qu'aujourd'hui je devrais…

Son regard s'attarde sur moi d'une manière qui me rappelle toutes les choses horribles et inimaginables qu'elle a endurées ce jour-là, quand elle n'était qu'une adolescente de mon âge.

Elle se tourne vers son fils et l'invite à rentrer chez eux, mais il lui répond d'un simple non de la tête ; alors elle fait volte-face et s'en va.

– Soyez prudents, lance-t-elle en tournant juste la tête, les mots flottant dans son sillage, plus lourds de sens qu'il n'y paraît.

Elle s'élance sur le chemin, sa silhouette diminuant à vue d'œil à mesure qu'elle s'éloigne, et une fois certaine qu'elle est hors de portée de voix, je dis à Dace :

– Ta mère me déteste.

Il rit et me prend dans ses bras pour me serrer contre lui, la chaleur de son corps se propageant aussitôt dans le mien.

– Mais non, elle ne te déteste pas. Il faut juste qu'elle s'habitue, c'est tout.

Confuse, je contemple ce visage dont la beauté me fait chavirer.

– Qu'elle s'habitue à quoi ? je m'étonne sans comprendre.

Il rougit, détourne les yeux vers son pick-up blanc déglingué.

– Au fait que j'ai une petite amie.

Je m'appuie contre la portière côté passager en essayant de me faire à cette idée. Je n'ai jamais été la petite amie de personne. À lui seul, ce mot suggère continuité, stabilité, longévité : que des choses dont j'ai longtemps été privée.

– Génial, maintenant je t'ai fait peur, soupire Dace en se méprenant sur mon silence et mon air songeur.

Il passe nerveusement la main dans ses cheveux, fixe le sol poussiéreux, mais je le tire par la manche pour l'attirer plus près.

– Après tout ce qu'on vient de traverser, tu crois pouvoir me faire peur aussi facilement ?

Il relève les yeux, pris d'un intense soulagement.

– On pourrait peut-être commencer par aller prendre un petit déjeuner ? Je connais un petit endroit super à l'abri des regards, où ils servent les meilleurs pancakes à la farine de maïs bleu de la région… Mais ça va peut-être te paraître un peu trop banal, comparé à une extraction d'âme.

Mon regard dévie au loin, guettant les premiers rayons du soleil qui se faufilent au sommet des montagnes derrière lui ; si j'incline la tête juste comme il faut, sa silhouette prend un air mystérieux et s'enveloppe d'un halo de lumière dorée assorti à l'éclat de ses yeux.

– Crois-moi, là tout de suite, la banalité me va très bien, je souris.

– Alors, c'est d'accord ?

– Pour les pancakes ou pour être ta petite amie ? je le taquine, amusée de le voir piquer un nouveau fard.

– Les deux, ce serait bien, mais c'est à toi de décider.

Je me mordille la lèvre, consciente que je n'ai jamais été dans cette position auparavant. Ça a toujours été « rendez-vous au pont Neuf à 20 heures ». Ou, dans le cas de Vane, « rendez-vous près du charmeur de serpents à la tombée de la nuit ». Le temps que le film soit dans la boîte et l'avant-première lancée, je me retrouvais toujours seule avec Jennika. Je n'ai jamais eu un vrai rencard, et encore moins de petit ami. Je n'ai même jamais envisagé d'en avoir un jusqu'à maintenant.

Je me rends compte qu'il attend toujours ma réponse.

– OK, je dis en le regardant.

– OK pour le petit déjeuner ?…

La tête penchée, il m'interroge du regard.

J'inspire un bon coup, le cœur battant la chamade à l'idée du pas que je m'apprête à franchir.

– OK pour les deux, je souffle doucement. Et au fait, au cas où je ne te l'aurais pas encore dit, *merci* !

– De quoi ? s'étonne-t-il.

– De m'avoir soutenue. Comprise. De ne pas m'avoir forcée à expliquer des choses dont je ne suis pas encore tout à fait prête à parler. Et d'être aussi gentil.

Il recule la tête pour mieux me regarder.

– Tu ne le savais pas ? sourit-il. Le gentil jumeau, c'est moi.

Je me fige en me demandant ce qu'il sait exactement de son frère.

– Tu sais… le bon et le méchant jumeau ? OK, blague vaseuse, je sais. Et d'après la Gardienne des ossuaires, je suis aussi l'Écho. D'ailleurs à ton avis, qu'est-ce qu'elle voulait dire par là ?

Je hausse les épaules d'un air gauche, tandis qu'il s'avance pour m'ouvrir la portière, mais alors même qu'il se penche je le retiens, les doigts autour de son biceps.

– Je ne sais pas ce que c'est qu'un Écho, mais j'ai une certitude : le gentil jumeau, c'est toi.

Et je l'embrasse sous le soleil levant.

Cinquante-quatre

On passe en voiture devant le Terrier du Lapin, et à première vue, l'idée d'une micro apocalypse est la première image qui me vient à l'esprit pour décrire le spectacle. Les portes sont grandes ouvertes, les videurs ont disparu, et quand Dace s'arrête un instant dans la ruelle pour jeter un coup d'œil à l'intérieur, il apparaît évident que l'endroit a été déserté, il n'y a plus un chat.

– Je crois que la fête ne s'est jamais terminée aussi tôt, constate-t-il. D'habitude, ça dure jusqu'à midi, voire plus tard.

Je me penche devant lui pour mieux voir, curieuse de savoir si ça a un éventuel rapport avec nous, si notre exploit a eu plus d'impact sur les agissements de Cade que je ne le pensais. Il y a peut-être des Richter en liberté dans le Monde Souterrain, la victoire n'est peut-être que relative, n'empêche qu'on a récupéré l'âme de Paloma et tout un tas d'autres qui ont été restituées aux habitants d'Enchantment. Pas étonnant qu'ils n'aient plus envie de mettre les pieds ici, ils ont enfin repris le contrôle de leur vie.

– Tu crois que quelqu'un se rendra compte que je ne suis pas venu travailler ? dit Dace en me lançant un regard, mais je hausse les épaules pour toute réponse. Bon, alors il ne me reste plus qu'à faire la paix avec Jennika.

D'un coup d'œil dans les rétroviseurs, il vérifie que la voie est libre, puis s'engage sur l'artère principale, tandis que je contemple par la vitre les rues jonchées de fleurs de soucis et de masques de têtes de mort, de bouts épars et déchiquetés de sourires édentés et d'orbites fleuries qui fixent le ciel depuis le bitume, le regard perdu dans le vide comme s'ils narguaient les personnes qui les ont justement perdus.

– Bonne chance sur ce coup, je murmure. Elle est prédisposée à te détester. Convaincue que tu causeras ma perte. D'après elle, ça crève les yeux que tu es un bourreau des cœurs.

Dace resserre le volant entre ses mains, le front plissé d'un air affligé qui me fait regretter mes paroles.

Mais au bout de quelques secondes, il éclate de rire.

– C'est drôle, ma mère pense exactement la même chose de toi.

Voyant ma confusion, il ajoute :

– Ce jour-là, à la station-service, quand je t'ai vue assise sur le bord du trottoir en train de parler au téléphone, elle a surpris mon regard et m'a averti d'entrée de jeu de garder mes distances avec toi.

– Et pourquoi, à ton avis ? C'est bizarre de dire ça de quelqu'un qu'on ne connaît pas, non ?

Est-ce qu'elle se serait fait une impression de moi comme moi d'elle ? C'est pour ça qu'elle me déteste ?

Dace tend le bras et étreint ma main d'un geste rassurant.

– C'est ce que toutes les mères disent.

Je me laisse aller en arrière dans mon siège, bien décidée à ne plus y penser. Le pick-up remonte le chemin de terre en bringuebalant, puis ralentit en arrivant dans la rue de Paloma qui est noire de voitures, dont une en particulier que je remarque aussitôt.

Je laisse à peine le temps à Dace de se garer que je sors en coup de vent du véhicule et traverse le patio en courant. Le cœur bien accroché, je passe la porte en trombe, terrifiée à l'idée de ce que je pourrais découvrir, mais vois finalement Jennika attablée dans la cuisine avec Marliz. Autour d'elles, un groupe de filles du lycée que je reconnais attendent leur tour pour profiter d'une séance de maquillage par une professionnelle de Hollywood.

– Daire.

Jennika me lance un regard de biais, tout en appliquant du mascara sur les cils de Lita.

– Je t'ai cherchée partout.

Puis elle voit Dace à côté de moi.

– Et pourquoi ne suis-je pas surprise de vous voir ensemble ? Vous êtes dans un état épouvantable, soit dit en passant. Où est-ce que vous étiez passés ?

Balayant la question d'un revers de main, je scrute frénétiquement la pièce à la recherche de Xotichl et l'aperçois avec soulagement, blottie sur le canapé du salon dans les bras d'Auden ; les deux pouces levés, elle me fait signe que tout va bien dès l'instant où elle sent ma présence. Jacy et Crickett sont là, elles aussi, riant et bavardant avec des amis de Cade, tous étendus paresseusement sur les tapis tissés et les fauteuils, sans qu'aucun ne soit manifestement conscient que Cade Richter manque à l'appel.

Reportant mon attention sur Jennika, je prends note de son regard noir et mécontent, et comprends que le moment est venu pour nous de régler nos comptes et de trouver un compromis.

– Il faut qu'on parle.

Elle recule de la table, la mine sombre.

Son échappée est interrompue par Lita, dont le visage est à moitié maquillé.

– Mais vous allez d'abord finir ça, non ? s'écrie-t-elle.

Jennika hoche le menton pour indiquer à Marliz de prendre le relais.

– Je pense qu'elle peut s'en charger, répond-elle avant de me faire signe de la suivre dans le bureau de Paloma.

Dace semble hésiter, mais je l'entraîne avec moi. Nous sommes soudés, prêts à affronter la colère de Jennika, quand soudain il prend les devants :

– C'est à moi qu'il faut vous en prendre, madame. J'en assume l'entière responsabilité.

C'est sans aucun doute l'une des pires choses qu'il pouvait dire. La tentative est honorable, mais ce n'est vraiment pas le meilleur moyen de se mettre Jennika dans la poche, et rien qu'au rictus sarcastique qu'elle ébauche, j'ai envie de rentrer sous terre.

– Elle se faisait du souci pour Paloma, persiste-t-il. Alors je l'ai emmenée à la réserve pour qu'elle la voie, et il faut croire qu'on a bien fait, puisque Paloma va beaucoup mieux.

Jennika sourit d'un air narquois.

– Bien, dans ce cas c'est réglé, annonce-t-elle en me regardant dans les yeux.

Elle s'écarte de l'évier comme si les choses étaient aussi simples. Puis elle me fait signe de la suivre, et comme je ne bouge pas d'un pouce et reste plantée au côté de Dace, elle s'agace :

– On avait passé un accord, Daire. Maintenant que Paloma va mieux, il est temps de dire adieu à tes amis et de rentrer à Los Angeles.

Je reste clouée sur place. Mon regard s'égare parmi les herbes, le tambour, les piles de bouquins sur les étagères : c'est chez moi ici, je n'irai nulle part. Je ne partirai pas alors que Paloma a encore des tonnes de choses à m'apprendre.

Je ne partirai pas tant que je n'aurai pas trouvé le moyen de déloger ces Richter du Monde Souterrain, et d'empêcher Cade de poursuivre sa quête de pouvoir insensée. Et même quand ce sera fait, je ne suis pas sûre que je partirai.

Jennika plante ses mains sur ses hanches et hausse le ton :

– Daire !

Elle nous scrute tour à tour, d'un air de me demander si je tiens vraiment à continuer devant lui.

Sincèrement, j'aimerais mieux pas, mais maintenant qu'on est lancées, j'ai le sentiment de ne plus avoir trop le choix.

– Je ne pars pas.

Son visage se décompose, indigné au plus haut point.

– Je sais que tu trouves ça insensé, mais je me plais ici, et je n'ai pas envie de partir. C'est pas plus compliqué que ça.

Dace me serre la main, la paume chaude, le geste sûr. Mais lorsque nos regards se croisent, je devine qu'il est terriblement mal à l'aise, alors je lui propose d'aller m'attendre dans le salon.

Il a à peine parcouru la moitié du couloir que Jennika lance :

– Et il va pouvoir attendre longtemps, parce que tu pars avec moi !

Je pousse un gros soupir en fixant mes pieds. Me disputer avec elle ne m'avancera à rien. Si je veux être entendue, je vais devoir y aller doucement.

– Jennika, je reprends en prenant soin de garder un ton posé, qu'est-ce que tu as contre cet endroit ?

Elle se renfrogne et esquisse un grand geste du bras.

– Mais c'est évident, non ? J'estime que tu vaux mieux qu'un bled paumé et qu'un beau garçon sans avenir.

Tandis qu'elle plante ses mains sur ses hanches, la mâchoire serrée, je m'efforce de ne pas oublier qu'au fond elle dit ça pour mon bien et veut ce qu'il y a de mieux pour moi, même si elle n'est pas toujours sûre de savoir ce que c'est.

– Mais si moi, ça me plaît d'être ici ? je réponds, la tête rentrée dans les épaules en tripotant le bord déchiré de ma veste. Si je me sens chez moi dans ce bled paumé, comme tu dis ? Si je te disais que je ne compte même pas sur ce garçon pour m'offrir un avenir et que je me sens parfaitement capable de m'en construire un toute seule ? J'ai peut-être simplement envie de savoir ce que ça fait d'avoir un vrai foyer, une vraie famille, de vrais amis, et effectivement, peut-être même un petit ami, tu vois ? Et si cet endroit pouvait me permettre de goûter sincèrement à toutes ces choses, serais-tu vraiment prête à m'en priver ? À insister pour me ramener à L.A., uniquement parce que ça te paraît mieux ?

Je retiens mon souffle, convaincue d'avoir présenté de bons arguments, bien que Jennika ne se laisse pas facilement influencer.

– Mais tu peux avoir tout ça à Los Angeles ! Et crois-moi, c'est un environnement bien plus agréable que cette ville ! Il faut juste que tu lui donnes une chance, c'est tout.

– Et si toi, tu m'en donnais une ? je réplique, ce qui la fait taire sur-le-champ. Accorde-moi ça, au moins ! Une année de lycée. Si je gâche tout, que j'ai de mauvaises notes ou que je commence à m'attirer des problèmes, tu auras toutes les raisons de me ramener par la peau des fesses, et je n'aurai pas mon mot à dire. Mais avant, pourquoi ne pas voir comment je me débrouille ?

– Parce que tu n'es pas sous la responsabilité de Paloma mais sous la mienne ! s'écrie-t-elle, à bout de nerfs.

– Mais tu peux venir quand tu veux, ce n'est pas comme si c'était loin ! Un an, Jennika. Je t'en prie. Laisse-moi essayer. Donne-moi une chance de voir comment je m'en sors.

Elle soupire, parcourt la pièce du regard de long en large, puis s'arrête de nouveau sur moi.

– Sois prudente avec lui. Et ne viens pas me reprocher de ne pas t'avoir prévenue, car je l'ai fait, et plus d'une fois.

J'acquiesce et relâche les épaules, soulagée, car je sais que cette mise en garde est sa manière à elle de céder.

– Merci, je dis en la prenant au dépourvu en me jetant à son cou.

Je recule en clignant des yeux pour refouler quelques larmes, prenant subitement conscience que, même si parfois elle m'agace prodigieusement, elle va beaucoup me manquer.

Et cette pensée me fait comprendre autre chose : je lui manque probablement beaucoup. Je suis tout ce qu'elle a. On a formé une équipe soudée pendant seize ans. Elle a volontairement évité de s'investir avec quiconque. Même avec Harlan, elle garde farouchement ses distances.

Je sais qu'il en souffre, mais il a choisi de l'accepter selon les conditions qu'elle lui impose. Cependant, elle a beau essayer de s'y soustraire, il est évident que Jennika a besoin d'un foyer autant que moi. Elle a besoin d'avoir des amis, une vie en dehors du travail. Elle a besoin de toutes ces choses que j'ai désormais – mais à Los Angeles, pas ici.

– Bon, et maintenant ? je fais, tandis qu'une nouvelle idée prend forme dans ma tête.

Elle pousse un soupir en croisant les bras sur sa poitrine, l'air fatiguée.

– Eh bien, maintenant que tu es là, je crois que je vais aller faire un petit somme, puis voir comment se porte Paloma, et ensuite je partirai.

– Et ta séance de maquillage ? je dis avec un geste en direction de la cuisine. On dirait que tu t'es constitué un sacré fan-club.

Jennika lâche un petit rire aussi léger que las, en se dirigeant vers le couloir, et alors je décide de le dire, de lancer l'idée en l'air, et on verra bien ce que ça donne.

– Tu sais, si tu cherches une colocataire à L.A...

Elle s'arrête, interloquée.

– Tu pourrais le proposer à Marliz. Enfin, je sais qu'elle est fiancée et tout, mais c'est un peu un sale type, et...

– Ils ont rompu.

Je la dévisage, abasourdie.

– La nuit a été mouvementée, dit-elle en haussant les épaules, tandis que son regard se perd au loin et qu'elle se repasse le film.

Une mèche lui tombe dans les yeux, elle remue le menton.

– Il est clair que je suis sérieusement en manque de sommeil.

– Alors, tu vas y réfléchir ? Lui proposer, je veux dire ?

Jennika passe devant moi sans répondre.

– Dis, il faut que je sorte une minute, tu veux bien dire à Dace que je reviens tout de suite ?

Sans lui laisser le temps d'acquiescer, je sors discrètement par la porte de derrière, passe devant le garage, franchis le portail et avance de quelques pas sur le chemin de terre où un quatre-quatre noir rutilant est garé sur le bas-côté.

– Tu m'as vexé, dit Cade, à peine suis-je arrivée au niveau de la vitre côté conducteur.

Il me lance un regard blessé.

– Pour être vexé, il faut avoir un cœur.

Campée face à lui, je fixe ses yeux vides et glacials.

– Tu t'es enfuie comme ça… Sans même attendre que la fête commence ! soupire-t-il d'un air triste. Ce n'était pas pareil sans toi. J'avais fait préparer ces bonbons en forme de têtes de mort exprès pour toi, tu sais ; tout ça, pour finalement les donner à manger au coyote !

– Désolée, je fais, d'un air qui sous-entend tout le contraire. J'avais une âme à récupérer.

Il opine, l'air pensif.

– Oui, j'ai entendu dire que Paloma allait mieux.

– C'est drôle, j'ai entendu dire la même chose, j'ironise sans le quitter des yeux.

– Tu dois être assez contente de toi.

Il plisse les yeux, passe la main dans ses cheveux en vérifiant son reflet dans le rétroviseur ; j'ai beau l'avoir laissé au milieu des flammes, il n'a pas l'air mal en point du tout.

– Écoute, non, je crois que tu sous-estimes le truc : je suis très satisfaite de moi.

Ses yeux bleu glacier se plongent dans les miens, s'efforcent d'absorber mon énergie, l'essence de mon être, pour essayer de modifier ma perception des choses, m'obliger à les voir sous son angle, mais ça ne prendra pas. Je connais son petit jeu par cœur.

– Tu sais que Lita est à l'intérieur ? D'ailleurs, tous tes amis y sont. Et apparemment, tu ne manques à personne.

Il examine ses mains en passant ses cuticules en revue, mais ne répond pas.

– Quel est le problème ? je le nargue. Un Coyote ne peut pas franchir la palissade de Paloma ? C'est pour ça que tu attends dehors, tu espères qu'ils vont venir à toi ? Parce que si c'est le cas, autant te prévenir tout de suite, Richter : de ce que j'ai vu, ils ne pensent même pas à toi. Loin des yeux, loin du cœur, comme on dit.

– Dans ce cas, pourquoi ne pas m'inviter à entrer pour que je leur rafraîchisse la mémoire ? sourit-il, le regard luisant à cette éventualité.

– Tu peux toujours attendre.

Il s'esclaffe.

– Je t'ai vue avec mon frère, murmure-t-il en promenant son regard sur moi. Je suppose que ça explique ton attirance pour moi, puisqu'il me ressemble trait pour trait.

Son sourire arrogant s'évanouit lorsque je roule des yeux pour toute réponse.

– En tout cas, ce qui est sûr, c'est que tu passes ton temps à penser à moi et à me courir après… Pas vrai, Santos ? insiste-t-il, résolu à me faire admettre une énormité.

– Non mais tu rêves, Coyote. C'est le risque du métier, c'est tout. Je ne fais que mon boulot, je réplique en le voyant pianoter sur le volant et arborer un rictus suffisant et plein de morgue que je meurs d'envie de lui faire ravaler.

– Tu es très douée, Santos. Je m'en suis rendu compte ce soir. Et un peu trop sensible aussi, mais ça, on devrait pouvoir y remédier. Dommage que tu perdes ton temps et ton talent avec mon frère.

– Tu préférerais que je les perde avec toi ?

– Absolument, répond-il sans une once d'ironie. Je n'ai pas arrêté d'être sympa avec toi, et pourtant tu as vu de quelle façon tu me traites ? Je ne sais pas ce qu'on t'a raconté sur moi, mais tu te trompes complètement.

– Je te rappelle que tu as volé l'âme de ma grand-mère ! je crie, scandalisée. C'est ça, ce que tu appelles être sympa ?

Il hausse les épaules, essuie le cadran de sa montre du pouce.

– Bon, sympa, peut-être pas, mais j'étais obligé de le faire. Et malgré tout, tu as réussi à la sauver… tout en laissant une bonne partie des miens dans le Monde Souterrain. C'est plutôt gagnant-gagnant, tu ne trouves pas ? Tu vois, on fait du bon boulot, à nous deux.

Exaspérée, je souffle et m'apprête à tourner les talons, quand il actionne la clé de contact et met le moteur en marche.

– Tu crois peut-être en savoir long sur les Coyotes, mais je vais te confier une chose, ils ne reculent devant rien pour protéger leur famille. La famille, c'est ce qui compte pardessus tout, Santos, ne l'oublie jamais. Les liens du sang ne peuvent jamais être rompus. Et que tu en aies conscience ou non, tu œuvres pour moi depuis le jour où tu as commencé à faire ces rêves.

Ma gorge se serre. Ma respiration s'accélère, mes paumes deviennent moites, ses paroles résonnent en moi.

– Tu sais, ces rêves où la température grimpe entre mon frère et toi ?

Il éclate de rire et se passe la langue sur les lèvres en souriant d'une manière à la fois obscène et odieuse.

– T'as fini ? je rétorque en croisant les bras et en essayant de paraître calme, détendue, pas du tout troublée, bien qu'à mon avis il ne soit pas dupe.

Ses paroles m'ont sérieusement ébranlée.

– C'est tout ce que t'as ?

– Certainement pas, sourit-il. Toi et moi, ça ne fait que commencer, tu verras. Mais en attendant, profite tant que tu peux de mon frangin, tu sais… l'Écho.

Il s'esclaffe encore, puis démarre en trombe, au moment même où je tourne la tête et vois Dace passer la sienne dans l'entrebâillement du portail bleu, visiblement à ma recherche.

– On part tous prendre un petit déjeuner, lance-t-il à la seconde où il m'aperçoit. Tout le monde vient, on ne sera pas en tête à tête, j'espère que ça t'ennuie pas ?

Je le rejoins en vitesse, pressée de me débarrasser des mauvaises ondes de Cade et de sentir les siennes. Blottie dans ses bras, je respire le doux parfum de terre de sa peau.

– Ça me va très bien. Je suis affamée.

Il me serre tout contre lui et entraperçoit dans mon dos le quatre-quatre de son frère qui disparaît au bout du chemin.

– Cade ? s'étonne-t-il en plissant les yeux, le regard au loin.

J'acquiesce en espérant qu'il ne va pas s'imaginer un truc bizarre, car il n'y a pas vraiment d'explication valable à la discussion qu'on vient d'avoir.

– Qu'est-ce qu'il voulait ? demande-t-il, à la fois perplexe et inquiet.

Je soupire en avançant avec précaution parmi un lit de pierres, tandis que nous nous dirigeons vers le portail.

– Me mettre en garde, je réponds.

– Contre moi ?

– Non, contre lui. Il voulait me faire savoir que le méchant jumeau, c'est lui.

J'inspire profondément, consciente d'être au plus près de la vérité sans avoir l'intention d'en dire plus.

Je soupire doucement, tandis qu'il glisse un bras autour de mes épaules en me disant :

– À mon avis, il est juste de mauvais poil à cause de Lita. Elle l'a plaqué. Il n'a pas trop l'habitude qu'on se refuse à lui, c'est une expérience toute nouvelle pour lui.

– Il faut croire que Lita a retrouvé son âme, je constate en jetant un dernier coup d'œil dans la rue, pour m'assurer que Cade est parti, du moins pour l'instant.

Puis je franchis le portail avec Dace, et nous rentrons d'un même pas dans la petite maison d'adobe de Paloma, où nous attendent nos nouveaux amis.

LE CORBEAU

Le corbeau représente le mystère, la magie et le changement de perception. Il nous apprend à discerner ce qui est peu ou mal défini et à y donner forme. En nous aidant à faire face à nos défauts, il nous rappelle que nous avons le pouvoir de transformer les choses, quelles qu'elles soient, si tant est que nous ayons le courage de les affronter. L'esprit du corbeau, métamorphe par nature, permet, si nécessaire, de se déguiser en n'importe quelles circonstances, allant même jusqu'à nous rendre invisibles aux yeux d'autrui. Il nous aide à appliquer la magie des lois de l'univers pour manifester ce dont nous avons besoin et faire jaillir la lumière des ténèbres.

LE COYOTE

Le coyote symbolise l'humour, la ruse et le revers de fortune. Il nous apprend à trouver un juste milieu entre sagesse et folie. Adversaire malin, il nous incite à bien comprendre la situation avant d'élaborer un plan pour atteindre nos objectifs, mais c'est aussi un véritable battant qui n'hésitera pas à prendre des mesures extrêmes pour assurer le bien-être de sa descendance. Ingénieux et filou, l'esprit du coyote nous apprend à nous adapter et à tirer profit de pratiquement toute situation. Si ses tours de magie n'ont pas toujours l'effet escompté, le coyote ne s'y emploie jamais sans raison.

LE CHEVAL

Le cheval incarne la liberté, la force et la lumière. Il nous enseigne les bienfaits de la patience et de la bonté, et qu'une relation constructive est une relation où chacun s'implique. Extrêmement endurant et rapide, le cheval nous pousse à améliorer notre capacité de résistance afin de réaliser pleinement notre potentiel. L'esprit du cheval, animal robuste et puissant, fait appel à notre force intérieure pour nous donner le courage d'avancer et de suivre de nouvelles voies. Il nous incite à supporter dignement les fardeaux de l'existence tout en restant solidement ancrés dans notre quête spirituelle.

LE LOUP

Le loup symbolise la protection, la loyauté et le courage. Il nous apprend à équilibrer nos besoins avec ceux de la communauté, en nous rappelant que le rituel est primordial pour que règnent l'ordre et l'harmonie, et que la vraie liberté nécessite de la discipline. Animal intelligent aux sens affûtés, il nous incite à éviter autant que possible les ennuis et les conflits. L'esprit du loup, enseignant éminent, nous apprend à être à l'écoute de nos pensées intimes afin de trouver la source de notre moi intérieur et de notre instinct. Il veille sur nous en nous aidant à prendre le contrôle de notre existence, à trouver des solutions et à respecter les forces de l'univers.

L'AIGLE

L'aigle représente l'inspiration, la guérison et la création. Il nous enseigne que si chacun est libre de choisir sa propre voie, il doit respecter la liberté des autres d'en faire autant. Capable de s'élever dans les airs et d'embrasser du regard toutes les directions, l'aigle nous incite à prendre de la hauteur pour analyser notre propre existence. L'esprit de l'aigle, symbole de puissance, implique d'accepter des responsabilités plus importantes que les nôtres et d'utiliser notre aptitude à l'objectivité pour aider les autres à surmonter des périodes sombres. Doté d'ailes et de pattes robustes, il navigue d'un monde à l'autre et nous encourage à nous élever dans la spiritualité tout en restant bien ancrés dans la réalité, et à nous épanouir en tant que force créatrice.

Remerciements

Un immense merci aux personnes qui, en toute connaissance de cause ou sans le savoir, ont contribué à la création de ce livre :

Alicia Gates, qui m'a entraînée dans un merveilleux voyage vers le Monde Souterrain.

Daniel et Emily, de la ville de Taos, qui ont bien voulu me livrer leurs récits et me donner un aperçu de leur quotidien.

Javin, de Santa Fe, qui, malgré un agenda chargé, a trouvé le temps de me parler de la vie dans la réserve.

Merci également au personnel sympathique et attentionné de l'incroyable Inn of the Five Graces. Si je pouvais vivre là-bas, je le ferais !

À Mary Castillo, pour l'amitié et les fous rires partagés, et son livre sur les *curanderas*.

À Marlene Perez, Debby Garfinkle et Stacia Deutsch, auteures talentueuses et amies proches. Si vous saviez comme nos petites conversations autour d'un café sont précieuses !

À l'équipe géniale de St. Martin's Press, parmi lesquels Matthew Shear, Rose Hilliard, Anne Marie Tallberg, Rachel Ekstrom et Elsie Lyons, ainsi que tous ceux qui ont permis à mes manuscrits de devenir des livres.

À Bill Contardi, mon formidable agent, et Marionna Merola, mon non moins formidable agent à l'étranger. Vous assurez !

À Sandy, mon mari, merci pour pratiquement tout.

À ma famille – chacun se reconnaîtra –, vous êtes sensas !

Et enfin, merci à mes lecteurs : c'est grâce à vous si je vis ce rêve merveilleux !

Retrouvez d'autres séries ensorcelantes dans la même collection !

Indiana Teller, de Sophie Audouin-Mamikonian
L'Héritage des Darcer, de Marie Caillet
Le Pays des Contes, de Chris Colfer (à paraître)
49 jours, de Fabrice Colin
Traqué, de Andrew Fukuda (à paraître)
Tunnels, de Roderick Gordon et Brian Williams
Nés à Minuit, de C.C. Hunter
Hantée, de Maureen Johnson
Insaisissable, de Tahereh Mafi
Les Chroniques de Wildwood, de Colin Meloy et Carson Ellis
Le Dernier Royaume, de Morgan Rhodes (à paraître)
Qui est Terra Wilder ? de Anne Robillard
Night World, de L.J. Smith
L'Échange, de Brenna Yovanoff
Intuitions, de Rachel Ward

Et rejoignez-nous sur www.lire-en-serie.com !

Composé par Nord Compo Multimédia
7, rue de Fives, 59650 Villeneuve-d'ascq

Imprimé au Canada
Dépôt légal : février 2013

ISBN : 978-2-7499-1779-5
LAF 1633A